Aos prantos no mercado

FÓSFORO

MICHELLE ZAUNER

Aos prantos no mercado

Tradução do inglês por
ANA BAN

4ª reimpressão

Para 엄마

Aos prantos no mercado

Desde que a minha mãe morreu, eu choro no mercado H Mart.

O H Mart é uma rede de mercados especializada em comida asiática nos Estados Unidos. O *H* significa *han ah reum*, uma frase coreana que se traduz mais ou menos por "compra a braçadas". O H Mart é para onde os filhos de imigrantes seguem quando querem encontrar a marca de macarrão instantâneo que lembra o lar da infância. É onde as famílias coreanas compram biscoitos de arroz para fazer *tteokguk*, a sopa de carne e biscoito de arroz que recebe o Ano-Novo. É o único lugar em que dá para encontrar um barril gigante de alho descascado, porque é o único lugar que realmente entende a quantidade de alho necessária para o tipo de comida que a sua gente consome. O H Mart é a libertação do único corredor da seção "étnica" dos mercados comuns. Aqui, não tem feijão enlatado ao lado de frascos de molho de pimenta sriracha. Em vez disso, é provável que você me encontre chorando em frente às geladeiras de *banchan*, lembrando o gosto dos ovos com molho de soja e da sopa fria de nabo de minha mãe. Ou na seção de congelados, segurando um saco de massa para bolinho, pensando nas tantas horas que eu e minha mãe passávamos à mesa da cozinha recheando a massa fina com carne de porco moída e cebolinha. Soluçando perto dos não perecíveis, perguntando a mim mesma se eu realmente continuo a ser coreana se não sobrou ninguém para quem ligar e perguntar qual era a marca de alga desidratada que a gente costumava comprar.

Por ter sido criada nos Estados Unidos, por um pai caucasiano e uma mãe coreana, eu dependia da minha mãe para acessar nossa herança cultural coreana. Apesar de ela de fato nunca ter me ensinado a cozinhar (a tendência dos coreanos é desprezar medidas e fornecer apenas instruções cifradas, do tipo "adicione gergelim até ficar com o mesmo gosto do que o da minha mãe"), ela realmente me criou com um apetite bem coreano. Isso significa reverência pela boa comida e predisposição para uma relação afetiva com a alimentação. Éramos extremamente minuciosos: o *kimchi* precisava ter o amargor perfeito, o *samgyeopsal*, ser crocante à perfeição; ensopados tinham que ser servidos fumegando, se não, eram intragáveis. O conceito de preparar as refeições da semana com antecedência era uma afronta absurda ao nosso estilo de vida. Acolhíamos os nossos desejos todos os dias. Se a vontade era comer ensopado de *kimchi* durante três semanas seguidas, nós nos esbaldávamos até que um novo desejo surgisse. Comíamos de acordo com as estações e as festividades.

Quando a primavera chegava e o tempo virava, levávamos a churrasqueira para fora e assávamos tiras de barriga de porco fresca na varanda. No meu aniversário, comíamos *miyeokguk* — uma sopa de algas bem fortificante, cheia de nutrientes, que as mulheres são incentivadas a tomar no pós-parto, e que os coreanos tomam tradicionalmente no dia do aniversário para homenagear a mãe.

Minha mãe expressava amor por meio da comida. Por mais crítica ou cruel que ela pudesse parecer — sempre me forçando a atender a suas expectativas obstinadas —, eu sempre sentia o afeto dela irradiando das merendas que ela preparava para eu levar à escola e das refeições que ela cozinhava para mim bem do jeito que eu gostava. Mal sei falar coreano, mas, no H Mart, eu me sinto fluente. Toco nas frutas e nos legumes e pronuncio em voz alta: melão *chamoe*, *danmuji*. Encho o carrinho de compras com os petiscos que têm pacotes vibrantes estampados com algum personagem de desenho conhecido. Lembro da vez em que a minha mãe me mostrou como dobrar o cartãozinho de plástico que vinha nos sacos de Jolly Pong, como usá-lo de colher para levar o arroz tufado caramelizado até a boca, e de como era inevitável que aquilo caísse na minha camiseta e se espalhasse pelo carro todo. Lembro das coisas que minha mãe contava que comia quando criança e como eu tentava imaginá-la com a minha idade. Queria gostar de todas as coisas de que ela gostava, de incorporar minha mãe completamente.

Meu luto vem em ondas e geralmente é suscitado por algo arbitrário. Posso falar com toda a seriedade sobre o cabelo da minha mãe caindo na banheira ou sobre as cinco semanas que passei dormindo em hospitais, mas, se você me pegar no H Mart quando uma criança passa correndo segurando saquinhos de *ppeongtwigi*, eu fico transtornada. Aqueles biscoitos de arroz eram a minha infância, uma época mais feliz quando minha mãe estava presente e nós mastigávamos os disquinhos translúcidos depois da escola, como se não houvesse amanhã, separando um do outro como se fossem aquelas placas de isopor usadas para proteger encomendas em caixas, deixando derreter feito açúcar na língua.

Choro quando vejo uma avó coreana comendo macarrão com algas na praça de alimentação, colocando as cabeças dos camarões e as conchas dos mariscos na tampa da tigela de metal cheia de arroz da filha. O cabelo dela é crespo e grisalho, as maçãs do rosto proeminentes como se fossem dois pêssegos, as sobrancelhas tatuadas desgastadas à medida que a tinta se desbota. Fico imaginando como a minha mãe teria sido se tivesse chegado aos setenta anos, se acabaria fazendo o mesmo permanente que toda avó coreana faz, como se isso fizesse parte da evolução da nossa raça. Imagino a gente de braços dados, seu corpo franzino apoiado em mim ao subirmos a escada rolante até a praça de alimentação. Nós duas vestidas de preto, "ao estilo de Nova York", ela diria, com seu imaginário da cidade sempre atrelado ao tempo de *Bonequinha de luxo*. Ela estaria com a bolsa Chanel de couro matelassê que desejou a vida toda em vez das réplicas que comprava nos becos de Itaewon. As mãos e o rosto dela estariam um pouco viscosos por causa dos cremes anti-idade comprados no canal QVC. Ela estaria usando algum tipo de tênis de cano longo e salto alto do qual eu discordaria. "Michelle, na Coreia, todas as pessoas famosas usam este modelo." Ela tiraria os fiapos do meu casaco e implicaria comigo: meus ombros estão caídos, preciso de sapatos novos, eu realmente devia começar a fazer aquele tratamento de óleo de argan que ela comprou para mim. Mas estaríamos juntas.

Para ser sincera, existe muita raiva. Fico com raiva dessa senhora coreana que não conheço, por ela ter a chance de viver e a minha mãe, não, como se, de algum modo, a sobrevivência dessa desconhecida tivesse alguma relação com a minha perda. Por alguém da idade da minha mãe ainda ter uma mãe. Por que ela está aqui comendo macarrão picante *jjamppong* e a minha mãe não? Outras pessoas também devem se sentir assim. A vida é injusta, e às vezes culpar alguém de maneira irracional por isso ajuda.

Às vezes, meu luto é igual a ter sido deixada sozinha em uma sala sem porta nenhuma. Toda vez que eu lembro que a minha mãe morreu, parece que estou batendo contra uma parede que se recusa a ceder. Não há escapatória, só uma superfície dura contra a qual eu me choco vez após outra, um lembrete da realidade imutável de que eu nunca mais vou voltar a vê-la.

As unidades do H Mart geralmente se localizam nos arredores da cidade e são como shopping centers alternativos aos quiosques e restaurantes asiáticos, que sempre são melhores do que os localizados mais perto do centro. Estamos falando de restaurantes coreanos que abarrotam tanto a mesa de acompanhamentos *banchan* que somos obrigados a entrar num jogo infinito de *Jenga* na horizontal com uma dúzia de pratinhos minúsculos de anchovas refogadas, pepinos recheados e todo tipo de picles. Não é a mesma coisa que o restaurante asiático *fusion* ao lado do trabalho, onde servem pimentão no *bibimbap* e olham feio para você se pedir mais uma porção de broto de feijão murcho. Isso é o que realmente acontece.

Você sabe que está indo na direção certa porque há placas indicando o caminho. À medida que avança na peregrinação, os letreiros nos toldos pouco a pouco se transformam em símbolos que você pode ou não ser capaz de ler. É aí que minhas habilidades nível "prezinho" em coreano são colocadas à prova: com que rapidez consigo pronunciar as vogais no trânsito? Passei mais de seis anos indo à escola *Hangul Hakkyo* todas as sextas, e é só isso que tenho para mostrar. Consigo ler os letreiros de igrejas, de consultórios de oftalmologistas, de bancos. Mais uns dois quarteirões e chegamos ao centro da coisa. De repente, estamos em outro país. Todo mundo é asiático, uma profusão de dialetos diferentes se entrecruza como se fossem cabos telefônicos invisíveis, as únicas palavras em inglês são HOT POT e LIQUORS, e estão cravadas abaixo de diversos glifos e grafemas, com um tigre, personagem de anime ou um cachorro-quente dançando ao lado.

No complexo de um H Mart, sempre tem algum tipo de praça de alimentação, uma loja de eletrodomésticos e uma farmácia. Geralmente há um balcão de produtos de beleza onde dá para comprar maquiagem coreana e produtos de tratamento de pele com mucina de caracol ou óleo de caviar, ou uma máscara facial que anuncia, de modo vago, "placenta". (Placenta de quem? Vai saber!) Geralmente tem também uma pseudopadaria francesa servindo café fraco, *bubble tea* e uma ampla variedade de doces de massa reluzente que sempre têm aparência muito melhor do que o sabor.

O H Mart que frequento hoje em dia fica em Elkins Park, uma cidadezinha ao norte da Filadélfia. Minha rotina é pegar o carro e ir almoçar lá nos fins de semana, fazer a compra da semana e preparar o jantar com a inspiração que os produtos frescos trouxerem. O H Mart de Elkins Park tem dois pisos; o mercado fica no térreo e a praça de alimentação, no andar superior. Subindo a escada, tem um monte de barraquinhas que servem vários tipos de comida. Uma delas é especializada em sushi, outra só serve comida chinesa. Outra ainda só vende *jjigaes* coreanas tradicionais, sopas borbulhantes servidas em panelas tradicionais de barro chamadas *ttukbaegis* que são como minicaldeirões para garantir que a sopa continue borbulhando uns bons dez minutos depois de chegar à mesa. Tem uma barraquinha com comida de rua coreana que serve lámen coreano (basicamente, um macarrão tipo *Shin Cup* com um ovo quebrado por cima); bolinhos enormes cozidos no vapor, feitos de uma massa grossa que parece de bolo, recheados com carne de porco e macarrão de arroz; e *tteokbokki*, minibolinhos de arroz grudento e cilíndricos que são cozidos em caldo de peixe com pimentão e *gochujang*, uma pasta apimentada e doce que é um dos três temperos básicos usados em quase toda a culinária coreana. Por último, tem a minha preferida: a barraquinha de comida *fusion* coreana e chinesa, que serve *tangsuyuk* — carne de porco agridoce, cor de laranja e dourada —, sopa de frutos do mar com camarão, arroz frito e macarrão de feijão preto.

A praça de alimentação é o lugar perfeito para ficar observando as pessoas enquanto engulo um *jjajangmyeon* bem salgado e gorduroso. Fico pensando em minha família que morou na Coreia, antes de a maioria dos meus parentes morrer, e em como a comida sino-coreana sempre era a primeira coisa que comíamos quando minha mãe e eu chegávamos a Seul depois de um voo de catorze horas dos Estados Unidos. Vinte minutos depois que a minha tia fazia o pedido pelo telefone, o interfone do apartamento tocava "Für Elise" em MIDI, e lá vinha um homem usando capacete, saído de sua moto, com uma caixa de metal enorme. Deslizava a porta giratória e entregava cumbucas abarrotadas de macarrão e porco empanado e frito com o molho delicioso à parte. O filme plástico que cobria os recipientes estava sempre côncavo e suado. Tirávamos o plástico e despejávamos aquela delícia escura e espessa sobre o macarrão e o molho translúcido e brilhante de laranja sobre a carne de porco. Sentávamos com as pernas cruzadas sobre o chão frio de mármore, fazendo muito barulho ao sugar o macarrão e esticando os braços uma por cima da outra. Minhas tias, minha mãe e minha avó tagarelavam em coreano, eu só comia e escutava, incapaz de compreender, incomodando a minha mãe vez após outra, pedindo a ela que traduzisse.

Eu me pergunto quanta gente no H Mart sente saudade da família. Quantos ficam pensando nos parentes enquanto carregam bandejas de um lado para o outro entre as várias barraquinhas. Se elas comem para se sentir conectadas a seus entes queridos, para celebrá-los por meio da comida. Quem não pôde pegar um avião para visitar o país natal neste ano, ou não pôde nos últimos dez anos? Quem é como eu, que tem saudade das pessoas que foram embora de sua vida para sempre?

Em uma das mesas há um grupo de estudantes chineses jovens, sozinhos, sem família nos Estados Unidos. Eles se juntaram para fazer a viagem de ônibus de quarenta e cinco minutos até os subúrbios de um país estrangeiro para tomar sopa e comer bolinhos. Em outra mesa, há três gerações de mulheres coreanas comendo três tipos diferentes de ensopado: filha, mãe e avó enfiando a colher uma na tigela da outra, esticando as mãos e os braços uma na cara da outra, pinçando cada *banchan* com os hashis. Nenhuma delas dá a menor atenção nem pensa duas vezes sobre o conceito de espaço pessoal.

Tem um rapaz branco com a família. Dão risada juntos quando tentam pronunciar o cardápio. O filho explica aos pais os diversos pratos que pediram. Talvez ele tenha feito o serviço militar em Seul ou dado aulas de inglês na Coreia. Talvez ele seja o único da família que tenha um passaporte. Talvez seja o momento que a família decida que é hora de viajar e conhecer as coisas por conta própria.

Tem um rapaz asiático que deixa a namorada estupefata, ao apresentar a ela um mundo novo de sabores e texturas. Ele mostra como comer *mul naengmyeon*, uma sopa fria com macarrão, mais saborosa ao adicionar vinagre e mostarda picante antes de comer. Conta como os pais vieram para este país, como ele observava a mãe preparar o prato em casa. Quando ela fazia, não adicionava abobrinha; em vez disso, substituía por rabanete. Um senhor de idade vai mancando até a mesa ao lado para pedir mingau de frango e ginseng que, provavelmente, come ali todos os dias. Campainhas tocam para que as pessoas busquem os pedidos. Atrás dos balcões, mulheres usando viseiras trabalham ininterruptamente.

É um lugar lindo, sagrado. Um refeitório cheio de pessoas do mundo todo, que foram deslocadas para um país estrangeiro, cada uma com sua história. De onde vieram e quão longe estão de casa? Por que estão todas aqui? Para encontrar o *galangal* que nenhum mercado norte-americano tem no estoque a fim de preparar o curry da Indonésia que o pai tanto adora? Para comprar os biscoitos de arroz para comemorar o *Jesa* e honrar o aniversário de morte de seus entes queridos? Para satisfazer um desejo de *tteokbokki* em um dia de chuva, provocado pela lembrança de algum lanchinho da madrugada, feito depois de uma bebedeira, em uma barraquinha de *pojangmacha* em Myeong-dong?

Ninguém fala sobre isso. Não há nem uma troca de olhares de cumplicidade. Todo mundo fica lá sentado em silêncio, saboreando o almoço. Mas eu sei que estamos todos aqui pelo mesmo motivo. Estamos todos em busca de um pedacinho do nosso lar, de um pedacinho de nós mesmos. Procuramos um gostinho disso nos pedidos de comida que fazemos e nos ingredientes que compramos. Então nos separamos. Levamos as compras para o alojamento da faculdade ou para uma cozinha suburbana e recriamos o prato que não poderia ser preparado sem essa viagem. Aquilo que procuramos não está disponível em um mercado comum, como o Trader Joe's. O H Mart é onde nossa gente se reúne sob um teto cheio de aromas, com a fé de que vai encontrar algo que não pode ser achado em nenhum outro lugar.

Na praça de alimentação do H Mart, eu me encontro comigo mesma mais uma vez, ao buscar o primeiro capítulo da história que quero contar a respeito da minha mãe. Estou sentada ao lado de uma mãe coreana com o filho, e os dois, sem saber, escolheram uma mesa ao lado de uma cachoeira de lágrimas. O rapaz, prestativo, pega os talheres do balcão e ajeita sobre os guardanapos de papel. Ele está comendo arroz refogado e a mãe está tomando *seolleongtang*, sopa de osso de boi. Ele deve ter vinte e poucos anos, mas a mãe ainda lhe dá instruções a respeito de como comer, do mesmo jeito que minha mãe fazia. "Passe a cebola na pasta." "Não coloque muito *gochujang*, se não vai ficar salgado demais." "Por que não está comendo as favas?" Em alguns dias, a implicância constante me irritava. "Caramba, me deixa comer em paz!" Mas, na maioria das vezes, eu sabia que aquilo era o auge da demonstração de ternura de uma mulher coreana e eu admirava aquele amor. Um amor que eu daria tudo para ter de volta.

A mãe do rapaz coloca um naco de carne da colher dela na dele. Ele está quieto e parece cansado, e não conversa muito com ela. Tenho vontade de dizer a ele como eu tenho saudade de minha mãe. Como ele devia ser gentil com a mãe dele, lembrar que a vida é frágil e que ela pode ir embora a qualquer momento. Dizer a ela que vá ao médico para ter certeza de que não há um pequeno tumor crescendo dentro de si.

Em um intervalo de cinco anos, perdi minha mãe e minha tia para o câncer. Então, quando vou ao H Mart, não estou apenas em busca de frutos do mar e três ramos de cebolinha por um dólar; estou à procura de memórias. Estou colhendo evidências de que a metade coreana de minha identidade não morreu quando elas morreram. O H Mart é a ponte que me guia para longe das lembranças que me assombram, de cabeças de quimioterapia e de corpos esqueléticos e anotações de miligramas de hidrocodona. Faz com que eu me lembre de quem elas eram, lindas e cheias de vida, colocando anéis de biscoito com mel Chang Gu nos dez dedos, mostrando para mim como chupar uma uva coreana da casca e cuspir as sementes.

Guarde suas lágrimas

Minha mãe morreu no dia 18 de outubro de 2014, uma data que eu sempre esqueço. Não sei por que exatamente, se é por não querer lembrar ou se é porque a data exata parece tão pouco importante no quadro geral das coisas que tivemos de suportar. Ela tinha cinquenta e seis anos. Eu, tinha vinte e cinco, uma idade que seria especial, como minha mãe garantiu durante anos. Era a mesma idade que ela tinha quando conheceu meu pai. O ano em que eles se casaram, em que ela deixou para trás o país natal, a mãe e as duas irmãs e embarcou em um capítulo fundamental da vida de adulta. O ano em que ela deu início à família que viria a defini-la. Para mim, era o ano em que as coisas deviam começar a entrar nos eixos. Foi o ano em que a vida dela terminou, e a minha desmoronou.

Às vezes eu me sinto culpada por não me lembrar de quando aconteceu. Todo outono, preciso dar uma olhada nas fotos que tirei da lápide do túmulo dela para reconfirmar a data gravada, meio escondida pelos buquês multicoloridos que deixei lá nesses últimos cinco anos, ou então procuro no Google o obituário que me neguei a escrever para que possa me preparar para sentir, de propósito, algo que nunca parece ser exatamente a coisa certa.

Meu pai é obcecado por datas. Algum tipo de relógio interno dele gira sem falha em torno de cada aniversário, dia de falecimento e feriado iminente. A psique dele, de forma intuitiva, começa a ficar entristecida na semana anterior e logo ele já está mandando uma enxurrada de mensagens no Facebook para dizer como tudo é injusto e como eu nunca vou saber o que significa perder a melhor amiga. Daí ele volta a andar de moto em Phuket, onde ele se isolou um ano depois da morte dela, preenchendo o vazio com praias quentes e frutos do mar comprados em barraquinhas de rua e jovens que não conseguem soletrar a palavra "problema".

Mas parece que eu nunca esqueço o que a minha mãe comia. Ela era uma mulher de muitos "hábitos". Meio hambúrguer com queijo e cebola frita no pão integral com uma porção de batatas fritas cortadas grossas na lanchonete Terrace Cafe depois de um dia de compras. Um chá gelado sem açúcar com meio pacotinho de adoçante Splenda, que ela afirmava não usar em mais nada. Minestrone que ela pedia "fumegando de quente" com caldo extra no restaurante Olive Garden. Em ocasiões especiais, meia dúzia de ostras na concha com molho de champanhe à vinagrete e sopa de cebola francesa "fumegando de quente" no restaurante do Jake em Portland. Com toda a franqueza, ela talvez fosse a única pessoa no mundo a pedir batatas fritas "fumegando de quentes" em um drive-thru do McDonald's. *Jjamppong*, sopa apimentada de frutos do mar com legumes extras no Cafe Seul, que ela sempre chamava de Seul Cafe, transpondo a sintaxe da língua nativa dela. Deliciava-se com castanhas assadas no inverno, apesar de lhe darem gases horríveis. Gostava de amendoim salgado com cerveja light. Tomava duas taças de vinho chardonnay quase diariamente, mas passava mal se tomasse a terceira.

Comia pimentas picantes em conserva com pizza. Em restaurantes mexicanos, pedia pimenta jalapeño bem picadinha à parte. Pedia molho à parte. Detestava coentro, abacate e pimentão. Era alérgica a salsão. Raramente comia doces, à exceção de um pote ocasional de Häagen-Dazs de morango, um saco de balas de goma de tangerina, uma ou duas trufas de chocolate da marca See's na época do Natal e um cheesecake de mirtilo no aniversário dela. Raramente comia entre as refeições ou tomava o café da manhã. Gostava de pegar pesado no sal.

Lembro dessas coisas com clareza porque era assim que a minha mãe amava a gente, não por meio de mentirinhas inócuas ou afirmações verbais constantes, mas com observações sutis em relação ao que nos trazia alegria, guardadas para que a gente se sentisse reconfortada e cuidada sem nem perceber. Ela lembrava se você gostava de ensopado com caldo extra, se era sensível a temperos, se detestava tomate, se não comia frutos do mar, se tinha um grande apetite. Lembrava de qual prato de *banchan* você costumava comer primeiro para que, na próxima vez que viesse para uma refeição, ela pudesse oferecer uma porção dupla transbordando, servida de acordo com as suas preferências.

Em 1983, meu pai pegou um avião para a Coreia do Sul em resposta a um anúncio do jornal *The Philadelphia Inquirer* que simplesmente informava: "Oportunidade no exterior". A oportunidade se revelou ser um programa de treinamento em Seul para vender carros usados para militares norte-americanos. A empresa reservou um quarto para ele no hotel Naija, um cartão-postal no bairro de Yongsan, onde minha mãe trabalhava na recepção. Ela foi, supostamente, a primeira coreana que ele conheceu na vida.

Namoraram durante três meses e, quando o programa de treinamento terminou, meu pai pediu a mão de minha mãe em casamento. Os dois passaram por três países em meados da década de 1980: moraram em Misawa, Heidelberg e Seul mais uma vez, onde eu nasci. Um ano depois, o irmão mais velho de meu pai, Ron, ofereceu a ele um emprego em sua empresa de agenciamento de carga de caminhões. O cargo proporcionava estabilidade e colocava um fim no deslocamento intercontinental que a minha família fazia duas vezes ao ano. Assim, imigramos quando eu tinha apenas um ano de idade.

Mudamos para Eugene, no estado do Oregon, uma cidadezinha universitária na região noroeste dos Estados Unidos. A cidade fica próxima à nascente do rio Willamette, que se estende 240 quilômetros ao norte, das montanhas Calapooya nos arredores da cidade até a desembocadura no rio Columbia. Entalhando seu caminho por entre as montanhas, a serra Cascade a leste e a serra Oregon Coast a oeste, o rio contorna um vale fértil onde, há dezenas de milhares de anos, ocorreu uma série de inundações da era glacial em direção sudeste a partir do lago Missoula, percorrendo a parte leste do estado de Washington e trazendo com suas águas de enchente o solo rico e as rochas vulcânicas que agora formam as camadas desta terra, planícies aluviais adequadas a uma ampla variedade de culturas agrícolas.

A cidade em si é coberta de verde, espalhada pelas margens do rio e se estendendo pelas encostas das montanhas irregulares e pelas florestas de pinheiros da área central do Oregon. As estações são amenas, com garoa e céu cinzento durante a maior parte do ano, mas com abertura para um verão verdejante e imaculado. Chove sem parar, mas eu nunca conheci um morador do Oregon que andasse com guarda-chuva.

Os moradores de Eugene têm orgulho da fartura de alimentos regionais e já defendiam fervorosamente a incorporação de ingredientes locais, sazonais e orgânicos à dieta bem antes de isso voltar à moda. Pescadores estão sempre ocupados na água doce à procura de salmão selvagem chinook na primavera e truta steelhead no verão, e os caranguejos moles do tipo Dungeness são abundantes nos estuários o ano todo. Agricultores locais se reúnem aos sábados no centro para vender frutas e legumes orgânicos que cultivam em suas propriedades, além de mel, cogumelos catados nas florestas e frutas silvestres selvagens. A população é em geral de hippies que fazem manifestações contra o mercado Whole Foods e a favor de cooperativas locais, calçam Birkenstocks, tecem lenços de cabelo para vender em feirinhas a céu aberto e produzem sua própria manteiga de castanhas. São homens que foram batizados com nomes como Herb e River e mulheres que se chamam Forest e Aurora.

Quando eu tinha dez anos, nós nos mudamos para um lugar a mais de dez quilômetros da cidade, passando as fazendas de pinheirinhos de Natal e as trilhas de caminhada do parque Spencer Butte, para uma casa no meio do mato. Ficava em um terreno de uns vinte mil metros quadrados, onde bandos de perus selvagens circulavam, ciscando insetos no capim, e onde o meu pai podia operar o aparador de grama pelado, se quisesse, protegido por milhares de Pinus Ponderosa, sem nenhum vizinho a quilômetros de distância. Nos fundos, havia uma clareira, onde a minha mãe plantava azaléas e mantinha a grama bem aparada. Mais além, o terreno dava lugar a encostas montanhosas de capim-duro e argila vermelha. Havia um lago artificial cheio de água lamacenta e de aluvião suave, e lagartixas e sapos para perseguir, capturar e soltar. Arbustos de amoras-pretas cresciam selvagens e, no começo do verão, durante a temporada das queimadas, meu pai se armava de tesoura de jardinagem para abrir um caminho entre as árvores e formar um circuito que ele pudesse percorrer com sua moto de trilha.

Uma vez por mês ele tocava fogo nas pilhas de mato que juntava: deixava que eu esguichasse o fluido de isqueiro na base, e nós admirávamos o trabalho enquanto as fogueiras de dois metros de altura se consumiam em chamas.

Eu adorava minha casa nova, mas também passei a me ressentir dela. Não havia crianças na vizinhança com quem brincar, nenhuma loja de conveniência nem parque por perto aos quais eu pudesse ir de bicicleta. Sentia-me presa e sozinha, uma filha única sem ninguém para conversar ou a quem recorrer, a não ser minha mãe.

Isolada com ela no mato, eu era inundada pelo tempo e por sua atenção, uma dedicação que eu aprendi que podia ser um privilégio auspicioso e também ter consequências sufocantes. Minha mãe era dona de casa. Cuidar da casa tinha sido a função dela desde que nasci, e, ao mesmo tempo que era vigilante e protetora, não era o que se pode chamar de carinhosa. Ela não era alguém a quem eu pudesse me referir como "mãe-mamãe", algo que eu invejava na maioria de minhas amigas. Uma mãe-mamãe é alguém que se interessa por tudo que a filha tem a dizer, mesmo quando no fundo não se importa nem um pouco, que sai correndo para o médico quando você reclama do menor mal-estar, que fala que "não passa de inveja" se alguém tira sarro de você, ou "você é sempre linda para mim", mesmo que não seja, ou "adorei!" quando ganha uma porcaria qualquer de presente de Natal.

Mas, sempre que eu me machucava, minha mãe começava a berrar. Não *por mim*, mas *comigo*. Eu não entendia. Quando minhas amigas se machucavam, a mãe delas as pegava no colo e dizia que ia ficar tudo bem, ou ia direto para o médico. As pessoas brancas viviam indo ao médico. Mas, quando eu me machucava, minha mãe ficava enfurecida, como se eu tivesse estragado de propósito alguma coisa que pertencia a ela.

Uma vez, quando eu estava subindo em uma árvore no jardim, me apoiei em uma reentrância que cedeu embaixo do meu pé. Escorreguei meio metro, raspando a barriga exposta contra o tronco áspero ao tentar retomar o equilíbrio, e então caí de quase dois metros de altura sobre o tornozelo. Chorando, com o tornozelo torcido, a camisa rasgada, a barriga ralada e sangrando, não fui acolhida no colo de minha mãe e levada a um médico. Em vez disso, ela se abateu sobre mim feito um bando de corvos.

"QUANTA VEZ A MAMÃE DISSE PRA PARAR DE TREPAR NAQUELA ÁRVORE?!"

"*Umma*, acho que torci o tornozelo!", exclamei. "Acho que preciso ir para o hospital!"

Ela ficou pairando sobre o meu corpo encolhido, e berrando sem parar, enquanto eu me contorcia em meio às folhas secas. Eu podia jurar que ela ainda me deu uns chutes.

"Mãe, estou sangrando! Por favor, não grite comigo!"

"VAI FICAR COM ESTA CICATRIZ PARA SEMPRE! *AY-CHAM*, QUANDO VAI APRENDER?!"

"Desculpa, tá? Desculpa!"

Pedi desculpas uma vez atrás da outra, soluçando, dramática. Com lágrimas espessas e súplicas gaguejantes. Eu me arrastei em direção à casa com os cotovelos, agarrando as folhas secas e a terra fria para avançar, rígida, puxando a perna inerte para a frente.

"*Aigo*! *Dwaes-suh*! Já chega!"

O amor dela era mais do que inflexível. Era brutal, com força industrial. Um amor enérgico que nunca dava espaço para nem um centímetro de fraqueza. Era um amor que via o que era melhor para você dez passos adiante e não se incomodava se doesse feito o inferno no intervalo. Quando eu me machucava, ela sentia com tanta profundidade que era como se fosse a sua própria aflição. Ela só era culpada por se preocupar demais. Agora eu tenho essa percepção, mas só quando olho para trás. Ninguém neste mundo jamais me amaria como a minha mãe, e ela nunca permitiria que eu me esquecesse disso.

"Pare de chorar! Guarde suas lágrimas para quando sua mãe morrer."

Este era um provérbio comum em minha casa. No lugar dos ditados em inglês que minha mãe nunca aprendeu, ela inventou os dela. "A mamãe é a única que vai dizer a verdade para você, porque a mamãe é a única que a ama de verdade." Algumas das lembranças mais antigas que tenho são de minha mãe me instruindo a sempre "reservar dez por cento de mim mesma". Ela queria dizer que, por mais que você achasse que amava alguém, ou que alguém amava você, nunca devia se entregar por inteiro. Reserve dez por cento, sempre, para que sobre alguma coisa em que se apoiar. "Até do papai eu reservo", ela completava.

Minha mãe sempre tentava me levar a ser a versão mais perfeita de mim mesma. Quando eu era bem pequena, ela comprimia o meu nariz porque tinha receio de que fosse achatado demais. Nos meus primeiros anos de escola, ela tinha medo de que eu fosse baixinha demais, então, todas as manhãs, antes de ir para a aula, ela me instruía a segurar as barras da cabeceira da cama e esticar as pernas, fazendo esforço para que se alongassem. Se eu franzisse o cenho ou desse um sorriso mais escancarado, ela massageava minha testa com os dedos e me instruía a "parar de criar rugas". Se eu caminhasse encurvada, ela colocava a palma da mão entre as minhas escápulas e comandava: "*Ukgae peegoo*!". "Ombros retos!"

Ela era obcecada pela aparência e passava horas assistindo ao canal de compras QVC. Encomendava por telefone condicionadores purificantes, pastas de dente especiais, potes de esfoliante com óleo de caviar, séruns, hidratantes, tonificantes e cremes anti-idade. Ela acreditava nos produtos da QVC com o mesmo zelo de quem crê em teorias da conspiração. Se alguém questionasse a legitimidade de um produto, ela fazia uma defesa acalorada dele. Minha mãe tinha convicção absoluta de que a pasta de dentes Supersmile deixava os dentes cinco tons mais brancos e de que o kit de três produtos de cuidados com a pele Beautiful Complexion do Dr. Denese rejuvenesce dez anos. A pia do banheiro dela era uma ilha cheia de frascos de vidro e potes escuros que ela embebia, borrifava, aplicava, friccionava, apalpava e espalhava no rosto, seguindo religiosamente um ritual de tratamento de pele em dez passos que incluía um bastão que emitia microcorrentes para eletrocutar as rugas. Todas as noites, do corredor, eu escutava as palmas das mãos dela batendo nas bochechas e o zumbido da corrente elétrica pulsante que supostamente fechava os poros enquanto o bastão fazia *zip* e *zap*, e por fim aplicava uma camada de creme sobre a outra.

Enquanto isso, caixas de tonificantes Proactiv se empilhavam, enfiadas embaixo do armarinho da pia do meu banheiro; as cerdas de um pincel de limpeza Clarisonic permaneciam secas e quase sem uso. Eu era impaciente demais para manter qualquer tipo de ritual que minha mãe tentasse impor, uma fonte de discordância que se intensificaria ao longo de minha adolescência.

A perfeição dela era de irritar; o jeito como era meticulosa, um enigma completo. Ela podia ter uma peça de roupa havia dez anos e parecia que nunca tinha sido usada. Nunca tinha nenhum fiapinho no casaco dela, nenhuma bolinha em um suéter, nenhuma parte gasta em um sapato de verniz, ao passo que eu vivia levando bronca por destruir ou repentinamente perder até mesmo os pertences que eu mais estimava.

Ela aplicava a mesma rigidez à casa, que mantinha imaculada. Passava aspirador de pó todos os dias e, uma vez por semana, fazia com que eu passasse uma flanela em todos os rodapés enquanto espalhava óleo no assoalho e lustrava com um pano. Para ela, morar comigo e meu pai devia ser o mesmo que morar com duas crianças crescidas que estavam determinadas a destruir o mundo perfeito dela. Era frequente minha mãe ter um ataque por causa de alguma pequena perturbação. Meu pai e eu olhávamos da mesma perspectiva que ela, mas não fazíamos a menor ideia do que podia estar sujo ou fora do lugar. Se um de nós dois derrubasse algo no tapete, minha mãe reagia como se tivéssemos ateado fogo à peça. No mesmo instante, soltava um uivo dolorido, corria para pegar os sprays de limpeza da QVC embaixo da pia e nos empurrava para o lado, com medo de que fôssemos espalhar a mancha. Então só ficávamos lá, acanhados e hesitantes, observando como paspalhos enquanto ela secava e jogava spray sobre nossos deslizes.

A coisa ficou mais séria quando minha mãe começou a colecionar diversas coisas preciosas e delicadas. Cada conjunto tinha um lugar especial em casa, onde era exibido e organizado com perfeição: bules de chá em miniatura pintados com ilustrações de Mary Engelbreit, enfileirados nas estantes de livros no corredor; bailarinas de porcelana no aparador da entrada, a da terceira posição, com dois dedos faltando, era um lembrete diário de que eu era desastrada; e casinhas holandesas em branco e azul nos peitoris das janelas da cozinha, cheias de gim, duas ou três com a rolha enfiada de qualquer jeito em algum estupor de embriaguez, para lembrar a meu pai que ele também era desastrado. Animais de cristal Swarovski ajeitados nas prateleiras de vidro da cristaleira da sala. A cada aniversário ou Natal, um novo cisne, porco-espinho ou tartaruga reluzente encontrava seu lugar na parede, contribuindo para a luz prismática que se projetava pela sala logo pela manhã.

As regras e expectativas dela eram exaustivas, e, no entanto, se eu me afastasse dela, me sentia isolada e totalmente responsável pelo meu próprio entretenimento. Assim, passei minha infância dividida entre dois impulsos, envolvida nos desejos intrínsecos de moleca que levavam às broncas e no apego a minha mãe, ávida por agradá-la.

Às vezes, quando meus pais me deixavam em casa com alguma babá, eu enfileirava as estatuetas dela em uma bandeja e lavava cada bibelô com detergente com todo o cuidado, depois secava com toalhas de papel. Tirava o pó das prateleiras e limpava o vidro com limpa-vidros Windex, depois fazia o possível para reorganizar tudo de memória, na esperança de que minha mãe voltasse e retribuísse meu gesto com afeto.

Eu desenvolvi essa compulsão por limpeza como uma espécie de ritual de proteção desempenhado quando me sentia ainda que minimamente abandonada, uma possibilidade que atormentava a minha jovem imaginação. Eu era assombrada por pesadelos e por uma paranoia intensa de que os meus pais morreriam. Imaginava ladrões invadindo a casa e visualizava o assassinato deles em detalhes horríveis. Se eles voltassem para casa tarde, eu me convencia de que tinham se envolvido em um acidente de carro. Era atormentada por sonhos recorrentes em que o meu pai, impaciente com o trânsito, pegava um atalho perigoso que o levava a despencar à beira da ponte de Ferry Street, lançando-os no rio Willamette, onde morreriam afogados, incapazes de escapar pelas portas por causa da pressão da água.

Com base na reação positiva gerada pelo episódio semanal da limpeza com flanela dos rodapés, eu concluí que, se a minha mãe voltasse para uma casa ainda mais limpa, ela prometeria nunca mais me deixar para trás. Essa era a minha triste tentativa de conquistá-la. Uma vez, quando passamos as férias em Las Vegas, meus pais me deixaram sozinha no quarto do hotel durante algumas horas para poderem jogar nos cassinos. Passei o tempo todo arrumando o quarto, organizando a bagagem dos meus pais e limpando todas as superfícies com uma toalha de rosto. Eu mal podia esperar para que eles voltassem e vissem o que eu tinha feito. Eu me sentei na bicama e só fiquei olhando para a porta, radiante, esperando para ver o rosto deles, alheia ao fato de que a arrumadeira daria um jeito no quarto na manhã seguinte. Quando voltaram, insensíveis às mudanças, eu logo percorri o quarto todo, arrastando-os comigo enquanto ia apontando minhas boas ações, uma a uma.

Esperava desesperadamente por outras oportunidades assim para brilhar e, na minha busca por validação, descobri que nossa apreciação em comum por comida coreana servia não apenas como forma de aproximação entre mãe e filha, mas também oferecia uma fonte pura e legítima do apreço dela. Foi no mercado de peixe Noryangjin, durante uma viagem de férias de verão a Seul, que essa ideia de fato floresceu. Noryangjin é um mercado de venda por atacado em que dá para selecionar peixes e frutos do mar vivos nos aquários dos diversos vendedores e pedir que sejam preparados de maneiras diferentes nos restaurantes que ficam no andar superior. Minha mãe e eu estávamos com as duas irmãs dela, Nami e Eunmi, e elas tinhas selecionado quilos de abalones, vieiras, pepinos-do-mar, peixes olho-de-boi, polvos e caranguejos-rei para comer cru e cozidos em sopas picantes.

No andar superior, nossa mesa se encheu imediatamente de acompanhamentos *banchan* espalhados ao redor do fogareiro a gás para o ensopado. O primeiro prato a chegar foi *sannakji* — polvo vivo, daquele com tentáculos longos. Outro prato cheio de tentáculos brancos e cinzas se agitava à minha frente, recém-cortados da cabeça, com todas as ventosas ainda pulsantes. Minha mãe pegou um deles, colocou no molho *gochujang* e no vinagre, posicionou entre os lábios e mastigou. Olhou para mim e sorriu ao me ver de queixo caído.

"Experimente", ela disse.

Em contraste marcante aos outros domínios da autoridade materna, a minha mãe se soltava quando as regras estavam ligadas à comida. Se eu não gostasse de algo, ela nunca me forçava a comer, e se eu só comesse metade de minha porção, ela nunca me fazia terminar o prato. Ela acreditava que a comida deveria ser saboreada e que era mais desperdício expandir o estômago do que continuar comendo depois de se sentir satisfeita. Sua única regra era a de experimentar de tudo uma vez.

Ansiosa para agradá-la e impressionar as minhas tias, equilibrei entre os meus hashis o tentáculo mais vivo que fui capaz de encontrar, mergulhei no molho, como a minha mãe tinha feito, e enfiei na boca. Era salgado, azedo e doce, com um toque de pimenta do molho, e muito, muito pegajoso. Roí o tentáculo entre os dentes o máximo de vezes possível antes de engolir, com receio de que, durante a ingestão, as ventosas aderissem a minha amígdala na descida.

"Muito bem, querida!"

"*Aigo yeppeu*!", minhas tias exclamaram. Esta é a nossa menina linda!

Minha família louvou a minha bravura, eu irradiei orgulho, e algo naquele momento me colocou em um caminho sem volta. Percebi que, se às vezes era bem difícil ser boazinha, eu podia me dar muito bem sendo corajosa. Comecei a me deleitar ao surpreender os adultos com o meu paladar refinado e ao encher meus colegas inexperientes de nojo com as maiores iguarias da natureza, como viria a descobrir. Quando eu tinha dez anos, já sabia quebrar uma lagosta inteira com as mãos e a ajuda de um quebra-nozes. Eu devorava *steak tartare*, patês, sardinhas, escargots assados com manteiga e temperados com alho assado. Experimentei pepino-do-mar, abalone e ostra na concha, tudo cru. À noite, minha mãe preparava peixe olho-de-boi seco em uma churrasqueira na garagem e servia com uma tigela de amendoins e molho de pasta de pimenta vermelha com maionese japonesa. Meu pai cortava tudo em tiras e nós comíamos assistindo à televisão juntos, até ficarmos com a mandíbula dolorida, e eu engolia tudo com golinhos de uma das cervejas Corona da minha mãe.

Nem a minha mãe, nem o meu pai se formaram na faculdade. Eu não fui criada em uma casa com muitos livros ou discos. Não fui apresentada às belas-artes quando era pequena nem levada a museus ou a peças ou a instituições culturais de renome. Os meus pais não conheciam o nome de autores que eu deveria ler, nem de diretores estrangeiros a que eu deveria assistir. Eu não ganhei uma edição antiga de *O apanhador no campo de centeio* quando estava na pré-adolescência, nem discos de vinil dos Rolling Stones, nem nenhum tipo de material educativo do passado que pudesse me ajudar a dar um passo adiante na maturidade cultural. Mas os meus pais conheciam bem o mundo do jeito deles. Haviam visto muita coisa na vida e experimentado o que ela tinha a oferecer. O que lhes faltava em termos de alta cultura, compensavam gastando o dinheiro que ganhavam com tanto suor nas delícias mais refinadas. Minha infância foi rica em sabores — morcela, dobradinha de peixe, caviar. Eles adoravam boa comida: preparar, procurar, compartilhar. E eu era a convidada de honra à mesa deles.

Pálpebras duplas

Verão sim, verão não, enquanto meu pai ficava trabalhando no Oregon, minha mãe e eu viajávamos para Seul e passávamos seis semanas com a família dela.

Eu adorava visitar a Coreia. Adorava estar em uma cidade grande e morar em um apartamento. Adorava a umidade e o cheiro da cidade, apesar de minha mãe dizer que era só lixo e poluição. Adorava caminhar pelo parque que ficava em frente ao prédio de minha avó, o som de milhares de *maemis* sobrevoando, suas asas de cigarra se unindo ao som do trânsito à noite.

Seul era o oposto de Eugene, onde eu estava isolada no meio do mato, a mais de dez quilômetros da cidade e à mercê de minha mãe para chegar até lá. O apartamento de *halmoni* ficava em Gangnam, um bairro movimentado à margem sul do rio Han. Logo do outro lado do parque havia um pequeno complexo com papelaria, loja de brinquedos, padaria e mercado, e eu tinha permissão para ir andando sozinha até lá.

Desde pequena, sempre adorei mercados. Eu adorava investigar todas as marcas com embalagens vibrantes e chamativas. Adorava tocar nos ingredientes e ficar imaginando as infinitas possibilidades e combinações. Eu podia passar horas examinando os freezers cheios de picolés cremosos de melão e de feijão-vermelho doce, vagando pelos corredores em busca dos saquinhos de leite com banana que eu tomava toda manhã com meu primo Seong Young.

Quando a minha mãe e eu íamos para Seul, seis pessoas ficavam no apartamento de três quartos de *halmoni*. Mal dava para andar um metro sem esbarrar em alguém. Seong Young dormia ao lado da cozinha em um quartinho do tamanho de um closet, onde só cabia uma televisão quadrada minúscula, o Sony PlayStation dele e um pequeno colchão tipo futom que ficava embaixo da arara de roupas, de frente para um pôster da Mariah Carey que ele tinha colado sobre a porta.

Seong Young era filho de Nami Emo e o meu único primo do lado de minha mãe. Os pais dele tinham se divorciado pouco depois dele nascer e, como Nami trabalhava, ele foi praticamente criado por nossa avó em uma casa cheia de mulheres. Ele era sete anos mais velho, alto e robusto, mas se movimentava com postura acabrunhada, tímida e afeminada, apesar da compleição. Na adolescência, ele era extremamente inibido, consumido pelas pressões da escola e do alistamento iminente, os dois anos de serviço militar que todo homem coreano é obrigado a cumprir. Sofria com muitas espinhas e fazia de tudo para tentar controlá-las com um arsenal de produtos de limpeza facial e cremes de uso tópico, chegando ao cúmulo de lavar o rosto somente com água mineral.

Eu adorava Seong Young e passava a maior parte dos verões andando atrás dele em tudo que era lugar. Ele era um garoto gentil, de paciência infinita enquanto eu me agarrava às pernas e às costas dele, forçando-o a me carregar pelo calor úmido do verão enquanto o suor escorria de seu rosto e empapava sua camisa, gracioso quando eu pedia para correr atrás de mim pelos vinte e três lances de escada do prédio de *halmoni*.

O quarto de Nami Emo ficava do outro lado da cozinha, anexo à pequena sacada que dava vista para a rua. Ela tinha uma grande penteadeira cor de jade, com uma centena de frascos de esmalte diferentes espalhados. No início de cada visita, ela me convidava a escolher uma cor e, depois da minha deliberação cuidadosa, pintava minhas unhas sobre um jornal. Quando terminava, usava um spray aerossol congelante especial que ajudava a secar mais rápido. O líquido espumava sobre minhas cutículas e depois dispersava como se gelo seco tivesse sido borrifado nas pontas dos meus dedos.

Nami Emo também era a melhor contadora de histórias do mundo. Assim como o meu avô, ela trabalhava como narradora e dubladora, fazendo a narração de documentários e dublando episódios de anime que Seong Young e eu assistíamos vez após outra em VHS. À noite, ela lia livros coreanos da Sailor Moon para mim e fazia todas as vozes. Não importava muito o fato de ela não ser capaz de traduzir os capítulos em inglês: a voz dela era versátil e capaz de passar sem percalços da gargalhada maligna de uma rainha má à frase de efeito da heroína cheia de atitude, para logo depois proferir as palavras trêmulas de cautela de um coadjuvante inútil e arrematar com uma tirada galante do charmoso príncipe.

Quando eu tinha uns oito anos, Nami Emo começou a namorar o sr. Kim, que eu viria a chamar de Emo Boo depois que eles se casaram. O cabelo de Emo Boo era ajeitado em um grande topete preto com uma mecha branca, igual ao Pepe, Le Gambá. Ele era médico especializado em medicina chinesa e administrava o próprio consultório, secando, misturando e extraindo ingredientes naturais para manipular remédios à base de ervas. Para minha mãe, a presença de Emo Boo era a descoberta de uma nova arma na longa campanha para concretizar minha forma física ideal. Toda manhã, ele ia até o apartamento para preparar uma infusão de ervas especial para me ajudar a crescer, e, enquanto esperávamos ficar pronta, ele espetava agulhas de acupuntura em minha cabeça para ajudar a estimular minha atividade cerebral para que eu fosse bem na escola.

A infusão era verde-escuro e tinha cheiro de anis preto misturado com *tiger balm*. Tinha gosto de cascas de fruta embebidas na água lamacenta de um lago e era a coisa mais amarga que eu já tinha provado. Todos os dias, eu, bem obediente, tampava o nariz e tentava engolir o máximo possível do líquido quente e xaropento antes de sentir ânsia de vômito. Anos mais trade, quando estava na casa dos vinte anos, fui perceber que o perfil de sabor daquilo era semelhante ao da bebida alcoólica amarga italiana preferida do ramo de bares e restaurantes: Fernet.

O quarto de Eunmi Emo ficava em frente ao de Nami. Ela era a irmã mais nova e a única que tinha feito faculdade. Formou-se com as melhores notas da classe, com especialização em inglês, e adotava o papel de tradutora quando a minha mãe se fartava daquilo e queria relaxar na língua materna. Ela só era alguns anos mais nova do que a minha mãe, mas, talvez por nunca ter se casado e nem mesmo namorado, parecia mais uma amiga do que tutora. Eu passava a maior parte do tempo com ela e com Seong Young, explorando a coleção de CDs deles e implorando para que me acompanhassem em visitas às papelarias lotadas de qualquer novo personagem coreano que estivesse na moda naquele ano: Pajama Sisters, Blue Bear ou MashiMaro, o coelho pervertido que usava um desentupidor de privada na cabeça.

À noite, minha mãe e eu dormíamos em um colchão tipo futom na sala, de costas para as portas de correr envidraçadas. Eu detestava dormir sozinha e adorava a oportunidade de dormir tão pertinho dela sem necessidade de uma desculpa. Às três da manhã, nós nos revirávamos na cama, torturadas pelo jet lag. Depois de algum tempo, minha mãe se virava e sussurrava: "Vamos ver o que tem na geladeira de *halmoni*". Em casa, eu levava bronca se fosse pega bisbilhotando na cozinha depois das oito da noite, mas, em Seul, era como se minha mãe voltasse a ser criança, e era ela quem liderava a empreitada. Em pé diante da pia, nós abríamos cada pote de Tupperware cheio de *banchan* caseiro e fazíamos um lanchinho noturno na penumbra da cozinha úmida. Feijões de soja preta tostados, brotos amarelos crocantes com cebolinha e óleo de gergelim, e *kimchi* de pepino amargo e suculento eram abocanhados, seguidos por colheradas de um morno *kong bap* cor de lavanda, saído diretamente da panela elétrica de arroz aberta. Dávamos risada e dizíamos uma à outra para não fazer barulho enquanto comíamos *ganjang gejang* com os dedos, sugando um delicioso, cremoso e salgado caranguejo cru direto da casca, cutucando a carne nos cantinhos com a língua, lambendo os dedos manchados de molho de soja. Entre as mastigadas de uma folha de *perilla* murcha, minha mãe dizia: "É assim que sei que você é uma coreana de verdade".

Na maior parte das noites, minha mãe passava um tempão no quarto de *halmoni*. De vez em quando, eu observava as duas da porta, com a minha mãe deitada ao lado dela em um colchão duro no chão, assistindo em silêncio a algum programa de competição coreano na TV enquanto *halmoni* fumava um cigarro atrás do outro ou descascava peras asiáticas com uma faca grande com a lâmina voltada para si, formando uma tira contínua. *Halmoni* mordiscava o caroço para que nada da fruta fosse desperdiçado, enquanto a minha mãe comia as fatias cortadas com perfeição, do mesmo jeito que eu fazia quando ela cortava frutas para mim em casa. Nunca me ocorreu que ela estivesse tentando compensar todos os anos que tinha passado longe, nos Estados Unidos. Se já era difícil até registrar que essa mulher era a mãe de minha mãe, era muito mais complicado perceber que a relação delas seria um modelo para a ligação entre mim e minha mãe pelo resto da vida.

Eu tinha medo da minha avó. O tom dela era ríspido e estridente e ela conhecia talvez umas quinze palavras em inglês, então sempre parecia estar brava. Ela nunca sorria em fotografias e a risada dela parecia mais um cacarejo que acabava em pigarro e tosse forte. Ela era curvada como um cabo de guarda-chuva e sempre usava calças de pijama xadrez e blusas de tecido áspero e brilhante. Mas eu tinha medo especialmente de uma arma que ela brandia com orgulho: o *ddongchim*. *Ddongchim*, que significa literalmente agulha de cocô. Implica juntar as mãos em forma de pistola, com os indicadores unidos para criar uma agulha usada para penetrar um ânus desavisado. Por mais aterrorizante que pareça, é uma prática cultural comum, semelhante a um puxão de cueca coreano, e não uma forma específica de ataque sexual. Ainda assim, eu me borrava de medo daquilo. Sempre que ela estava por perto, eu vivia me escondendo atrás de minha mãe ou de Seong Young, ou me esgueirava por ela disfarçadamente, com o bumbum apertado contra a parede, ansiosa, na expectativa de que minha *halmoni* fosse enfiar os indicadores pelas minhas calças, cacarejando e depois tossindo para minha surpresa e pavor.

Halmoni adorava fumar, beber e jogar e, mais do que tudo, fazer as três coisas ao mesmo tempo com um baralho de *hwatu*. *Hwatu* são pequenas cartas de plástico mais ou menos do tamanho de uma caixa de fósforo. A parte de trás é de um vermelho intenso e brilhante, e a frente é ilustrada com imagens coloridas de animais, flores e folhas. São usadas para jogar *Godori*, ou "seguir-parar", em que o objetivo é combinar as cartas que você tem em mãos com as que estão na mesa. Rosas combinam com rosas, crisântemos com crisântemos, e cada combinação corresponde a um valor em pontos. Uma combinação de cartas com fitas vale um ponto, uma sequência de três cartas com passarinhos ganha cinco. Cinco *kwangs*, cartas marcadas com um pequeno círculo vermelho, o caractere chinês para *brilhante*, valem exuberantes quinze pontos. Depois de você marcar três pontos, pode escolher "seguir" e tentar juntar mais dinheiro, correndo o risco de outro jogador superar sua pontuação, ou "parar", terminar o jogo e receber seus ganhos.

Na maior parte das noites, *halmoni* estendia sua manta de feltro verde, pegava a carteira, um cinzeiro e algumas garrafas de *soju* e cerveja, e as mulheres jogavam. *Godori* não é como outros jogos de cartas com momentos silenciosos de suspense, análises, interpretação de fisionomias e revelações feitas com a cabeça fria. Pelo menos em minha família, as partidas eram barulhentas e ágeis; minha madrinha, Jaemi, esticava o braço um metro para o alto antes de bater a carta com toda a força, como se estivesse batendo figurinha, e o plástico vermelho batia no rosto da companheira com um estalo épico. As mulheres gritavam "*PPEOK*!" e "*JOH TAH*!" depois de cada jogada, fazendo tilintar montinhos de pequenas moedas prateadas de won coreano que aumentavam e diminuíam à medida que o tempo ia passando.

Enquanto as mulheres jogavam *hwatu*, eu fazia o papel de garçonete. Como regra, os coreanos comem quando bebem, petiscos conhecidos no coletivo como *anju*. Eu esvaziava sacos de lula seca, amendoins e biscoitos em tigelas da cozinha de *halmoni* e servia para as minhas tias e a minha madrinha. Levava mais cerveja e enchia os copos delas com *soju* ou fazia uma massagem nelas em estilo coreano que, em vez de apertar ou friccionar os ombros, consiste em dar pancadas firmes nas costas com a parte interna dos punhos fechados. Quando o jogo terminava, as mulheres me davam gorjetas com o que tinham ganhado, e eu passava os dedos gulosos sobre o relevo barbado de Yi Sun-Sin em uma moeda de cem won ou, se tivesse sorte, na garça em voo de uma peça grande de quinhentos won.

Uma vez a cada visita, nós nos encontrávamos com o meu avô, sempre no mesmo restaurante chinês, Choe Young Loo. Ele era um homem alto e magro com maxilar quadrado e traços suaves, porém masculinos. Quando era mais moço, usava o cabelo penteado para trás com um topete bem arrumado e tinha ar esbelto, com lenços coloridos no pescoço e paletós de grife alinhados. Ele era um dublador famoso nas rádios, conhecido pelo trabalho como rei Sejong em um programa de sucesso, e, quando a minha mãe era pequena, a família era bem de vida. Foram os primeiros da rua a ter uma televisão em cores, e a criançada do bairro costumava se reunir à cerca do quintal para tentar assistir através da janela da sala.

Meu avô tinha o visual de um ator de sucesso, mas tinha dificuldade em memorizar falas. À medida que a televisão foi ganhando popularidade, a carreira dele começou a definhar. A minha mãe costumava me dizer que ele tinha o que os coreanos chamam de "ouvido fino": uma pessoa que se deixa levar com muita facilidade pelos conselhos alheios. Uma série de investimentos incertos fez com que ele perdesse as economias da família quando a minha mãe terminou o primeiro ciclo do ensino fundamental.

Na tentativa de complementar o orçamento, minha avó vendia bijuteria feita à mão em feirinhas de rua. Durante os dias da semana, ela preparava grandes porções de *yukgaejang*, com quilos de carne de peito de vaca, raiz de samambaia, nabos, alho e brotos de feijão e cozinhava tudo transformando em uma apimentada sopa de carne desfiada, que ela colocava com uma concha em pequenos sacos plásticos e vendia para trabalhadores de escritório na hora do almoço.

Meu avô acabou por deixar minha avó por outra mulher e abandonou a família. Ele só voltou a entrar em contato com as filhas anos mais tarde para pedir dinheiro. Quando *halmoni* estava distraída, minha mãe costumava entregar a ele um envelope depois do jantar e me dizia para não contar a ninguém.

No restaurante chinês, Nami Emo reservava uma sala com uma mesa enorme que tinha uma plataforma redonda rotatória em que giravam potinhos de porcelana com vinagre e molho de soja, e um botão de mármore para tocar e chamar o garçom. Nós pedíamos um delicioso macarrão *jjajangmyeon*, bolinho atrás de bolinho servido em molho suculento, carne de porco *tangsuyuk* com cogumelos selvagens e pimentões, e *yusanseul*, pepino-do-mar gelatinoso com lula, camarão e abobrinha. *Halmoni* ficava fumando um cigarro atrás do outro em uma extremidade da mesa, observando em silêncio enquanto o marido colocava a conversa em dia com as filhas que ele tinha abandonado.

No mezanino, Seong Young me levava ao tanque de dois metros de extensão que alojava um filhote de jacaré. Ele permaneceu lá ano após ano, pestanejando sonolento, até ficar tão grande que não conseguia avançar nem um centímetro, então desapareceu por completo.

No decurso de uma dessas visitas bianuais, quando eu tinha doze anos e estava quase chegando ao auge de uma insegurança debilitante, fui confrontada com uma descoberta nova e agradável: eu era bonita em Seul. A todo lugar que íamos, desconhecidos me tratavam como se eu fosse algum tipo de celebridade. Senhoras com mais idade em lojas paravam a minha mãe para dizer: "O rosto dela é tão pequeno!"

"Por que as *ajummas* ficam falando isso?", perguntei à minha mãe.

"Os coreanos gostam de rostos pequenos", ela respondeu. "Fica mais bonito nas fotos. É por isso que, sempre que tiramos uma foto em grupo, todo mundo coloca a cabeça para trás. LA KIM fica sempre empurrando a minha cabeça para a frente."

LA KIM era uma das amigas mais antigas de minha mãe, do ensino médio. Ela era uma mulher grandalhona e jovial e costumava fazer piada sobre esticar o pescoço para que a profundidade de campo fizesse com que o rosto dela parecesse menor.

"E os coreanos gostam de pálpebra dupla", a minha mãe completou, traçando uma linha entre o olho e a testa. Eu nunca tinha reparado que a minha mãe não tinha uma dobra, que a pele de sua pálpebra era lisa e sem concavidade. Corri até um espelho para me ver.

Foi a primeira vez que eu me lembro de ficar contente de ter herdado alguma coisa de meu pai, cujos dentes tortos e o vinco profundo entre o nariz e a boca eu lamentava constantemente. Queria crescer e ficar idêntica a minha mãe, com pele lisa e perfeita e três ou quatro pelos esporádicos na perna que eu pudesse simplesmente arrancar com a pinça, mas, naquele momento, eu só almejava ter pálpebras duplas.

"Tenho! Tenho pálpebras duplas!"

"Muitas coreanas fazem cirurgia para ficar assim", ela disse. "Tanto Eunmi quanto Nami Emo fizeram. Mas não diga a elas que eu contei."

Em retrospecto, eu devia ter sido capaz de atribuir essa informação à obsessão de minha mãe com a beleza, ao afeto dela por produtos de qualidade e a todas as horas que ela passava cuidando da pele, e reconhecer na origem de seu comportamento uma diferença cultural legítima, e não um capricho de suas implicâncias superficiais. Assim como a comida, a beleza tinha papel essencial em sua cultura. Hoje, as sul-coreanas têm a maior taxa de cirurgia cosmética do mundo, com estimativas de que uma em cada três mulheres na casa dos vinte anos já passou por algum tipo de procedimento, e as sementes dessa circunstância correm fundo na linguagem e nos costumes do país. Toda vez que eu comia bem ou fazia uma mesura correta para às pessoas mais velhas, os meus parentes diziam: "*Aigo yeppeu*". "*Yeppeu*", ou linda, costumava ser usado como sinônimo de obediente ou bem-comportada, e essa fusão de aprovação moral e estética foi uma apresentação precoce ao valor da beleza e das recompensas que ela podia oferecer.

Na época, eu não tinha as ferramentas necessárias para questionar o início de meu desejo complicado pela brancura. Em Eugene, eu era apenas uma entre um monte de crianças multirraciais em minha escola, e a maior parte das pessoas me enxergava como asiática. Eu me sentia desajeitada e sem charme, e ninguém nunca elogiava minha aparência. Em Seul, a maioria dos coreanos achava que eu era caucasiana, até a minha mãe se colocar ao meu lado, e então eles enxergavam que uma parte dela se fundia em mim, e eu fazia sentido. De repente, a minha aparência "exótica" era algo a ser comemorado.

Mais tarde naquela semana, essa revelação glamorosa atingiria novos níveis de validação quando Eunmi nos levou para visitar o Vilarejo Folclórico Coreano, um museu vivo ao sul de Seul. Réplicas de casas antigas com telhado de sapê se aglomeravam nas ruas de terra batida, e ao longo delas se espalhavam centenas de *hangari*, ao lado de pimentas vermelhas, secando sobre esteiras, e atores com vestimentas tradicionais aqui e ali representando os camponeses e a realeza da dinastia Joseon.

Naquele dia, por acaso, acontecia a filmagem de uma novela de época coreana. Entre as tomadas, o diretor reparou em mim e pediu para um assistente falar comigo. Minha mãe assentiu com educação e aceitou um cartão de visitas, então caiu na risada com as irmãs.

"O que ele disse, *umma*?"

"Ele perguntou quais eram os seus talentos."

A imagem de uma vida como uma estrela coreana se formou à minha frente. Minha futura barriga de tanquinho girando em uníssono coreografado com quatro outras garotas de miniblusa combinando, os balões de história em quadrinhos entrando no quadro de minhas participações em programas de entrevistas, hordas de adolescentes aglomeradas ao redor da minha limusine que se aproxima.

"O que você respondeu?"

"Eu disse que você nem fala coreano, e que nós moramos nos Estados Unidos."

"Eu posso aprender coreano! Mãe! Se eu ficasse na Coreia, eu poderia ser famosa!"

"Você nunca poderia ser famosa aqui, porque você nunca poderia ser a bonequinha de ninguém", ela disse. A minha mãe me abraçou e me puxou em sua direção. Uma comitiva de casamento passou com vestimentas tradicionais coloridas. O noivo usava um *gwanbok* cor de vinho e um chapéu com estrutura de bambu e pelo de cavalo com abas finas de seda que pendiam dos lados. A noiva estava de azul e vermelho, com uma casaca de seda rebuscada sobre o *hanbok* com mangas longas que ela mantinha unidas à sua frente feito um abafador de mãos. As bochechas dela estavam pintadas com círculos vermelhos.

"Você não gosta nem quando a mamãe pede para você usar um chapéu."

A minha mãe era assim, sempre enxergando dez passos adiante. Em poucos segundos, ela visualizou uma vida inteira de solidão e austeridade, montes de homens e mulheres cuidando de meu cabelo e rosto, escolhendo minhas roupas, me instruindo a respeito do que dizer, como me mexer e o que comer. Ela sabia o que era melhor: pegar o cartão e se afastar.

Assim, sem mais nem menos, a minha esperança de viver como estrela coreana foi sufocada, mas por um curto período eu fui linda em Seul, talvez até o bastante para ter a chance de ser uma celebridade menor. Se não fosse por minha mãe, eu poderia simplesmente ter acabado como o jacaré de estimação no restaurante chinês. Enjaulado e só observando tudo de seu cativeiro luxuoso, até que ficasse velho demais e fosse descartado sem nenhuma cerimônia.

O tempo que eu passava com todas essas mulheres e o meu primo era como se fosse um sonho perfeito, mas então o devaneio terminou quando *halmoni* morreu. Tinha catorze anos e estava na escola quando aconteceu, então fiquei para trás quando a minha mãe pegou o avião para ficar com a mãe no hospital. *Halmoni* morreu no dia em que a minha mãe chegou, como se estivesse esperando por ela, esperando para estar rodeada pelas três filhas. No quarto dela, tinha embalado todos os preparativos para o próprio enterro com um pano de seda. A roupa com que queria ser cremada, a fotografia emoldurada que ela queria que fosse colocada sobre o caixão, dinheiro para os custos.

Quando minha mãe voltou do enterro, estava arrasada. Soltou um uivo bem coreano e ficou exclamando: "*Umma*, *umma*", encolhida no chão da sala, a cabeça sacudindo com os soluços pesados sobre o colo do meu pai que estava sentado no sofá e chorava com ela. Na época, fiquei com medo da minha mãe, e fiquei observando meus pais de longe, acanhada, do mesmo jeito que eu observava a minha mãe e a mãe dela no quarto de *halmoni*. Eu nunca tinha visto as emoções de minha mãe tão expostas sem pudor. Nunca a tinha visto fora de controle, como uma criança. Não fui capaz de compreender na época a profundidade do pesar dela, como compreendo agora. Eu ainda não estava do outro lado, não tinha atravessado para os domínios da perda profunda, como ela tinha. Eu não pensei na culpa que ela podia ter sentido por todos os anos que passou longe da mãe, por ter deixado a Coreia para trás. Eu não conhecia as palavras de conforto de que ela provavelmente precisava, como eu preciso delas agora. Não sabia o tipo de esforço que precisaria para simplesmente conseguir me mover.

Em vez disso, eu só era capaz de pensar nas últimas palavras que minha avó me disse antes de voltarmos para os Estados Unidos.

"Você costumava ser tão medrosinha", ela disse. "Nunca me deixou limpar o seu cu." Então soltou uma gargalhada bem alta, me deu um tapa na bunda e um abraço intenso de despedida.

Estilo de Nova York

Quando fiquei sabendo que minha mãe estava doente, fazia quatro anos que eu havia terminado a faculdade e sabia muito bem que não tinha muito de que me gabar. Eu tinha me formado em escrita criativa e cinema, mas na verdade não estava tirando nenhum proveito disso. Trabalhava em três empregos, nenhum em tempo integral, e tocava guitarra e cantava em uma banda de rock chamada Little Big League, da qual nunca ninguém tinha ouvido falar. Eu alugava um quarto por trezentos dólares na parte norte da Filadélfia, a mesma cidade onde meu pai tinha sido criado e da qual ele acabou fugindo para a Coreia quando tinha mais ou menos a minha idade.

Foi pura coincidência eu ter ido parar na Filadélfia. Assim como muitos jovens presos a uma cidade pequena, eu me sentia entediada e, depois, sufocada. Quando cheguei ao ensino médio, o desejo de independência que veio atrás de um comboio de hormônios traiçoeiros tinha me transformado de uma criança que não suportava dormir sem a mãe em uma adolescente que não tolerava ser tocada por ela. Cada vez que ela tirava algum fiapinho de meu suéter ou apertava a mão entre as minhas escápulas para que eu ficasse com as costas eretas ou friccionava minha testa com os dedos para evitar rugas, parecia um ferro quente cutucando a minha pele. De algum modo, como que da noite pro dia, cada simples sugestão dela fazia com que eu ficasse toda alterada, e meu ressentimento e minha sensibilidade iam crescendo até explodir como uma bolha e, em um instante, sem controle, me afastava e berrava: "Pare de encostar em mim!". "Você não consegue me deixar em paz?" "Talvez eu queira ter rugas. Talvez eu queira ter lembretes de que *vivi* a vida."

A faculdade se apresentou como uma oportunidade promissora para ir o mais longe possível de meus pais, por isso me inscrevi quase com exclusividade em faculdades na Costa Leste. Um orientador vocacional achou que uma faculdade pequena de artes liberais, em especial exclusivamente feminina, seria uma boa escolha para mim — uma pessoa crítica e que exigia enorme dedicação dos outros. Fizemos uma viagem para visitar várias faculdades. A arquitetura de pedra de Bryn Mawr, erguendo-se com o pano de fundo dos primeiros sinais do outono na Costa Leste, pareceu se encaixar muito bem na imagem ideal daquilo que sempre tínhamos imaginado que uma experiência universitária devia ser.

Foi meio que um milagre eu ter conseguido entrar na faculdade, já que eu quase não me formei no ensino médio. No último ano, tive um ataque de nervos que resultou em muitas aulas perdidas, terapia e remédios, e a minha mãe se convenceu de que tudo isso era uma tentativa de desafiá-la, mas, de algum jeito, consegui atravessar esse período. Bryn Mawr fez bem para nós duas, e eu até me formei com notas muito boas; fui a primeira da minha família a obter um diploma universitário.

Resolvi continuar na Filadélfia porque era fácil e barato e porque eu tinha certeza de que algum dia a Little Big League ficaria famosa. Mas então já fazia quatro anos e nem a banda nem eu tínhamos vencido na vida ou mostrado algum sinal real de superar o anonimato. Alguns meses antes, eu tinha sido demitida do restaurante mexicano *fusion* em que trabalhei como garçonete durante pouco mais de um ano, o maior período em que fui capaz de manter um emprego. Eu trabalhava com meu namorado, Peter, que eu tinha atraído para lá originalmente em um longo plano para sair da zona da amizade, onde parecia que eu estava exilada por toda a eternidade. Mas pouco depois de finalmente conquistá-lo, fui demitida, e ele, promovido. Quando liguei para a minha mãe em busca de um ombro amigo, incrédula com o fato de o restaurante ter demitido uma funcionária tão habilidosa e encantadora quanto eu, ela respondeu: "Bom, Michelle, qualquer um é capaz de carregar uma bandeja."

Desde então, eu trabalhava três manhãs por semana na loja de HQs de um amigo em Old City; nos outros quatro dias, eu era assistente de marketing em uma distribuidora de filmes num escritório em Rittenhouse Square e, nos fins de semana, trabalhava em um bar de karaokê e *yakitori* que funcionava até tarde em Chinatown, tudo na tentativa de economizar para a turnê de duas semanas de nossa banda em agosto. A turnê tinha sido planejada para promover nosso segundo álbum, que tínhamos acabado de gravar, apesar de ninguém ter dado muita bola para o primeiro.

Meu novo lar não parecia em nada com onde eu tinha sido criada, em que tudo era mantido imaculado e no lugar certo, com a mobília e a decoração escolhidas com todo o cuidado, de acordo com as especificações da minha mãe. A nossa sala tinha prateleiras feitas com tábuas de compensado e blocos de cimento descartados que Ian, meu baterista e colega de apartamento, resgatou com todo o orgulho de um monte de lixo. Nosso sofá era um banco sobressalente removido da traseira da perua de quinze lugares que usávamos para fazer as turnês.

Meu quarto ficava no terceiro andar. Do outro lado do corredor, havia uma pequena sacada que dava vista para uma quadra de beisebol onde podíamos fumar e assistir a jogos de times infantis no verão. Eu gostava de ter um quarto no andar mais alto. O único lado negativo de verdade era que o teto do closet não tinha acabamento, com as vigas e as telhas expostas, coisa que nunca me incomodou, até que uma família de esquilos conseguiu chegar ao teto e começou a copular e fazer ninho em algum lugar lá em cima. Às vezes, à noite, Peter e eu acordávamos com o barulho dos animais correndo e se debatendo de um lado para o outro, o que nem era tão ruim assim, até que um deles caiu no espaço oco entre as paredes e, incapaz de fugir, morreu lentamente de fome. A carcaça dele exalou um fedor intenso e rançoso em meu quarto, algo que também não era assim tão horrível, até que, nas entranhas invisíveis da casa, milhares de larvas surgiram da podridão, o que gerou um enxame de moscas que acabou por nos confrontar certa manhã quando abri a porta do quarto.

Eu tinha feito exatamente o que a minha mãe tinha me aconselhado a não fazer. Eu estava me debatendo com a realidade, vivendo a vida de uma artista sem sucesso.

Naquele mês de março, completei vinte e cinco anos, e, na segunda semana de maio, estava começando a ficar inquieta. Resolvi ir para Nova York para encontrar meu amigo Duncan, que tinha conhecido na faculdade e que tinha se tornado editor na revista *The Fader*. Por dentro, eu estava alimentando uma meia esperança de que, quando finalmente chegasse a hora de desistir de tentar tocar em uma banda, meu interesse por música pudesse se transferir com êxito a uma carreira no jornalismo musical. Do jeito que a situação andava, o momento poderia chegar bem rápido. Deven, o baixista da Little Big League, havia pouco tinha começado a tocar em outra banda que estava chamando a atenção e que tocaria em um clube do Lower East Side naquele exato fim de semana, só para a imprensa. Isso, por si só, já parecia um indício certeiro de que Deven não ficaria em nossa banda durante muito tempo. Aquela outra banda estava, nas palavras de Deven, a caminho de ser "grande a ponto de tocar no Jimmy Fallon". Eu não estava exatamente pronta para admitir, mas iria a Nova York naquele fim de semana, em parte, para começar a preparar o terreno para um plano B.

Na semana anterior, minha mãe havia comentado que estava com problemas de estômago. Eu sabia da consulta que ela havia agendado naquele dia e mandei algumas mensagens de texto à tarde para saber como tinha sido. Não era do feitio dela não responder.

Embarquei no ônibus em Chinatown com um mau pressentimento. Minha mãe tinha mencionado uma dor de estômago uns meses antes, em fevereiro, mas, na época, não dei muita atenção. Aliás, eu tinha feito uma piada com aquilo, perguntei em coreano se ela estava com diarreia: "*Seolsa isseoyo*?". Era uma palavra de que eu sempre me lembrava porque soa muito como o nome do molho de tomate apimentado mexicano, *salsa*. E, bem, a semelhança na textura fazia com que fosse fácil lembrar.

Minha mãe raramente ia a médicos, apegada à ideia de que todos os males se dissipavam por si mesmos. Achava que os norte-americanos eram muito cautelosos e tomavam remédios demais, e tinha incutido essa crença em mim desde pequena, tanto que, quando Peter teve uma intoxicação alimentar por causa de uma lata de atum estragada, e a mãe dele sugeriu que eu o levasse ao pronto-socorro, de fato precisei segurar a risada. Em minha casa, não havia nada a fazer em relação a uma intoxicação alimentar a não ser vomitar. Intoxicação alimentar era um rito de passagem. Não dava para achar que era possível comer bem sem assumir alguns riscos, e nós sofríamos as consequências disso duas vezes por ano.

Para a minha mãe ir a uma consulta médica, precisava ser algo bem sério, mas nunca me passou pela cabeça que essa conduta pudesse ser letal. Eunmi tinha morrido de câncer de cólon apenas dois anos antes. Parecia impossível que a minha mãe também tivesse câncer: um raio não cai duas vezes no mesmo lugar. Ainda assim, comecei a desconfiar de que os meus pais estavam escondendo um segredo.

O ônibus chegou a Nova York no começo da noite. Duncan sugeriu que nos encontrássemos no Cake Shop, um barzinho no Lower East Side que tinha um espaço para shows no porão. Eu tinha enchido uma mochila grande com roupas para passar o fim de semana e me senti imediatamente desleixada e infantil ao caminhar por Allen Street em direção ao bar.

A primavera dava lugar ao verão, e as pessoas que saíam do trabalho tiravam o casaco e dobravam sobre o braço. Estava dando aquela comichão que todo mundo conhece. A vontade de fazer alguma loucura — quando os dias ficam mais longos e uma caminhada pela cidade se torna totalmente agradável de manhã até a noite, quando dá vontade de sair correndo bêbada por uma rua vazia, de tênis, deixando toda a responsabilidade para lá. Mas, pela primeira vez, parecia um impulso do qual eu precisava fugir. Eu sabia que, para mim, não existiriam mais férias de verão, não existiriam mais dias de ócio. Eu precisava aceitar que algo, em algum momento próximo, teria de mudar.

Cheguei ao bar bem antes de Duncan, que me informou estar uns vinte minutos atrasado. Liguei para a minha mãe e ela não atendeu. "O que está acontecendo???", mandei por mensagem de texto, começando a me sentir negligenciada. Larguei a mochila embaixo de uma banqueta do bar e fui dar uma olhada nos discos ao lado da vitrine.

Nunca tinha sido muito próxima de Duncan. Ele era dois anos mais velho e, quando nos conhecemos, já estava no último ano em Haverford. Havia ônibus que ligavam os dois campi, e alunos das duas faculdades podiam se matricular em aulas e clubes de qualquer uma delas. Duncan era um dos cinco integrantes do FUCs, um grupo encarregado de agendar as bandas que tocavam no campus. Ele tinha me apoiado quando me inscrevi para entrar no grupo, e agora eu esperava que ele me ajudasse mais uma vez.

Senti meu telefone vibrar. Era a minha mãe, finalmente, então peguei a mochila e saí para a rua para atender.

"Mãe, o que aconteceu?"

"Bom, querida. Sabemos que você está passando o fim de semana em Nova York", ela disse. "Queríamos esperar até que você voltasse para a Filadélfia. Quando estivesse em casa com o Peter."

Geralmente, a voz dela era estridente do outro lado da linha, mas agora parecia que ela falava de uma sala abafada. Comecei a andar de um lado para o outro na calçada.

"Se tem algum problema, prefiro saber agora", eu disse. "Não é justo me deixar no escuro."

Uma longa pausa se fez do outro lado, indicando que a minha mãe tinha começado a conversa com a intenção de adiar a informação até que eu voltasse para casa, mas agora estava começando a reconsiderar.

"Encontraram um tumor em meu estômago", ela acabou por falar; a palavra caiu como uma bigorna. "Disseram que é canceroso, mas ainda não sabem a gravidade. Precisam fazer mais alguns exames."

Parei de andar de um lado para o outro, paralisada e sem fôlego. Do outro lado da rua, um homem entrava em uma barbearia. Um grupo de amigos estava sentado à uma mesa na calçada, dando risada e pedindo bebidas. Tinha gente escolhendo o que comer. Apagando o cigarro. Levando a roupa na lavanderia. Recolhendo o cocô do cachorro. Terminando noivados. O mundo se movia sem pausa em um dia agradável e quente de maio enquanto eu estava lá parada na calçada, em silêncio e estarrecida ao saber que a minha mãe agora sofria uma grande chance de morrer de uma doença que já tinha matado uma pessoa que eu amava.

"Tente não se preocupar muito", ela disse. "Vamos dar um jeito. Vá encontrar seu amigo."

Como? Como como como? Como é que uma mulher em perfeita saúde vai a um médico por causa de uma dor de estômago e sai com um diagnóstico de câncer? Vi quando Duncan dobrou a esquina à distância. Ele acenou quando eu desliguei o telefone. Engoli o caroço na garganta, coloquei a mochila no ombro e sorri. Pensei: guarde as suas lágrimas para quando sua mãe morrer.

A promoção de happy hour era dois pelo preço de um, então pedimos duas garrafas de Miller High Life e reservamos a segunda. Colocamos o papo em dia, falando sobre a vida depois da formatura. Ele tinha acabado de escrever uma reportagem de capa sobre a Lana Del Rey e, quando eu insisti para que me contasse detalhes da entrevista, ele disse que ela tinha fumado um cigarro após o outro durante todo o tempo e gravado tudo no iPhone dela para se proteger contra declarações equivocadas, o que me fez sentir carinho por ela.

Na nossa segunda rodada, confessei que estava pensando em me mudar para Nova York, totalmente ciente de que eu falava como uma espécie de personagem, mentalmente rejeitando a informação que tinha recebido apenas uma hora antes. Percebi que qualquer plano que eu tivesse então estaria anulado e cancelado, que eu provavelmente teria de voltar para Eugene para acompanhar o tratamento de minha mãe. Eu estava delirante por causa do segredo. Era contrário a minha natureza não divulgar uma informação assim tão monumental, mas pareceu totalmente inapropriado tocar no assunto com alguém que eu só conhecia superficialmente, e eu tinha medo de que, se dissesse as palavras em voz alta, poderia começar a chorar.

Duncan deu apoio à mudança e disse para voltar a nos falarmos quando chegasse a hora. Nos despedimos e liguei para Peter do mesmo local da calçada em que, duas horas antes, eu tinha ficado sabendo que a minha mãe estava com câncer.

Peter foi o primeiro namorado que eu tive de quem a minha mãe gostou. Eles se conheceram em setembro do ano anterior. Meus pais iam comemorar trinta anos de casamento na Espanha e se organizaram para passar na Filadélfia antes. Fazia três anos que eles não me visitavam na Costa Leste; aquela era a primeira vez desde minha formatura. Eu estava determinada a impressioná-los com o meu conhecimento da cidade e com a minha versão autossuficiente, ainda que precária, do início da vida adulta, então passei semanas pesquisando e reservando mesas nos melhores restaurantes da cidade e planejei uma visita a Elkins Park para mostrar o bairro coreano a minha mãe.

Peter nos levou ao Jong Ga Jib, um restaurante especializado em *soondubu jjigae*, um ensopado apimentado de tofu mole. Minha mãe se animou ao examinar o cardápio, empolgada com a variedade de pratos que faltava aos restaurantes coreanos de Eugene, escolhendo as coisas de que meu pai ia gostar. Peter estava se recuperando de um resfriado, então sugeriu que ele pedisse *samgyetang*, uma sopa nutritiva feita com um frango inteiro recheado com arroz e ginseng. Para todos dividirem, ela pediu *haemul pajeon* "*basak basak*", uma tática que ela sempre usava para deixar as beiradas o mais crocantes possível. Comendo *soondubu jjigae* e fatias grossas e crocantes de panqueca de frutos do mar, contei à minha mãe a respeito de um spa coreano de que eu tinha ouvido falar no bairro, parecido com os que visitávamos em Seul.

"Fazem até esfoliação", eu disse.

"É mesmo? Fazem até esfoliação? Que tal se todos nós formos?", a minha mãe perguntou com uma risada.

"Parece divertido", Peter disse.

Jjimjilbangs costumam ser separados por gênero, com uma área comum para homens e mulheres socializarem, vestindo os pijamas largos todos iguais que são distribuídos na entrada. Na casa de banho, nudez total é o padrão. Se Peter nos acompanhasse, significaria que ele ficaria pelado com o meu pai menos de 24 horas depois de conhecê-lo.

Peter tomou a sopa, obediente, agradecendo a minha mãe pela recomendação, e saboreou com alegria o *banchan* na nossa mesa — *miyeok muchim*, salada de alga escorregadia temperada com vinagre azedo e alho; lula seca, doce e apimentada; *gamja jorim*, batatas glaceadas na manteiga com calda doce —, todos pratos que ele tinha descoberto que adorava desde que havíamos começado a namorar. Uma das coisas que mais me encantavam em Peter era o modo que ele fechava os olhos quando comia algo de que gostava de verdade. Era como se ele acreditasse que bloquear um dos sentidos amplificasse os outros. Ele era ousado e nunca fazia com que eu sentisse que o que eu estava comendo era esquisito ou nojento.

"Ele come feito um coreano!", a minha mãe disse.

Quando Peter pediu licença para ir ao banheiro, os meus pais se inclinaram em direção ao centro da mesa.

"Aposto que ele vai arregar e não vai à casa de banhos", meu pai disse.

"Aposto cem dólares que ele vai aceitar ir", minha mãe retrucou.

No dia seguinte, na recepção do spa, quando chegou a hora de nos separarmos, Peter seguiu na direção do vestiário masculino sem titubear. Minha mãe deu um sorriso arrogante de vencedora e esfregou o dedo indicador no polegar, pedindo que o meu pai pagasse.

A casa de banhos era menor do que as que costumávamos frequentar em Seul. Havia três banheiras de temperaturas diferentes — fria, morna e quente — e, à frente delas, uma dúzia de chuveiros em que as mulheres se lavavam sentadas em banquinhos de plástico. Na outra extremidade, tinha uma sauna seca e outra a vapor. Minha mãe e eu tomamos uma chuveirada e então entramos lentamente na banheira mais quente e nos sentamos lado a lado no azulejo azul escorregadio. Em um canto, separadas, três *ajummas* usando roupa de baixo esfoliavam as clientes com diligência. Lá dentro era quente e silencioso, os únicos sons eram o jorro constante de água que esguichava do teto para a banheira fria e um tapa ocasional de uma mão que esfoliava as costas nuas de uma mulher anônima.

"Você depilou sua *boji tul*?", ela perguntou.

Cruzei as pernas bem apertadas, morrendo de vergonha. "Eu aparei", respondi, acanhada.

"Não faça isso", ela instruiu. "Parece uma vagabunda."

"Tudo bem", eu respondi e me afundei mais na água. Dava para sentir o olhar de desgosto dela sobre as tatuagens que eu tinha acumulado apesar de sua desaprovação veemente.

"Gostei do Peter", minha mãe disse. "Ele tem o estilo de Nova York."

Qualquer pessoa que realmente tenha morado em Nova York teria muita dificuldade de descrever Peter como alguém que tem "o estilo de Nova York". Apesar de ele ter estudado na NYU, faltava a Peter a natureza ríspida e a impaciência que um habitante da Costa Oeste geralmente associa à personalidade da Costa Leste. Ele era paciente e gentil. Ele me equilibrava do mesmo jeito que a minha mãe fazia com o meu pai, que, como eu, estava sempre apressado, logo desistia de qualquer tarefa ao primeiro sinal de falha e passava para outra pessoa fazer. Minha mãe quis dizer que ela tinha apreciado o fato de Peter ter mostrado, logo no começo, que era ponta firme.

"Estou indo para aí", Peter disse ao telefone. "Assim que eu terminar o expediente, vou para aí."

Era sexta à noite e ele estava no turno noturno no bar. O sol estava se pondo, o céu, ficando rosado. Comecei a caminhar em direção ao metrô e disse para ele não se incomodar. Ele só sairia do trabalho às duas da manhã e não valia a pena viajar à noite se eu já estava mesmo planejando tomar o ônibus de manhã.

Peguei a linha M do metrô até Bushwick, onde passaria a noite na casa de meu amigo Greg. Ele tocava bateria em uma banda chamada Lvl Up e morava em um galpão conhecido como David Blaine's The Steakhouse, que apresentava shows independentes. Dividia o espaço com cinco pessoas, e todas dormiam em quartinhos minúsculos em um mezanino que eles mesmos haviam construído com placas de *drywall*. Aquilo me lembrou os três fortes em que os Meninos Perdidos dormiam em *Peter Pan*. Eu me deitei no sofá da sala me sentindo entorpecida. Fiquei imaginando o que as mães pensavam quando faziam uma visita. Refleti sobre as condições a que os músicos se submetem por aluguel barato e a liberdade de ir em busca de suas paixões nada convencionais.

Lembrei de como, depois da nossa esfoliação, minha mãe sugeriu que fizéssemos um estoque de compras do H Mart para que ela pudesse deixar umas costelinhas de molho para mim e eu pudesse ter um gostinho de casa depois que ela fosse embora. Como prendi a respiração quando ela entrou na minha casa detonada, esperando que fosse acabar com ela em toda a sua miséria e me oferecesse um pouco da mesma sabedoria ácida que tinha oferecido quando fui demitida, mas, em vez disso, ela foi até a cozinha sem nenhum comentário depreciativo, apertando-se entre a coleção de bicicletas apoiadas na parede sem titubear. Teve até a generosidade de ignorar o enorme buraco à parede dos fundos, que o senhorio tinha aberto com uma marreta, em um esforço criativo para aquecer os canos congelados, assim revelando a total ausência de material de isolamento térmico fofinho e cor-de-rosa.

Não fez comentários sobre o fato de nada combinar em nossos armários da cozinha, sobre a louça ser composta de achados de lojas de segunda mão e restos das casas dos pais de meus colegas. Encontrou o que tinha me dado de presente ao longo dos anos — os potes cor de laranja LocknLock, as panelas Calphalon —, então arregaçou as mangas e colocou a carne que comprou no H Mart sobre uma tábua e começou a amaciá-la com um martelo de carne. Fiquei esperando que ela dissesse algo meio sussurrando. Sabia que estava vendo as coisas que eu fazia e muito mais: os olhos tenazes dela analisando os móveis usados e os cantos empoeirados e os pratos lascados e desconjuntados da mesma maneira que ela costumava destrinchar o meu peso e a minha pele e a minha postura.

Ela tinha passado a vida toda tentando me proteger de viver assim, mas agora só andava pela cozinha sorridente, picando cebolinha, despejando 7Up e molho de soja em uma tigela, experimentando com o dedo, aparentemente alheia às armadilhas de barata enfileiradas sobre a pia e às marcas de dedo na geladeira, com a única intenção de deixar um sabor caseiro quando partisse.

Ou minha mãe tinha finalmente desistido, deixando de lado seus esforços para tentar me transformar em algo que eu não queria ser, ou tinha passado para táticas mais sutis, ao perceber que era improvável que eu durasse mais um ano nessa bagunça, antes de descobrir que ela sempre esteve certa. Ou talvez os quase cinco mil quilômetros entre a gente tivessem feito com que ela simplesmente se sentisse feliz por estar comigo. Ou talvez ela finalmente tivesse aceitado que eu tinha traçado meu próprio caminho e encontrado alguém que me amava por inteiro e acreditasse que tudo iria terminar bem.

Peter pegou o carro e foi para Nova York apesar de tudo. Fechou o restaurante às duas da manhã e chegou à casa do Greg às quatro. Ainda melado pelas margaritas de laranja vermelhas, com feijões colados à calça, ele se apertou ao meu lado no sofá e ficou imóvel enquanto eu chorava em sua camiseta universitária cinza, finalmente capaz de colocar para fora a torrente de emoções que eu tinha sufocado o dia todo, agradecida por ele não ter escutado quando eu disse para não se incomodar. Só depois de muito tempo ele foi me contar que os meus pais tinham ligado para ele antes. Que ele soube que ela estava doente antes de mim, que ele tinha prometido a eles que estaria presente quando eu recebesse a notícia. Que ele estaria comigo para o que desse e viesse.

Cadê o vinho?

"Por que você não me inclui?", choraminguei ao telefone como se estivesse acusando uma criança mais velha por não me dar atenção. Como se eu não tivesse sido convidada para uma festa de aniversário.

"Você precisa viver sua vida", minha mãe disse. "Você está com vinte e cinco anos. É um ano importante. Seu pai e eu podemos lidar com isso juntos."

Tínhamos recebido mais notícias, e nenhuma era boa. O dr. Lee, um oncologista em Eugene, tinha diagnosticado a minha mãe com câncer de pâncreas em estágio IV. Havia três por cento de chance de sobrevivência sem operar. Com cirurgia, a recuperação demoraria meses e, mesmo assim, havia apenas vinte por cento de chance de acabar livre do câncer. Meu pai estava batalhando uma consulta no M.D. Anderson Cancer Center, em Houston, para uma segunda opinião. No telefone, minha mãe pronunciou "pancry-arty" câncer e "Andy Anderson", coisa que me fez acreditar que nossa única esperança estivesse nas mãos de algum tipo de personagem de *Toy Story*.

"Eu *quero* estar presente", insisti.

“Sua mãe tem medo de que vocês duas briguem se você vier”, meu pai mais tarde confessou. “Ela sabe que precisa se concentrar em melhorar.”

Eu presumia que os sete anos que eu tinha passado longe de casa tivessem curado as feridas entre nós, que a pressão acumulada durante a minha adolescência havia sido esquecida. Minha mãe tinha encontrado muito espaço nos quase cinco mil quilômetros entre Eugene e a Filadélfia para afrouxar sua autoridade, e eu, de minha parte, livre para explorar meus impulsos criativos sem críticas constantes, passei a apreciar todo o esforço dela, e foi só durante sua ausência que seus objetivos pareceram mais claros. Agora estávamos mais próximas do que nunca, mas a confissão de meu pai revelou que havia lembranças das quais minha mãe não conseguia desapegar.

Desde o primeiro dia, pelo que me dizem, nada em relação a mim foi fácil. Quando eu tinha três anos, Nami Emo já tinha me apelidado de a “Famosa Menina Má”. Bater com a cabeça em coisas era minha especialidade. Balanços de madeira, batentes de porta, pernas de cadeira, arquibancadas de ferro nas comemorações do quatro de Julho. Ainda tenho um afundado no meio da cabeça da primeira vez que bati com tudo na quina da mesa de vidro da cozinha. Se havia uma criança chorando em uma festa, pode ter certeza de que era eu.

Durante muitos anos, desconfiei que meus pais podiam estar exagerando ou que não estavam preparados para as realidades do temperamento de uma criança, mas lentamente passei a acreditar, com base nas lembranças coletivas de diversos parentes, que eu era uma criança bem chata.

Mas o pior ainda estava por vir, os anos tensos a que meu pai se referia. No segundo semestre do segundo ano do ensino médio, aquilo que poderia ter passado até aquele ponto por simples angústia adolescente começou a se transformar em uma depressão mais profunda. Tinha dificuldade para dormir e me sentia cansada o tempo todo; achava difícil ter força de vontade para fazer qualquer coisa. Minhas notas começaram a cair e minha mãe e eu vivíamos em desavença.

"Infelizmente, isso você puxou do meu lado", meu pai disse um dia no café da manhã. "Aposto que também não consegue dormir."

Ele estava sentado à mesa da cozinha, sorvendo uma tigela de cereal e lendo o jornal. Eu tinha dezesseis anos e me refazia de mais uma briga feia com a minha mãe.

"Tem coisa demais acontecendo aqui dentro", ele disse. Batendo na testa sem levantar o olhar, virou a página para a seção de esportes.

Meu pai tinha sido adicto e havia passado por uma adolescência bem mais conturbada do que a minha. Quando tinha dezenove anos e morava boa parte do tempo embaixo do calçadão à beira-mar em Asbury Park, Nova Jersey, foi pego vendendo metanfetamina para um policial. Passou seis semanas preso, antes de ser transferido a um centro de reabilitação no condado de Camden, onde se tornou cobaia de um novo tratamento psicoterapêutico. Ele era obrigado a usar uma placa pendurada no pescoço que dizia: ESTOU AQUI PARA AJUDAR e executava ações absolutamente fúteis que supostamente estimulariam sua força de vontade. Todos os sábados, ele cavava um buraco no pátio atrás da instituição, e aos domingos faziam com que voltasse a fechar o buraco. Qualquer problema em que eu aparentemente me metesse era mínimo na comparação.

Ele tentou consolar minha mãe, convencê-la de que era uma fase normal, algo que vai e vem na vida da maioria dos adolescentes, mas ela se recusou a aceitar. Eu sempre tinha ido bem na escola, e essa mudança coincidia, de modo conveniente demais, com a época de começar a me inscrever na faculdade. Ela considerava meu mal-estar um requinte que tinham financiado. Meus pais tinham sido generosos demais e agora eu estava cheia de autopiedade.

Ela atacou com mais intensidade; transformou-se em um obelisco que fazia sombra sobre cada um de meus movimentos. Implicava comigo por causa do meu peso, da espessura do meu delineador, do estado de irritação de minha pele e de minha falta de compromisso para com os tônicos e esfoliantes que ela tinha encomendado do canal QVC para mim. Qualquer coisa que eu vestisse se transformava em discussão. Eu não tinha permissão para fechar a porta do quarto. Depois da escola, quando as minhas amigas iam umas para a casa das outras para dormir fora no meio da semana, eu era transportada para aulas particulares e depois era enfiada no meio do mato, onde só me restava resmungar solitária em meu quarto com a porta aberta.

Uma vez por semana, eles me deixavam dormir no apartamento de minha amiga Nicole, o único respiro que eu tinha da supervisão dominadora de minha mãe. A relação de Nicole com a mãe dela era completamente o oposto da minha. Colette dava a Nicole a liberdade de tomar as próprias decisões, e as duas realmente pareciam gostar de estar em companhia uma da outra.

O apartamento de dois quartos delas era pintado de cores intensas e ousadas, cheio de móveis antigos bacanas e roupas de brechó. Pranchas *longboard* da adolescência de Colette na Califórnia se empilhavam ao lado da porta de entrada e lembrancinhas de um ano no exterior quando ela deu aulas de inglês no Chile se enfileiravam nos peitoris das janelas. Havia um balanço de varanda pendurado ao teto da sala; flores de plástico compradas em lojas de artesanato se embrenhavam nos elos das correntes que prendiam a cadeira.

Eu admirava o jeito como elas pareciam mais amigas do que mãe e filha, tinha inveja dos passeios baratos que faziam a Portland. Parecia algo muito idílico quando eu observava as duas cozinhando juntas no apartamento, fazendo pizzetas de massa caseira com o ferro pesado que tinham herdado da avó italiana de Colette, traçando dezenas de figuras rebuscadas em rendinhas delicadas e comestíveis, sonhando com o café que Colette desejava abrir algum dia, um lugar onde poderiam vender suas delícias e cujo interior seria decorado igualzinho à casa que eu considerava tão criativa e charmosa.

Observar Colette fazia com que eu me questionasse sobre os sonhos de minha mãe. A ausência de objetivo dela me parecia cada vez mais uma esquisitice, algo suspeito, até antifeminista. O fato de que cuidar de mim exercia um papel tão primordial em sua vida era uma vocação que eu condenava com ingenuidade, rejeitando o trabalho intenso e invisível dela como a tarefa menor de uma dona de casa que não tinha se empenhado em alimentar uma paixão ou uma habilidade prática. Só anos mais tarde, depois de terminar a faculdade, comecei a entender o que significava construir um lar e como eu não tinha valorizado o meu.

Mas, quando eu era uma adolescente recém-obcecada com minha busca por uma vocação, achava impossível imaginar uma vida com significado sem uma carreira ou pelo menos uma paixão suplementar, um passatempo. Por que os interesses e as ambições dela nunca pareciam vir à tona? Será que ela podia realmente se contentar em ser apenas uma dona de casa? Comecei a interrogar e a analisar suas habilidades. Sugeri alternativas possíveis: cursos de decoração ou de moda na universidade; quem sabe ela poderia abrir um restaurante.

"Dá trabalho demais! Você sabe que a mãe do Gary abriu um restaurante tailandês... agora ela vive correndo de um lado para o outro! Nunca tem tempo para nada."

"Quando eu estou na escola, o que você faz o dia inteiro?"

"Faço muita coisa, sabia? Você simplesmente não entende porque é mimada. Quando sair de casa, vai ver tudo que a mamãe faz para você."

Dava para perceber que a minha mãe tinha inveja de Colette — não por causa das ambições excêntricas, mas pelo jeito como eu idolatrava os objetivos desconexos dela — e quanto mais eu me aprofundava na minha crueldade adolescente, mais eu exibia minha relação com Colette como forma de tirar proveito das emoções de minha mãe. Era como se estivesse revidando pela frequência com que ela se aproveitava dos meus sentimentos.

No vácuo de meu desinteresse, a música logo preencheu o vazio. Fez abrir uma fissura, perfurou uma veia na lacuna já precária e que só crescia entre mim e a minha mãe; e iria se transformar em um abismo que ameaçava nos engolir por completo.

Não havia nada tão vital quanto a música, o único conforto para o meu pavor existencial. Eu passava o dia inteiro baixando músicas, uma de cada vez, no LimeWire, e entrando em discussões acaloradas no AIM a respeito de se a versão acústica de "Everlong" dos Foo Fighters era melhor do que a original. Eu guardava minha mesada e o dinheiro do almoço na escola para gastar tudo em CDs na House of Records, analisava as letras nos encartes, era obcecada por entrevistas com os defensores do rock independente da região noroeste da costa do Pacífico, memorizava listas de gravadoras como K Records e Kill Rock Stars e planejava os shows a que eu ia assistir.

Apesar da ínfima probabilidade de que qualquer turnê passasse por Eugene, havia dois lugares para tocar. A maioria dos shows locais que eu vi quando adolescente foi no WOW Hall. Menomena, Joanna Newsom, Bill Callahan, Mount Eerie e Rock n Roll Soldiers, que era a banda mais próxima de ser chamada de "heróis da casa". Usavam lenços amarrados à cabeça e coletes de couro com franjas que caíam sobre os peitos desnudos, e nós os admirávamos porque eram os únicos que conhecíamos que tinham partido e conquistado alguma coisa: um cobiçado contrato com uma grande gravadora e a participação em um comercial da operadora de celular Verizon. Nunca paramos para questionar: se o que a banda tinha conquistado era mesmo tão bom assim, por que eles voltavam à cidade para tocar com tanta frequência?

Bandas maiores tocavam no teatro McDonald, onde vi Modest Mouse e fiz um *crowd surf* pela primeira vez, passando uns bons trinta segundos à margem do palco para ter certeza de que alguém na primeira fileira ia mesmo me segurar quando eu pulasse. Isaac Brock era um deus para a gente. Havia um boato de que o primo dele morava em uma cidadezinha vizinha, no pátio de trailers mencionado na música "Trailer Trash", e essa proximidade em potencial fazia com que fosse mais fácil se identificar com ele: porque era alguém que podíamos chamar de nosso. Todos que eu conhecia tinham, de algum jeito, decorado todas as letras do enorme catálogo de uma centena de músicas dele, inclusive as músicas dos projetos paralelos e lados B dos singles, álbuns desejados que vivíamos tentando encontrar para gravar uma cópia e colocar nos envelopes de plástico de nossas pastinhas de CD. As letras dele eram o epítome do que significava ter crescido em uma cidadezinha cinzenta da região noroeste da costa do Pacífico. Descreviam o que era sufocar lentamente de tanto tédio. Suas longas composições de onze minutos e seus gritos catárticos de gelar o sangue eram a trilha sonora dos demorados deslocamentos de carro sem nada em que pensar.

Mas nada teve um impacto tão profundo sobre mim quanto a primeira vez em que coloquei as mãos em um DVD ao vivo dos Yeah Yeah Yeahs, gravado na casa de shows Fillmore, em San Francisco. A líder da banda, Karen O, foi o primeiro ícone do mundo da música que eu idolatrava que se parecia comigo. Ela era meio coreana e meio branca, com um talento para o palco sem igual que destoava do estereótipo dócil das asiáticas. Era famosa por seus trejeitos malucos durante os shows, cuspindo água para o alto, saltitando de uma ponta à outra do palco e fazendo uma garganta profunda com o microfone antes de girá-lo sobre a cabeça pelo fio. Boquiaberta diante daquela imagem, eu me vi em um estado de contradição. A primeira coisa que pensei foi como eu poderia fazer a mesma coisa, e a segunda, se já tem uma garota asiática fazendo isso, então não há mais espaço para mim.

Naquela época eu não sabia o que era mentalidade de escassez. O diálogo relativo à diversidade na música estava em seus estágios primários, e como eu não conhecia pessoalmente nenhuma outra garota que fizesse música, eu não sabia que havia outras como eu, debatendo-se com os mesmos sentimentos. Eu não tinha a capacidade analógica de imaginar um garoto branco na mesma situação, assistindo a um DVD ao vivo dos Stooges, digamos, e pensando: se já existe um Iggy Pop, como é possível haver espaço para mais um sujeito branco na música?

Ainda assim, Karen O fez com que a música parecesse mais acessível, fez com que eu acreditasse que era possível alguém como eu um dia vir a fazer algo que tivesse alguma importância para outras pessoas. Alimentada por esse otimismo recém-descoberto, comecei a pentelhar minha mãe sem trégua para ganhar um violão. Depois de já ter consumido uma boa soma de dinheiro em uma longa lista de aulas extracurriculares que eu tinha abandonado sumariamente, ela relutou em concordar, mas, quando chegou o Natal, finalmente se rendeu, e no fim ganhei um violão acústico Yamaha de cem dólares em uma caixa do mercado popular Costco. A ação das cordas era tão alta que era preciso forçá-las um centímetro para baixo até encostar no traste.

Comecei a fazer aulas uma vez por semana no lugar mais vergonhoso em que se pode aprender a tocar violão: a Lesson Factory. Era uma espécie de Walmart das aulas de violão. Tinha conexão com a loja Guitar Center e, lá, tinha uns dez cubículos com isolamento acústico, cada um deles equipado com duas cadeiras e dois amplificadores e o próprio músico derrotado, recrutado na internet pelo Craigslist. Pelo menos tive a sorte de ser designada a um instrutor de quem eu realmente gostava, que deve ter me achado um alento bem-vindo entre os meninos pré-adolescentes que só queriam aprender a tocar músicas do Green Day e a introdução de "Stairway to Heaven".

As aulas não podiam ter vindo em melhor momento. Naquele mesmo ano, Nick Hawley-Gamer passou a se sentar na carteira ao meu lado nas aulas de inglês e me senti como se tivesse ganhado na loteria. Tinha ouvido falar dele porque era vizinho e ex-namorado de Maya Brown. Eu não estudava com Maya, mas a conhecíamos porque todos os garotos do nosso ano tinham uma queda por ela. Era de enfurecer, ela era linda e popular de um jeito objetivo, mas se fazia de alternativa atormentada. Tingiu o cabelo castanho de preto cor de breu, usava calça de veludo cotelê cor de caramelo e escrevia coisas nos braços com caneta para não esquecer, pensamentos que ela mais tarde colocava no LiveJournal, que eu acompanhava assiduamente, apesar de não sermos amigas na vida real. As postagens dela eram compostas de letras do Bright Eyes combinando com os encontros românticos dela mesma e entremeadas de digressões escritas na maior parte do tempo em segunda pessoa, dirigidas a alguém anônimo que ou a tinha prejudicado ou por quem ela ansiava desesperadamente. Para mim, ela era uma das grandes poetas norte-americanas de nosso tempo.

Nick tinha cabelo loiro desgrenhado, pintava as unhas com corretor e usava uma argola de prata em uma das orelhas. Durante a aula, ele era quieto e insuportavelmente lento, como se estivesse o tempo todo chapado. Vivia me perguntando quando era para entregar os trabalhos e se ele podia pegar minhas anotações emprestadas, pedidos infelizes que eu prontamente alinhavava a minha missão particular de fazer amizade com ele. Nos últimos anos do ensino fundamental, Nick teve uma banda chamada Barrowites. Não conhecia ninguém que tocasse em uma banda, e parecia ser algo descolado demais o fato de Nick já ter uma. Eles lançaram um EP antes de se separarem, que eu cacei com diligência com o amigo de um amigo. Era um CD pirata, guardado em um envelope de papel artesanal com desenhos e títulos escritos com canetinha. Assim que cheguei em casa, coloquei para tocar no som portátil que eu tinha em minha escrivaninha. Fiquei sentada em uma cadeira de rodinhas, escutando, sempre segurando o envelope com as mãos suadas enquanto me debruçava sobre as letras, imaginando o passado loucamente cheio de experiências sexuais de Nick Hawley-Gamer. Eram cinco faixas, a última música chamava “Molly’s Lips”, ou os lábios de Molly. Fiquei imaginando se Molly era mais uma de suas tantas ex ou se talvez fosse um pseudônimo para a Maya Brown. Era desinformada demais para saber que “Molly’s Lips”, na verdade, era só um *cover* que o Nirvana tinha feito dos Vaselines.

No final, consegui ter coragem suficiente para perguntar se ele queria fazer uma *jam*. Nos encontramos na hora do almoço embaixo de uma árvore ao lado dos campos de futebol. Não demorou muito tempo para eu demonstrar como era terrivelmente inepta com o violão. Nunca tinha feito nenhuma *jam* com ninguém. O Nick começava a tocar uma música e não fazia ideia do tom nem de como acompanhar. Bem discreta, tentava caçar e ciscar as notas certas, na tentativa de entrar em uma melodia simples vagamente baseada nas escalas que eu achava que sabia, até que acabei pedindo desculpas e desistindo totalmente. O Nick levou na boa. Ele foi paciente e não me julgou e se ofereceu para, em vez daquilo, me acompanhar nas músicas que eu sabia. Passamos o resto do horário do almoço trocando versos de "We're Going to Be Friends", do White Stripes, e de "After Hours", do Velvet Underground, e aquilo pareceu ser o milagre mais romântico de minha jovem vida adulta.

Depois de ter composto algumas músicas, resolvi me inscrever na noite dos calouros do Cozmic Pizza, um restaurante no centro, com várias mesinhas, um palco pequeno e um bar logo na entrada. Tinha um piso de cimento lustroso e geralmente oferecia noites com jazz e world music. Convidei meus amigos para irem me ver tocar. O lugar estava praticamente vazio, mas, ainda assim, mal dava para escutar meu violão acústico do Costco por cima do tilintar de copos de chope, das batidas da porta do forno de pizza e do pessoal do caixa chamando para pegar os pedidos. Fiquei exultante com meus sete minutos de fama. Como sempre levava meus amigos, as sessões de calouros disponíveis foram aos poucos se transformando em minhas apresentações, abrindo para pequenos artistas locais. Fiz fotos de divulgação de mim mesma no banheiro com um temporizador automático, escaneei no computador do meu pai e usei o MS Paint para criar *flyers* de promoção. Comprei um grampeador de parede que usava para pregar os *flyers* nos postes de telefone da cidade e também perguntava às lojas se eu podia colá-los na vitrine. Fiz uma página no Myspace e coloquei lá as músicas que gravei no GarageBand. Mandei o link por e-mail para bandas locais e promotores e implorei para que me incluíssem na programação. Toquei em eventos beneficentes de escolas e fui criando um pequeno público local, na maior parte amigos e colegas que forçava a comparecer, até que finalmente fiquei "grande o suficiente" para conseguir um show no WOW Hall, abrindo para Maria Taylor.

No dia do show, Nick chegou cedo para me dar apoio moral e ficou esperando comigo no camarim até a hora da apresentação. Nunca tinha estado em um camarim, mas, mesmo assim, era difícil sentir que aquilo era glamoroso. O lugar tinha luz forte, era do tamanho de um quartinho de despensa, tinha dois bancos e um frigobar em cima de uma mesa de madeira. Nick e eu estávamos sentados em um banco à frente da porta quando Maria Taylor entrou com um colega de banda usando camisa de flanela. Ela era assustadora. Um cabelo escuro e ondulado emoldurava seus traços intensos, com destaque para o nariz comprido e saliente e a silhueta esbelta. Prendi a respiração quando ela entrou. Ela resmungou: "Cadê o vinho?" e se retirou.

Meus pais compareceram e ficaram juntos ao fundo. Toquei uma meia dúzia de canções acústicas, sentada em uma cadeira de metal dobrável, vestida com uma blusa listrada de arco-íris da Forever 21 e um jeans largo desbotado enfiado dentro de botas de caubói marrons, uma roupa que eu realmente achava que compunha um visual descolado na época. Àquela altura, graças a Deus, eu pelo menos tinha evoluído para um violão acústico Taylor e tocava com um amplificador SWR amarelo-avermelhado que tinha escolhido só porque eu gostava da combinação de tons vermelho e creme. Me atrapalhei com os acordes de abertura, usando um capotraste no braço do violão para cada música, para que pudesse manter a mesma posição dos acordes. Cantei músicas adolescentes sobre a saudade de períodos mais simples, sem perceber que era exatamente o que aquele período devia ser. Quando terminei, ganhei um "muito bem, querida" de meus pais, que foram bastante generosos ao permitir que eu ficasse para o restante do show.

Maria Taylor tocava uma guitarra Gretsch de corpo oco que era hilário de tão grande em contraste ao seu corpo franzino. Apertei o ombro de Nick, animada, quando ela tocou os primeiros acordes de "Xanax", o single principal do álbum novo dela que estava incluindo em todas as minhas listas. A música começava com a cadência de um relógio, as baquetas batiam à borda da caixa enquanto ela catalogava suas ansiedades e seus medos. "Medo de avião, de um carro derrapar fora da pista... das estradas sinuosas cobertas de gelo pelas quais íamos para chegar ao show." Lançou o corpo para a frente na última dedilhada, e os integrantes da banda, que tinham passado os dois primeiros versos totalmente sem movimento, desabaram em uníssono com a chegada do refrão.

Apesar de eu estar cantando junto uma música que abordava especialmente as provações constantes da vida na estrada em turnê, apesar de eu assistir à banda tocar para um grupo pequeno de no máximo trinta pessoas em uma cidadezinha que provavelmente tinham se arrependido de incluir na turnê, estar ali para ver alguém que se apresentava por todo o país tocando as próprias músicas foi uma revelação. Eu tinha dividido o palco com essa pessoa, tinha ficado a meio metro de distância no mesmo lugar que ela. Eu tinha tido um vislumbre da vida de uma artista, e, por um momento, pareceu que aquele caminho estava um pouquinho mais próximo.

Depois do show, Nick me deu uma carona até em casa no Nissan Maxima dos pais dele. Estava orgulhoso de mim, e foi gostoso saber que uma pessoa que eu admirava estava me enxergando sob uma nova luz.

"Você devia gravar um álbum com todas as suas músicas", Nick disse. "Devia dar uma olhada no estúdio onde gravamos os Barrowites."

No dia seguinte, minha mãe me levou para almoçar no Seoul Cafe, o restaurante perto da faculdade comandado por um casal coreano. O marido fazia o atendimento enquanto a mulher cozinhava nos fundos. O único problema do lugar era a lentidão no serviço, o marido se atrapalhava todo quando tinha mais do que três mesas para gerenciar. Para evitar confusão, minha mãe ligava do carro, na metade do caminho entre nossa casa e o restaurante, e fazia o pedido com antecedência.

"Quer um *bibimbap* hoje?", ela perguntou, segurando o volante com uma das mãos e examinando os contatos no celular Razr flip cor-de-rosa com a outra.

"Quero, acho que seria uma boa."

"*Ah ne! Ajeossi...?*"

Toda vez que minha mãe falava coreano, o texto se diluía em minha frente como um jogo de caça-palavras. Palavras tão conhecidas misturadas a longos espaços em branco que eu não era capaz de preencher. Eu sabia que ela estava pedindo *jjamppong* com legumes e verduras extras, porque eu conhecia aquelas palavras e porque ela sempre pedia a mesma coisa. Se ela gostava de algo, se apegava àquilo, comia todos os dias, parecia nunca cansar, até que um dia passava para outra coisa sem explicação.

Quando chegamos, minha mãe cumprimentou o senhor de idade no balcão com um sorriso largo e começou a falar sem parar em coreano, enquanto eu, obediente, servia chá quente para nós duas de um bule de metal grande e ajeitava os guardanapos, as colheres e os hashis sobre a mesa. Pagou no balcão, pegou uma revista coreana da recepção e levou para o nosso reservado.

"Gosto muito daqui, mas eles são muito devagar. É por isso que a mamãe sempre liga com antecedência", ela sussurrou.

Folheou a revista, bebendo o chá de cevada e se ocupando das atrizes e modelos coreanas. "Acho que talvez este seria um bom corte de cabelo para você", ela disse e apontou para uma atriz com tranças cacheadas perfeitas. Virou a página mais uma vez. "Este tipo de jaqueta militar está fazendo muito sucesso na Coreia. A mamãe queria dar uma para você, mas você sempre usa coisa feia."

O senhor de idade trouxe os pratos em um carrinho e colocou os pedidos e o *banchan* à mesa. O arroz no fundo de meu *dolsot* estalava e a sopa de macarrão e frutos do mar de minha mãe fumegava sobressaindo de um vermelho intenso.

"*Masitge deuseyo*", o homem disse com uma pequena mesura, desejando a nós uma boa refeição enquanto empurrava o carrinho de volta ao balcão.

"O que achou do meu show ontem?", perguntei, jogando *gochujang* em meu *bibimbap*.

"Querida, não ponha muito *gochujang* ou vai ficar salgado demais", disse. Deu um tapa para afastar a minha mão da tigela. Pousei o frasco vermelho em sinal de obediência.

"O Nick disse que conhece um estúdio onde eu poderia gravar minhas músicas. Acho que, como é só voz e violão, posso gravar tipo um álbum em dois ou três dias. Seriam só uns duzentos dólares pelas horas de estúdio, e daí posso gravar os CDs em casa."

Minha mãe ergueu uma longa tira de macarrão, então deixou mergulhar novamente no caldo. Pousou os hashis sobre a tigela, fechou a revista e olhou bem em meus olhos do outro lado da mesa.

"Só estou esperando você desistir disso", ela disse.

Baixei os olhos para o meu arroz. Furei a gema com a colher e fiquei espalhando na tigela de pedra sobre as verduras e os legumes. Minha mãe se inclinou e, com uma colher, começou a colocar um pouco de sopa de broto de feijão em meu *bibimbap*. O líquido chiou contra as laterais do recipiente.

"Nunca devia ter deixado você fazer aula de violão", ela disse. "Você devia estar pensando na faculdade, não fazendo essa coisa esquisita."

Fiquei balançando a perna para cima e para baixo, nervosa, tentando não explodir. Minha mãe agarrou minha coxa por baixo da mesa.

"Para de sacudir a perna; vai sacudir tanto que vai expulsar a sorte."

"E se eu não quiser fazer faculdade?", eu disse, impetuosa, e me desvencilhei do agarrão dela. Enfiei uma colherada do arroz mexido na boca, virei tudo com a língua, criando um bolsão para soltar o vapor. Minha mãe olhou ao redor do restaurante, nervosa, como se eu tivesse acabado de fazer juras de fidelidade a uma seita satânica. Observei enquanto ela tentava se recompor.

"Não estou nem aí se você não quer fazer faculdade. Você tem que fazer faculdade."

"Você não sabe nada de mim", eu disse. "Essa coisa esquisita... é a coisa que eu *amo*."

"Ah, então tudo bem, ótimo, vá morar na casa da Colette!", ela explodiu. Pegou a bolsa e se levantou; colocou no rosto os óculos escuros com sua armação grande. "Tenho certeza de que ela vai cuidar de você. Vai poder fazer o que quiser lá, e eu sou tão má."

Quando fui atrás dela até o estacionamento, já estava sentada atrás do volante, usando o espelho do quebra-sol para tirar o *gochugaru* do meio dos dentes com a ponta de um recibo. Ela estava esperando que eu a detivesse: que corresse atrás dela e implorasse perdão. Mas eu não iria arredar pé. Era capaz de viver sem ela, pensei comigo mesma, em minha confiança tola de adolescente. Podia arrumar um emprego. Podia ficar na casa de amigos. Podia continuar fazendo shows até o dia em que eu fosse capaz de lotar uma casa.

Minha mãe amassou o recibo e o enfiou no porta-copo, fechou o espelho e baixou o vidro da janela. Fiquei parada no estacionamento, fazendo o possível para não estremecer enquanto ela me encarava de trás das lentes escuras.

"Quer ser uma artista que passa fome?", ela disse. "Então, vá viver como se fosse, mesmo."

O fascínio da vida de uma artista que passa fome se desgastou bem rapidinho. Passei algumas noites com Nicole e Colette, depois fiquei com a minha amiga Shanon, que era um ano mais velha e morava sozinha. A gente frequentava um lugar punk chamado Flower Shop que era, basicamente, um prédio invadido cheio de ostentação. Punks imundos dormiam espalhados pelo chão, lançavam garrafas de vidro do telhado para a rua e atiravam facas de cozinha nas paredes quando estavam bêbados.

Sem a minha mãe como âncora, eu me afastei ainda mais das responsabilidades a respeito das quais nós vínhamos brigando ao longo do último ano. As fichas de inscrição das faculdades que eu precisava completar ficaram parcialmente preenchidas no computador do meu pai e eu entrei em um ciclo vicioso de matar aula. Não ia à escola, não entregava trabalhos, ficava com vergonha de estar tão para trás e continuava faltando porque não queria ser confrontada pelos professores que se preocupavam comigo. Em muitas manhãs, eu simplesmente me acomodava no estacionamento da escola e ficava fumando, incapaz de entrar. Eu fantasiava a respeito de morrer. Cada objeto existente no mundo parecia ser uma ferramenta com essa função. A estrada, um lugar para ser atropelada; cinco andares, o suficiente para pular lá do alto. Via frascos de limpa-vidro e imaginava o quanto seria necessário ingerir; pensava em me enforcar com as cordinhas que serviam para subir e baixar as persianas.

Quando o meu boletim do semestre revelou que eu tinha sido reprovada em todas as disciplinas e que a minha média tinha desabado, a minha mãe marcou uma reunião com o conselheiro de estudos superiores e implorou por ajuda. Afoita, ela reuniu os documentos necessários, incluindo as fichas de inscrição incompletas, e mandou tudo para as faculdades pelas quais eu tinha me interessado antes. Quando eu finalmente voltei para casa, comecei a fazer sessões com um terapeuta, que me receitou remédios para que eu criasse um pouco de "espaço emocional para respirar" e redigiu uma carta para acompanhar minhas inscrições nas faculdades, explicando que a mudança de comportamento e desempenho tinham sido um sinal de estafa mental.

Os meses restantes que passei em casa foram marcados por um tenso silêncio. Minha mãe circulava pela casa como se não notasse a minha presença. Quando preferi não comparecer ao baile de formatura, ela só fez um breve comentário, apesar do fato de termos escolhido juntas um vestido quase um ano antes.

Eu queria muito que a minha mãe falasse comigo, mas tentava parecer estoica, perfeitamente ciente de que a minha constituição era muito mais frágil do que a dela. Parecia inabalada pela nossa distância até o dia em que fiz as malas para partir para Bryn Mawr, quando finalmente o silêncio se rompeu.

"Quando eu tinha a sua idade, eu faria de tudo para ter uma mãe que comprasse roupas bonitas para mim", ela disse.

Estava sentada de pernas cruzadas no chão, dobrando um macacão todo costurado com retalhos de tecido xadrez que eu tinha comprado na loja de segunda mão Goodwill. Ajeitei o macacão dentro da mala, junto a minha coleção de suéteres horrorosos e uma camiseta extragrande de Daniel Johnston que eu tinha transformado em blusa regata.

"Eu sempre tinha que usar as roupas velhas de Nami e depois só ficava olhando quando a Eunmi ganhava roupas novas na hora de passarem para ela", disse. "Na Costa Leste, todo mundo vai achar que você é uma moradora de rua."

"Bom, eu não sou igual a você", eu disse. "Tenho coisas mais importantes em que pensar do que no meu visual."

Com um gesto lépido, a minha mãe me agarrou pelo quadril e me virou para me dar uma palmada. Não era a primeira vez que a minha mãe me batia, mas, conforme fui ficando maior e mais velha, o castigo parecia cada vez mais antinatural. Àquela altura, eu pesava mais do que ela, e a palmada mal doeu, só incomodava a vergonha de me sentir velha demais para aquela prática.

Ao ouvir a confusão, meu pai subiu a escada e espiou do corredor.

"Bate nela!", a minha mãe instruiu. Ele ficou lá, impassível, observando, estupefato. "Bate nela!", ela berrou mais uma vez.

"Se bater em mim, vou chamar a polícia!"

Meu pai me agarrou pelo braço e ergueu a mão, mas, antes que pudesse baixá-la com força, eu me desvencilhei dele, corri até o telefone e disquei o número de emergência.

Minha mãe ficou olhando para mim como se eu fosse um verme, uma coisinha estranha, que se alimentava de seus esforços. Essa não era a menina que se agarrava à manga da roupa dela no mercado. Essa não era a menina que implorava para dormir no chão ao lado de sua cama. Com o telefone na orelha, fiquei encarando a minha mãe com um olhar desafiador, mas, quando ouvi a voz do outro lado da linha, entrei em pânico e desliguei. Minha mãe aproveitou a oportunidade para me derrubar. Ela me agarrou pelos antebraços e, pela primeira vez, nós nos debatemos, lutando para render uma à outra ao chão. Tentei brigar com ela, mas descobri que havia um lugar físico que eu não ousava penetrar, uma força que sabia ter para dominá-la, mas que não era capaz de acessar. Deixei que ela me prendesse pelos pulsos e subisse sobre minha barriga.

"Por que está fazendo isso conosco? Depois de tudo que demos a você, como pode nos tratar assim?", ela berrou. As lágrimas e o cuspe dela caíam em meu rosto. Ela tinha cheiro de azeite de oliva e frutas cítricas. As mãos dela eram macias e lisas, hidratadas com creme, empurrando meus pulsos contra o carpete áspero. O peso dela sobre mim começou a doer como um hematoma. Meu pai pairava sobre a gente, sem saber muito bem qual era a posição dele no meio daquilo tudo, buscando uma razão para explicar o por quê de uma garota como eu ter se tornado assim tão terrível.

"Eu fiz um aborto depois de você porque você era uma criança horrível!"

Ela relaxou a tensão do corpo, saiu de cima de mim e se retirou. Ela estalou a língua de leve, o tipo de barulho que a gente faz quando pensa que algo é uma pena mesmo, como quando você passa em frente a um prédio caindo aos pedaços com uma arquitetura linda.

Pronto. A maneira como ela tinha sido capaz de esconder um segredo tão impactante por toda a minha vida, só para jogar em minha cara em um momento como aquele, era quase cômica. Eu sabia que não tinha como eu ser realmente responsável pelo aborto. Ela só tinha dito aquilo para me magoar, do mesmo jeito que eu a tinha magoado em tantas configurações monstruosas. Mais do que tudo, eu só estava chocada por ela ter escondido algo tão monumental.

Invejava e temia a capacidade de minha mãe de manter as coisas em sigilo, já que cada segredo que eu tentava guardar me corroía. Possuía um raro talento para guardar segredos, até de nós. Não precisava de ninguém. Era surpreendente o quão pouco ela parecia precisar de alguém, até mesmo de nós. Todos aqueles anos em que me instruiu a reservar dez por cento de mim mesma como ela fazia, eu nunca soube que também reservava uma parte dela de mim.

Matéria escura

Essa podia ser a minha oportunidade, pensei, de me redimir de tudo. De todas as dificuldades que eu tinha causado por ser uma criança hiperativa, de todo o veneno que eu tinha destilado em minha adolescência torturante. Por me esconder em lojas de departamento, por dar chiliques em público, por destruir os objetos preferidos dela. Por roubar o carro, por chegar em casa chapada depois de consumir cogumelos, por cair em uma vala com o carro, bêbada.

Eu iria irradiar alegria e positividade, e isso iria curá-la. Eu iria usar quaisquer roupas que ela quisesse, faria todas as tarefas sem reclamar. Aprenderia a cozinhar para ela: todas as coisas que ela adorava comer; e eu, sozinha, iria impedir que ela definhasse. Eu iria recompensá-la por todas as dívidas que eu tinha acumulado. Eu seria tudo de que ela precisasse. Eu faria com que ela se arrependesse por não me querer ali. Eu seria a filha perfeita.

No decurso das duas semanas seguintes, o meu pai conseguiu marcar uma consulta no M.D. Anderson, e os meus pais pegaram um avião até Houston. Com exames de imagem mais precisos, descobriram que a minha mãe não tinha câncer no pâncreas, mas sim uma forma rara de carcinoma de células escamosas de estágio IV que provavelmente tinha se originado no duto biliar. Os médicos disseram a eles que, se tivessem prosseguido com a cirurgia que o primeiro médico sugeriu, ela teria morrido de hemorragia na mesa de operação. O plano de ação recomendado agora era voltar para casa e bombardear o tumor com um coquetel Molotov composto por três medicamentos, seguido de radioterapia se os resultados fossem positivos. Minha mãe só tinha cinquenta e seis anos e, apesar do câncer, era relativamente saudável. Achavam que, se entrassem com força total, ainda havia possibilidade dela vencer a doença.

De volta a Eugene, minha mãe me mandou uma foto do novo corte de cabelo joãozinho. Fazia mais de dez anos que ela usava o mesmo corte de cabelo, simples, liso, um pouco abaixo dos ombros. Às vezes ela prendia em um rabo de cavalo frouxo, geralmente com uma viseira ou chapéu no verão, um gorro ou uma boina no outono. Tirando o permanente que ela fazia quando era moça, eu nunca tinha visto o cabelo dela com nenhum outro estilo. "Combina com você!", eu respondi à mensagem, animadíssima, mandando em seguida diversos emojis animados e apaixonados. "Você parece mais nova!!! Mia Farrow!!!" Falei sério. Na foto, sorria, posando à frente de uma parede branca na sala, perto do balcão da cozinha onde meus pais deixavam as chaves do carro e o aparelho de telefone. Havia um cateter de plástico no peito dela, com as pontas presas com fita adesiva médica transparente. Parecia quase acanhada. Sua expressão era cheia de esperança, a postura dela, um pouco curvada, e aquilo me encheu de esperança também.

Apesar das objeções iniciais de minha mãe, larguei meus três empregos, coloquei outra pessoa para morar em meu apartamento alugado e deixei a banda em um hiato. Meu plano era passar o verão em Eugene e voltar para a Filadélfia em agosto para nossa turnê de duas semanas. Até lá eu teria uma ideia melhor do que a minha família e eu estávamos enfrentando, e saberia se devia ou não me mudar para lá por tempo indeterminado. No meio tempo, Peter iria me visitar.

O avião pousou em Eugene à tarde, no dia seguinte à primeira sessão de quimioterapia de minha mãe. Eu tinha feito todo o possível para parecer composta e preparada: no aeroporto de San Francisco, onde fiz a conexão, passei o tempo todo na frente do espelho do banheiro. Lavei o rosto na pia e sequei com leves toques das toalhas de papel ásperas. Penteei o cabelo e retoquei a maquiagem, delineando as pálpebras com muito cuidado, com o menor e mais fino toque de olho de gatinho possível. Tirei o rolo para tirar pelo de minha mala de mão e passei o papel adesivo pela calça jeans e tirei as bolinhas do suéter. Alisei os amassados o melhor que pude com as palmas das mãos. Empenhei-me mais em me recompor para minha mãe do que jamais tinha feito para qualquer encontro ou entrevista de emprego.

Era assim que eu me preparava para as nossas visitas desde a faculdade, quando voltava para casa durante as férias de inverno e de verão. No mês de dezembro de meu primeiro ano, engraxei com cuidado um par de botas de caubói que ela tinha me enviado, mergulhando o pano macio na pasta com consistência de cera que tinha vindo com o calçado e passando pelo couro, lustrando em movimentos circulares com as cerdas de uma escova de madeira.

Apesar de eu e a minha mãe não termos nos despedido sob bons termos, uma vez por mês eu recebia caixas enormes, lembretes de que eu nunca estava muito longe de seu pensamento. Arroz tufado doce com mel, vinte e quatro pacotes individuais de alga temperada, arroz de micro-ondas, biscoitos de camarão, caixas de bastõezinhos de biscoito cobertos de chocolate Pepero e potes de lámen Shin que me sustentavam durante semanas a fio na tentativa de evitar o refeitório da faculdade. Ela mandava passadeiras de roupa a vapor, rolinhos de pegar pelo, cremes-base, pacotes de meias. Uma saia nova de "uma marca boa" que ela tinha encontrado em liquidação na loja de descontos T. J. Maxx. As botas de caubói chegaram em um desses pacotes, depois de os meus pais terem passado férias no México. Quando calcei, descobri que já tinham sido amaciadas. Minha mãe tinha usado as botas dentro de casa durante uma semana, por uma hora todos os dias, amaciando as partes duras usando dois pares de meia, moldando a sola lisa com a planta do pé dela, amolecendo a rigidez, fazendo com que o couro duro cedesse para me poupar de qualquer desconforto.

No meu quarto no alojamento da faculdade, eu me postava na frente ao espelho de corpo inteiro e examinava a mim mesma em busca de falhas, vasculhando minha roupa para ver se não tinha nenhum fio puxado ou solto. Tentava me enxergar através dos olhos sagazes de minha mãe, detectando as partes com que ela iria implicar. Queria impressioná-la, demonstrar o quanto eu tinha crescido e como tinha sido capaz de me virar bem sem ela. Queria voltar como adulta.

Minha mãe se preparava para os nossos encontros ao modo dela, deixando costeletas de molho dois dias antes da minha chegada. Ela enchia a geladeira com meus pratos prediletos, comprava meu *kimchi* de nabo preferido com semanas de antecedência e deixava em cima da pia durante um dia inteiro para que tivesse fermentação e amargor extra para a hora em que eu chegasse em casa.

A costeleta macia, embebida em óleo de gergelim, calda doce e refrigerante caramelizado na panela, enchia a cozinha com um perfume suculento e defumado. Minha mãe lavava as folhas frescas de alface vermelha e colocava a tigela diante de mim, na mesinha de centro com tampo de vidro, e então trazia o *banchan*. Ovos cozidos cortados ao meio com molho de soja, brotos de feijão crocantes temperados com cebolinha e óleo de gergelim, *doenjang jjigae* com caldo extra e *chonggak kimchi* com o ponto de amargor perfeito.

Julia, a golden retriever que tínhamos desde meus doze anos, deitou de costas com as patas para cima, expondo a barriga enorme em uma pose a que a minha mãe sempre se referia como "peitos para cima!", enquanto minha mãe grelhava o *galbi* que eu sempre associava ao sabor do lar.

"A Julia está ficando gorda", eu disse enquanto passava a mão na barriga protuberante dela. "Está dando comida demais para ela."

"Só dou comida de cachorro... e um pouquinho de arroz! Ela é uma cachorra coreana; adora o arroz dela!"

Feliz da vida, espalmei a mão, cobri com uma folha de alface e recheei bem do jeito que eu gostava: um pedaço dourado de costeleta, uma colherada de arroz quente, uma pitada de *ssamjang* e uma fatia fina de alho cru. Dobrei em um sachezinho perfeito e enfiei na boca. Fechei os olhos e saboreei as primeiras mastigadas, com minhas papilas gustativas e meu estômago privados havia meses de uma refeição caseira. Só o arroz já era um reencontro milagroso: a panela elétrica tinha dado a cada grão uma textura própria, fazendo com que fosse bem diferente das tigelas grudentas de micro-ondas que eu consumia para sobreviver em meu quarto do alojamento. Minha mãe ficou por perto para assimilar minha expressão.

"Está gostoso? *Masisseo*?" Abriu um pacote de algas e colocou ao lado de minha tigela de arroz.

“*Jinja masisseo*!”, eu respondi com a boca ainda meio cheia, meio aberta, em um gesto dramático de apreciação.

Minha mãe se sentou atrás de mim no sofá, ajeitando meu cabelo para trás do ombro e tirando-o do rosto enquanto eu engolia faminta as benesses do banquete. Era um toque que eu conhecia bem, a mão fria e pegajosa dela, embebida em creme, da qual eu não mais me desvencilhava, mas da qual agora me aproximava mais. Parecia que eu possuía um novo núcleo interno que gravitava em direção ao seu afeto, com a carga recarregada pelo tempo que eu tinha passado longe de seu campo gravitacional. Vi-me ansiosa para voltar a agradá-la, saboreando as risadas que ela dava enquanto eu a deliciava com histórias a respeito do meu confronto com a vida adulta, detalhando as minúcias de minha falta de aptidão. Contava como eu tinha encolhido um suéter na secadora a ponto de ele ficar dois números menor, como eu tinha oferecido a mim mesma um almoço refinado e gastado, sem querer, doze dólares em uma água com gás, achando que fosse de graça. Eram confissões que admitiam: mãe, você estava certa.

Ao descer a escada rolante do aeroporto de Eugene, eu achava que minha mãe estaria me esperando como ela costumava fazer, sozinha no terminal, logo além da barreira de segurança, acenando quando me avistava. Ela sempre ia lá para me buscar, vestida com elegância, toda de preto, com um colete de pele falsa e enormes óculos escuros de casco de tartaruga, parecendo deslocada entre os outros residentes de Eugene com seus largos moletons de capuz da marca Oregon Ducks.

Em vez disso, foi meu pai que encontrei, parado perto da saída da esteira de bagagem.

“Oi, filha”, ele disse. Me deu um abraço e colocou minha mala no porta-malas.

"Como ela está?"

"Está bem. Fez uma sessão de químio ontem. Disse que só está se sentindo um pouco fraca."

Ficamos em silêncio no carro, e eu baixei a janela para respirar fundo o ar do Oregon. Estava quente e cheirava a grama cortada e ao começo do verão. Passamos pela longa extensão de campos vazios, depois pelas lojas de atacado nos arredores da cidade, pela casa de uma de minhas melhores amigas de adolescência que já não conhecia mais, agora pintada de uma cor diferente, com o gramado cercado.

Como sempre, meu pai dirigia com agressividade, costurando no trânsito para evitar o ritmo naturalmente lento da cidadezinha universitária. Era estranho estar com ele sem minha mãe. Nós dois nunca passávamos muito tempo sozinhos.

Meu pai era feliz enquanto provedor. A mera existência dele em nossa vida era prova suficiente de como ele tinha transcendido sua criação e superado seus vícios, e isso já era muita coisa.

Quando pequena, eu me encantava com as histórias do passado dele, com sua macheza e determinação. Ele me brindava com as dificuldades de sua juventude, sem poupar detalhes. Como uma vez ele cegou um homem, como tinha sido ameaçado com uma faca, como tinha passado vinte e três dias sem dormir, só tomando *speed*, morando embaixo do calçadão. Ele andava de Harley e usava brinco, e a rudeza dele sempre fazia com que eu me sentisse segura e protegida. E como ele bebia. Depois do trabalho, ele batia ponto no Highlands, um bar local em frente ao escritório dele. Era capaz de virar doses de tequila e meia dúzia de cervejas como se não fosse nada e parecer completamente inalterado no dia seguinte.

Diferentemente de minha mãe, ele tentou me educar sem distinção de gênero, me ensinando a fechar o punho para dar um soco e como fazer uma fogueira. Quando eu tinha dez anos, ele até comprou para mim uma moto Yamaha 80cc para que eu pudesse fazer com ele o circuito enlameado no quintal.

Mas, durante a maior parte da minha infância, ou ele estava no trabalho, ou no bar, e, quando estava em casa, passava a maior parte do tempo urrando ao telefone, em busca de um lote de morangos perdido ou tentando descobrir por que uma carga toda de alface estava três dias atrasada. Com o tempo, nossas conversas ficaram bem parecidas com a tentativa de explicar um filme a alguém que só chegou a tempo de assistir à última meia hora.

Meu pai costumava culpar o trabalho pela distância que cresceu entre nós. Eu tinha dez anos quando ele assumiu a empresa do irmão, e sua carga horária praticamente dobrou. Mas a verdade é que o cargo novo coincidiu com a compra do primeiro computador de mesa da família, e foi quando me deparei pela primeira vez com os encontros pagos que ele marcava com mulheres online. Foi um segredo que guardei de minha mãe durante toda a vida.

Apesar de ser tão nova, eu logo deduzi que o meu pai era infiel. Era um homem com necessidades, e eu parti do princípio de que os meus pais deviam ter chegado a algum tipo de acordo. Mas, à medida que fui ficando mais velha, o segredo começou a inflamar. As mesmas histórias passaram a ser cansativas e repetitivas; o passado dele se transformou menos nos feitos de um herói e mais em desculpas por suas fraquezas. A ausência de sobriedade constante já não era mais encantadora; o fato de ele dirigir alcoolizado depois do trabalho, irresponsável. Aquilo que tinha sido uma delícia quando eu era criança não se equiparava ao que eu precisava de um pai na vida adulta. Não tínhamos uma ligação inata e intrínseca como eu tinha com a minha mãe, e, agora que ela estava doente, eu não sabia como iríamos seguir em frente juntos.

Subimos a rua Willamette, pela ladeira íngreme que passava pelo cemitério na encosta do morro. O calçamento mudava no lugar em que uma placa marcava o fim dos limites da cidade e uma sequência que eu tinha visto mil vezes se desdobrava. Ainda havia as mesmas curvas em que era provável que cervos aparecessem saltitantes, as retas em que o meu pai tentava ultrapassar Volvos e Subarus lentos que se dirigiam ao parque Spencer Butte. Depois o trecho cheio de curvas com *guardrail* e a clareira, onde colinas de capim amarelado se abriam a oeste para o pôr do sol desobstruído. Subíamos cada vez mais, os pinheiros tomando conta da paisagem, escondendo as casas atrás deles, e então passávamos pelo parque e pelo viveiro de Duckworth, onde pavões vagavam livres nos bosques de árvores e arbustos em vasos, pela fazenda de árvores de Natal na estrada Fox Hollow, e descíamos pelo caminho de cascalho coberto por árvores e samambaias verdejantes e musgos que cresciam entremeados como uma renda, até que essa massa se abria próximo à nossa casa.

Meu pai estacionou o carro e entrei correndo, depois de deixar os sapatos bem ajeitados na antessala. Chamei a minha mãe ao entrar pela cozinha, e ela se levantou do sofá.

"Oi, querida!", ela respondeu.

Fui até ela, dei um abraço cauteloso. Senti o cateter de plástico duro entre nós. Passei a mão pelo cabelo dela.

"Está tão bonito", eu disse. "Adorei."

Ela voltou a se sentar e eu escorreguei do sofá de couro para me sentar no tapete entre ela e a mesinha de centro. Julia arfava ao nosso lado com a língua pendurada sobre o canino faltante que meu pai tinha arrancado por acidente alguns anos antes, quando estava dando suas tacadas de golfe na pista de treino ao lado da entrada de carro. Abracei as canelas de minha mãe e apoiei a cabeça no colo dela. Achava que nosso reencontro seria emotivo, mas ela parecia calma e inabalada.

"Como está se sentindo?"

"Estou me sentindo bem", ela disse. "Um pouco cansada, mas bem."

"Precisa comer muito para ficar com a saúde forte. Quero aprender a preparar todos os pratos coreanos de que você gosta."

"Ah, sim, você está virando uma boa cozinheira pelas fotos que tem me mandado. Amanhã de manhã, que tal se fizer um pouco de suco de tomate? Compro dois ou três tomates orgânicos e bato no liquidificador Vitamix com um pouco de mel e gelo. Fica bom. Ultimamente, ando fazendo esse."

"Suco de tomate. Entendi."

"Daqui a duas semanas, a Kye, amiga de mamãe, vai vir. E daí, quem sabe, ela pode ensinar você a fazer algumas comidas coreanas."

Kye era amiga de minha mãe do tempo que os meus pais tinham passado no Japão. Era alguns anos mais velha do que a minha mãe e a tinha ajudado na época em que o meu pai trabalhava com carros usados em Misawa. Ela lhe ensinou onde fazer compras, onde beber, como dirigir e como ganhar um dinheiro por fora, vendendo no mercado negro itens da PX, a loja de departamentos com preços baixos onde os soldados faziam compras. Café solúvel, detergente, garrafas de bebida estrangeira, latas de apresuntado Spam: minha mãe comprava essas raridades sem pagar imposto na PX por um dólar e revendia a cinco.

Tinham perdido o contato depois que meus pais se mudaram para a Alemanha, mas voltaram a se reconectar uns dois anos antes. Kye agora morava na Geórgia com o marido, Woody. Não a conhecia e estava animada de aprender com ela, para provar à minha mãe como eu podia ser útil. Fantasiei a respeito das comidas deliciosas que prepararíamos juntas, eu finalmente iria saldar minhas dívidas e devolver um pouco do carinho e do amor que tinha desprezado durante tantos anos. Eram pratos que lhe trariam conforto e a fariam se lembrar da Coreia. Refeições preparadas bem do jeitinho que ela gostava, para fazer com que se animasse e para alimentar seu corpo e dar a ela a força de que precisava para se recuperar.

Assistimos à televisão juntas durante um tempo, tirando os carrapichos do pelo de Julia em silêncio e procurando carrapatos para queimar enquanto ela arfava, deitada de lado, batendo com as patas em nossos pulsos, pedindo por atenção cada vez que nossos olhos se desviavam dela em direção à tela. Minha mãe foi para a cama cedo e eu levei a minha mala para o andar de cima.

Meu quarto ficava acima do de meus pais, um retângulo largo que se abria para pequenos nichos que acompanhavam as vigas do telhado de ambos os lados. Minha escrivaninha ficava acomodada em um nicho, o meu aparelho de som e os alto-falantes, bem como um assento à janela com almofada azul, no outro. Os nichos eram pintados de um alaranjado cor de tangerina bem intenso e a parte do meio, de verde cor de menta, em uma proclamação gritante que se originava do canto superior da casa: uma adolescente passou por aqui.

"Para de fazer tanto buraco!", minha mãe bronqueava da escada enquanto eu pregava tapeçarias psicodélicas no teto e prendia pôsteres gigantescos de Janis Joplin e de *Guerra nas Estrelas* nas paredes. Eu tinha achado um som antigo com toca-discos e dois horrendos alto-falantes de madeira na loja de segunda mão Goodwill. "Podemos pintar!", eu disse, emocionada com a ideia de dividir um projeto criativo com a minha mãe. Mas, quando levamos o aparelho para casa, aquilo virou problema meu. Estendi jornal no chão da garagem e pintei as caixas com tinta spray preta e, impaciente demais para deixar que secasse direito, imediatamente adicionei bolas brancas grandes, que obviamente escorreram e perderam a forma: o resultado dava a impressão de uma vaca derretendo. Aquilo me fazia lembrar de tantas outras falhas de minha adolescência meia-boca, e essa ideia foi ressaltada quando coloquei para tocar um álbum antigo do Leonard Cohen e lembrei de que só tocava em mono.

Abri a janela: eu tinha removido a tela anos antes e guardado em uma despensa. Saí para o telhado. Eu me apoiei na manta térmica, coloquei os pés sobre a calha e me equilibrei na inclinação. Havia tantas estrelas no céu, mais brilhantes do que eu jamais me lembrava de ter visto, inalteradas pelas luzes da cidade. O barulho dos grilos e dos sapos ressoava lá de baixo. Na outra ponta do telhado, quando meus pais estavam dormindo, eu costumava escorregar pelas colunas do pórtico e encontrar com um amigo qualquer que tivesse sido designado como motorista naquela noite. Do lado de fora, saltitava pela entrada de cascalho até chegar a meus libertadores, com o motor ligado, e estava livre.

Não tinha muita coisa para fazer quando eu saía de casa escondida. Na maior parte do tempo, o pessoal que ia me buscar nem era um grupo de amigos muito próximos, só colegas de escola entediados ou garotos mais velhos com carteira de motorista que ainda estavam acordados sem nada para fazer. De vez em quando tinha uma rave na floresta e nos vestíamos com roupas rebuscadas e dançávamos com os hippies anônimos que tinham tomado ecstasy. Às vezes eu roubava bebida que sobrava das festas que os meus pais davam aos feriados e, como uma química cuidadosa, tirava quantidades discretíssimas de líquido das garrafas para misturar com refrigerante e beber no parque. Mas, na maior parte do tempo, só ficávamos andando de carro sem rumo, escutando CDs, às vezes nos aventurando a uma hora de distância, até a represa Dexter ou a serra Fern, só para sentar no cais e observar a água preta, tão escura quanto petróleo na noite, uma extensão desolada que usávamos como caixa de eco para a nossa imensa confusão a respeito de nós mesmos e do que realmente sentíamos. Em outras noites, íamos até o parque Skinner Butte para olhar a vista da cidade sem graça que nos mantinha reféns ou tomávamos café e comíamos batata frita no restaurante IHOP que ficava aberto vinte e quatro horas ou entrávamos sorrateiros no terreno de um desconhecido onde certa vez encontramos um balanço de corda. Uma vez, até fomos ao aeroporto só para observar as pessoas no terminal, partindo para cidades que desejávamos desesperadamente poder visitar, um bando de adolescentes notívagos ligados por uma solidão profunda e inexplicável e mensagens instantâneas da AOL.

Sabia muito bem que as atuais circunstâncias eram bastante diferentes. Aqui estava eu mais uma vez, agora de volta por livre e espontânea vontade, já não mais tramando uma fuga maluca na escuridão, mas com a esperança desesperada de que a escuridão não fosse me invadir.

Remédio

Os primeiros dias foram tranquilos e silenciosos. Ficávamos esperando para ver o que ia acontecer, como se alguma coisa sinistra estivesse pairando no ar, ocupando lentamente o perímetro da casa. Mas, nos primeiros dias, ela se sentiu bem. Pensei: já faz três dias, talvez não vá ser assim tão ruim no fim das contas.

A cada manhã, eu lavava e cortava três tomates orgânicos e batia com mel e gelo, como ela tinha me instruído. Outras refeições se mostraram mais complicadas. Não sabia preparar muitos pratos coreanos sozinha, e os poucos que eu tinha aprendido eram pesados demais para a situação atual. Eu me sentia perdida. Ficava o tempo todo perguntando se ela tinha alguma ideia do que gostaria que eu preparasse, mas ela não tinha nenhuma vontade a ser satisfeita e não se interessava pelas minhas sugestões. A única coisa em que minha mãe conseguiu pensar foi sopa cremosa da marca Ottogi, um pó instantâneo neutro e de fácil digestão que eu podia comprar no mercadinho asiático.

Não tinha nenhum H Mart em Eugene. Em vez disso, duas vezes por semana, minha mãe e eu íamos comprar ingredientes coreanos no Sunrise Market, um comércio familiar na cidade cujos proprietários eram coreanos. O marido era baixinho e moreno. Usava grandes óculos aviador e luvas de trabalho amarelas e vivia sem fôlego para carregar novas entregas para dentro. A mulher era bonita e pequena e usava o cabelo em um corte curto com permanente. Era simpática e de fala mansa, e costumava ficar no caixa. De vez em quando, uma das três filhas deles aparecia por lá para ajudar a empacotar as compras e colocar os produtos nas prateleiras. Depois de alguns anos, uma das filhas teria idade suficiente para substituir a que tivesse ido para a faculdade, e eu ouvia nomes de algumas universidades de prestígio mencionados com orgulho, em destaque nas frases em coreano que ela trocava com a minha mãe enquanto cobrava os brotos de feijão e o tofu.

Na frente da loja, havia sacas enormes abarrotadas de arroz sobre prateleiras industriais que circundavam o recinto até terminarem em uma geladeira aberta com dez tipos diferentes de *kimchi* e *banchan*. Havia corredores de macarrão instantâneo e curry no centro, congeladores cheios de frutos do mar variados e bolinhos em outra extremidade. No fundo da loja havia uma seção de fitas VHS coreanas, todas piratas, alojadas em estojos brancos anônimos, com textos escritos à mão nas lombadas, onde minha mãe alugava séries antigas de dramas coreanos que as amigas e os familiares em Seul já tinham visto e comentavam com ela havia anos. Se eu fosse obediente, ela me dava um petisco disposto perto do caixa, geralmente um Yakult ou um potinho de gelatina de fruta, ou nós duas podíamos dividir um pacote de *mochi* a caminho de casa.

Quando eu tinha nove anos, o Sunrise Market se mudou para um espaço maior. Minha mãe examinou toda animada os novos produtos importados que haviam chegado com a expansão: ovas de *pollack* congeladas em caixinhas de madeira; pacotes de macarrão instantâneo de feijão Chapagetti; *bungeo-ppang*, massa em formato de peixe recheada de sorvete e pasta de feijão-vermelho doce. Cada novo item reavivava memórias passadas da infância dela, evocando novas receitas para capturar antigos sabores.

Era estranho estar sozinha em um lugar a que sempre tínhamos ido juntas. Estava acostumada a só ir atrás dela enquanto investigava sacos de frutos do mar variados e farinha de fazer *pajeon*, provavelmente tentando discernir qual era mais parecido com os que *halmoni* usaria. Já não mais presa ao carrinho de minha mãe, eu examinava as prateleiras de sopa instantânea que ela tinha me pedido para comprar, lendo os caracteres coreanos lentamente, em busca da marca correta.

Aprendi a ler e a escrever em coreano na escola de coreano, *Hangul Hakkyo*. Todas as sextas-feiras, do primeiro ao sexto ano, a minha mãe me levava à igreja presbiteriana coreana. Uma pequena construção no fundo do estacionamento abrigava duas ou três salas de aula separadas em níveis variados de dificuldade. As salas eram cobertas com ilustrações coloridas de cenas da Bíblia que tinham restado da aula de catecismo. Subindo a ladeira, havia uma construção maior com uma cozinha e mais uma sala de aula, e no andar superior ficava a igreja em si, onde nos reuníamos em assembleias uma ou duas vezes por ano.

A cada semana, as mães se revezavam para providenciar o jantar. Enquanto algumas assumiam a tarefa com dedicação, uma oportunidade de preparar pratos tradicionais coreanos, outras consideravam aquilo uma obrigação enfadonha e se contentavam perfeitamente em encomendar pizzas na Little Caesars para o deleite dos alunos. "Não acredito que eles realmente gostem de comer pizza no jantar quando a *umma* da Grace na verdade só estava sendo preguiçosa", a minha mãe resmungava no caminho de volta para casa. As mães coreanas tomavam o nome das filhas. A mãe de Jiyeon era a *umma* da Jiyeon. A mãe de Esther era a *umma* de Esther. Nunca soube o nome verdadeiro de nenhuma delas. A identidade delas era absorvida pelas crianças.

Quando era a vez de minha mãe, ela fazia *gimbap*. Em casa, depois da escola, cozinhava uma panela grande de arroz e passava horas enrolando nabo amarelo em conserva, cenoura, espinafre, carne e fatias de omelete em cilindros perfeitos presos com um tapetinho fino de bambu, depois cortava do tamanho de moedas, que ficavam bem coloridas. Antes da aula, nós duas fazíamos um lanche com as beiradas que sobravam, onde o recheio saía para fora, todo bagunçado nas pontas.

Eu não tinha nenhuma amiga coreana fora da *Hangul Hakkyo*. Durante aqueles intervalos para jantar, eu sempre me sentia deslocada, vagando pelo estacionamento que fazia as vezes de playground para o nosso recreio de meia hora. Tinha uma cesta de basquete que os meninos mais velhos dominavam. O restante da gente só ficava sentado no meio-fio tentando se distrair. A maior parte da garotada ali era totalmente coreana, e era difícil para mim me identificar com a obediência que parecia dominar aquelas crianças, inculcada pela energia unida de pai e mãe imigrantes. Usavam sem reclamar as viseiras que as mães compravam e iam com os pais à igreja aos domingos, uma prática que a minha mãe e eu tínhamos recusado desde o começo, apesar do papel central que o cristianismo parecia ter em nossa pequena comunidade coreana. Talvez por causa da natureza da minha criação, com duas nacionalidades, sempre me senti como se fosse a menina má, e isso fazia com que o meu comportamento fosse ainda pior. Quando eu me comportava mal, os professores me faziam ficar no cantinho da sala com os braços acima da cabeça enquanto os outros alunos continuavam com as lições. Nunca fui fluente em coreano, mas consegui aprender a ler e escrever.

*

"*Keu-reem seu-peu*", eu disse baixinho, no meu melhor *konglish*: a fusão de coreano com inglês que obedece às regras de pronúncia do coreano. Para alguém como eu, que mal era alfabetizada, o *konglish* era um passe livre abençoado para uma ampla reserva de vocabulário. Como não há a letra *z* no alfabeto Hangul, as palavras em inglês que contêm essa letra são substituídas por um som de *j*, então pizza se transforma em *pi-ja*, *amazing* (maravilhoso) se torna *ama-jing*, e uma palavra como *cheese* (queijo), em que o *s* tem som de *z*, fica *chi-jeu*. Neste caso, os sons de *r* eram substituídos por sons de *l*. "*Keu-reem seu-peu*", sussurrei. *Cream soup*: sopa cremosa. O pacote era de um laranja e amarelo intensos e o logotipo, a ilustração de um homem piscando e lambendo os lábios. Comprei vários sabores e alguns potes do mingau coreano da mesma marca, além de um pacote de *mochi*, e voltei para casa.

Lavei as mãos e coloquei um *mochi* cor-de-rosa em um pratinho para levar a ela na cama.

"Não, obrigada, querida", disse. "Não estou a fim."

"Vamos, mãe. Come só a metade."

Sentei-me ao lado dela e fiquei olhando. Entristecida, ela deu uma mordidinha e devolveu ao prato, esfregando os dedos para se livrar do resíduo fino de farinha doce de arroz antes de pousar o prato na mesinha de cabeceira. Saí do quarto para preparar a sopa cremosa.

Combinei o pó seco com três xícaras de água e esquentei. Tentei me lembrar de algumas das dicas de cuidados que tinha lido online. Sirva pequenas quantidades com frequência, crie uma atmosfera agradável para as refeições. As refeições podem parecer mais atrativas se forem servidas em recipientes grandes, assim parecem menores e mais fáceis de encarar. Despejei o conteúdo em uma tigela azul bonita em que a sopa ficava parecendo uma gota em um oásis. Apesar da ilusão, ela só consumiu algumas colheradas.

Mais tarde, naquela noite, tive a brilhante ideia de fazer *gyeranjjim*, um creme de ovos salgado geralmente servido como acompanhamento em restaurantes coreanos que querem mostrar bom serviço. Nutritivo, com sabor leve e reconfortante, esse era um dos meus pratos preferidos quando criança.

Procurei uma receita online. Quebrei quatro ovos em uma tigelinha e bati com um garfo. Procurei nos armários da cozinha, encontrei uma das panelas de barro de minha mãe e coloquei no fogo; adicionei os ovos batidos, sal e três xícaras de água. Tampei e voltei quinze minutos depois para descobrir que tinha ficado perfeitamente macio e molenga, feito um tofu sedoso e amarelo-claro.

Coloquei em cima de um descanso de prato à mesa e, ansiosa, ajudei minha mãe a ir até a cozinha.

"Fiz *gyeranjjim*!"

Minha mãe fez uma careta quando viu a comida. Virou o rosto, enjoada.

"Ai, não, querida", ela disse. "Realmente não quero isso agora."

Tentei esconder minha frustração, transformar minha decepção na paciência ansiosa de uma mãe recente com um bebê com cólica. Quantas vezes minha mãe deve ter tido que negociar comigo e manobrar minhas frescuras infantis?

"*Umma*, fiz para você", eu disse. "Precisa pelo menos experimentar, como sempre me ensinou a fazer."

Consegui convencê-la a dar uma única colherada antes de ela voltar para a cama.

Na manhã do quarto dia, minha mãe ficou enjoada e vomitou pela primeira vez. Só pude ficar olhando, sem conseguir evitar o pensamento mesquinho de que toda a minha labuta havia ido pelo ralo. Tentei fazer com que ela ficasse hidratada, insistindo para que bebesse água o dia inteiro, mas a cada hora ela ia correndo ao banheiro, incapaz de manter qualquer coisa no estômago. Às quatro da tarde, a encontrei inclinada sobre o vaso sanitário, colocando os dedos na garganta em busca de alívio. Eu e meu pai a levamos de volta para a cama e demos bronca nela, dizendo que, se ela não se esforçasse mais para manter a comida no estômago, não iria melhorar.

À noite, liguei para o Seul Cafe e fiz um pedido de *tteokguk*, sopa de bolinho de arroz servida em um caldo leve de carne. Achei que, se ela se negava a comer qualquer coisa que eu preparasse, talvez algo de seu restaurante preferido pudesse parecer apetitoso. Em casa, transferi a sopa com uma concha para uma tigela enorme e levei a ela na cama. Mais uma vez, ela resistiu, e só conseguiu consumir algumas colheradas, que vomitou mais tarde.

Nossa esperança era de que ela tivesse atingido o ápice dos efeitos colaterais, mas o dia seguinte foi ainda pior. Esgotada, ela ficou fraca demais para sair da cama e ir até o banheiro, e eu tinha de correr à beirada da cama com o baldinho de plástico em formato de coração onde ficavam guardados os meus brinquedos da hora do banho quando eu era criança. Com frequência, quando eu estava lavando o baldinho na banheira, tinha de correr para que ela o usasse mais uma vez. No sexto dia, sua condição começou a parecer anormal. Ela tinha uma consulta marcada com o oncologista naquela tarde, e resolvemos ir mais cedo.

Foi aí que percebemos que minha mãe tinha perdido a cabeça. Não conseguia ficar em pé sozinha. Não conseguia falar e só murmurava baixinho, balançando para a frente e para trás, como se estivesse alucinando. Juntos, meu pai e eu a levamos até o carro, com os braços dela em volta do nosso pescoço para ampará-la. A colocamos no banco do passageiro e eu me sentei no banco de trás enquanto ele dirigia. Vi os olhos dela revirarem. Era como se a pessoa que ela costumava ser tivesse desaparecido completamente e ela estivesse entrando em outro plano mental. Na tentativa de escapar do inferno em que se via aprisionada, ela começou a arranhar a porta com violência a fim de se libertar. Meu pai berrou para que ela parasse. Com dificuldade, segurou o volante com uma das mãos e colocou o outro braço sobre ela.

"Encoste o carro!", eu berrei, apavorada que ela se desvencilhasse do braço dele e caísse no asfalto.

Meu pai a carregou até o banco de trás, onde eu a puxei pelas axilas. Deitei o corpo dela sobre mim e a abracei enquanto ela gemia e se contorcia, tentando encontrar um jeito de sair dali. Quando finalmente chegamos à clínica de oncologia, deram só uma olhada nela e disseram que precisávamos ir direto para o pronto-socorro.

No hospital Riverbend, meu pai a tomou pelos ombros e a colocou em uma cadeira de rodas. Dois enfermeiros na recepção nos disseram para aguardar na sala de espera. Não havia nenhum quarto disponível. Olharam para minha mãe sem nenhuma piedade enquanto eu tentava impedir que ela caísse da cadeira de rodas. Ela gemia e balançava e estendia os braços para a frente, como se lutasse contra uma força invisível. Meu pai bateu com as palmas das mãos no balcão da recepção.

"OLHEM SÓ PARA ELA: ELA VAI MORRER AQUI SE VOCÊS NÃO AJUDAREM."

Ele parecia furioso. Estava espumando, e pensei por um instante que ele poderia estender o braço e bater em um dos homens.

"Pronto!", eu disse, ao avistar um quarto vazio. "Aquele quarto está vazio! Por favor!"

Eles se renderam e permitiram que ocupássemos o quarto. Depois de um tempo que pareceu uma eternidade, o médico finalmente chegou. Minha mãe estava desidratada e, pelo que consigo me lembrar, os níveis de magnésio e potássio dela estavam perigosamente baixos. Teria de passar a noite internada. Enfermeiros a levaram em uma cama de hospital para outro quarto no andar de cima, onde foi conectada a uma série de sondas para estabilizar a situação. Meu pai me mandou voltar para casa, para pegar algumas coisas dela para passar a noite.

Quando eu saí do hospital, já estava escuro. Sozinha na privacidade do carro, finalmente permiti que o choque se derretesse em lágrimas. Tudo que eu já tinha feito na vida parecia tão monumentalmente egoísta e insignificante. Eu me detestava por não ter escrito a Eunmi todos os dias quando ela esteve doente, por não ter ligado com mais frequência, por não ter compreendido o que Nami Emo havia passado cuidando dela. Me detestava por não ter chegado antes a Eugene, por não a ter acompanhado nas consultas, por não saber em que sinais prestar atenção e, talvez desesperada para fugir da responsabilidade, meu ódio espalhou em direção ao meu pai e aos sinais de alerta que ele deixou de perceber, o sofrimento que ele poderia ter evitado se nós simplesmente a tivéssemos levado para o hospital quando os sintomas começaram a aparecer.

Enxuguei o rosto com a manga da blusa e baixei as janelas. Era a primeira semana de junho, e uma brisa quente soprava. A Lua era uma pequena cutícula reluzente, o formato crescente preferido de minha mãe. Eu costumava zombar dela toda vez que dizia isso, falava que ela tinha uma preferência arbitrária porque só havia três fases entre as quais escolher. Peguei a estrada I-5, passando pela faculdade comunitária Lane, e acelerei na rua Willamette. Tentei pensar em outra coisa e me concentrar na estrada à minha frente, de olho nos cervos a cada curva.

Em casa, peguei uma manta macia da sala; os cremes, o adstringente, o tônico, o sérum e o hidratante labial de minha mãe da pia do banheiro; um cardigã cinza macio do armário dela. Fiz uma mala para mim, para passar a noite, e peguei roupas limpas para ela vestir quando tivéssemos permissão para ir embora. Quando voltei ao hospital, minha mãe estava dormindo. Meu pai sugeriu que voltássemos para casa juntos, mas não conseguia suportar a ideia de ela acordar sozinha no hospital, confusa, sem saber como tinha chegado ali. Disse a ele que fosse descansar um pouco e voltasse de manhã, e me estiquei no banco acolchoado perto da janela.

Naquela noite, deitada ao lado dela, lembrei de como, quando eu era criança, enfiava meus pés frios entre as pernas de minha mãe para esquentar. De como ela estremecia e sussurrava que sempre iria sofrer para me dar conforto, que era assim que a gente sabia que alguém amava a gente de verdade. Lembrei das botas que ela tinha amaciado para que, quando eu as recebesse, pudesse usar sem me preocupar e sem nenhum incômodo. Agora, mais do que nunca, desejava, desesperada, que existisse um jeito de transferir a dor, desejava que eu pudesse provar para minha mãe o quanto eu a amava, que pudesse apenas me arrastar para aquela cama de hospital e pressionar meu corpo bem pertinho do dela e absorver o fardo que ela carregava. Parecia justo que a vida apresentasse uma oportunidade para que eu desse uma prova de compaixão filial. Que os meses em que a minha mãe tinha sido um receptáculo para mim, com seus órgãos se rearranjando e se apertando para abrigar minha existência, e a agonia que ela tinha sofrido pudessem ser retribuídos se eu carregasse essa dor em seu lugar. Era o ritual da filha única. Mas eu não podia fazer nada além de ficar deitada perto dela, pronta para defendê-la, escutando os apitos lentos e contínuos do maquinário, o som suave da respiração dela, entrando e saindo.

Demorou dias para minha mãe voltar a falar. Ela ficou no hospital por duas semanas. Meu pai ficava com ela durante o dia; eu ficava com ela à noite e dormia lá.

Essa nova ordem das coisas não caiu bem para meu pai. Ele teve o luxo de tirar uma licença do trabalho para ajudar minha mãe durante o tratamento, mas cuidar dela não era algo natural para ele; talvez aquele fosse um desafio significativo para um homem que tinha sido criado sem o privilégio de ser cuidado.

Ele nunca tinha conhecido o pai, um paraquedista militar que lutara na Segunda Guerra Mundial. Supostamente, em um pouso forçado em Guam, o paraquedas dele enroscou em uma árvore e ficou preso ali durante dias, tendo testemunhado a morte de sua unidade inteira antes de ser resgatado. Saiu de lá como uma pessoa totalmente mudada. Era violento com os filhos. Fazia com que ajoelhassem sobre vidro e depois jogava sal nas feridas. Ele estuprou a própria esposa, que engravidou de meu pai. Ela por fim o abandonou, pouco antes de o meu pai nascer.

Criado pela mãe solteira que mal tinha tempo ou condição emocional para cuidar do mais novo de quatro filhos, meu pai cresceu sem muita supervisão. A diferença de idade em relação aos irmãos mais velhos, Gayle e David, era dez e onze anos, respectivamente; ambos já tinham saído de casa quando ele chegou ao ensino fundamental. Ron, que era seis anos mais velho, perpetuou sobre meu pai a violência que ele próprio havia sofrido; dava socos nele até deixá-lo inconsciente, e uma vez obrigou meu pai, então com apenas nove anos, a tomar ácido, só para ver o que acontecia.

Seguiu-se a isso uma adolescência conturbada, como era de esperar, culminando em prisão, tratamento para desintoxicação e um punhado de recaídas enquanto ele mantinha um emprego de dedetizador quando estava com uns vinte e poucos anos. Foi a mudança fortuita para o exterior que acabou sendo sua salvação. Se este fosse o livro de memórias de meu pai, provavelmente iria se chamar *O melhor vendedor de carros usados do mundo*. Mais de trinta anos depois, não há nada que o deixe mais animado do que falar sobre os anos que passou na base militar, subindo de posição dentro da companhia em Misawa, Heidelberg e Seul. Para um homem que tinha vindo do nada, a vida de vendedor de carros usados no exterior era uma profissão das mais glamorosas.

Aqueles foram os anos em que meu pai viveu o sonho americano em países estrangeiros. Apesar de talvez ter sido um homem de poucas habilidades e de pouco estudo, sua pura resiliência e sua convicção ferrenha compensavam tudo em dobro. Não havia nada que o orgulho o impedisse de fazer: qualquer coisa que fosse necessária, ele seria o último a abandonar o barco.

Sua recém-descoberta disciplina voltou com ele para Eugene, onde se tornou um negociador de sucesso, que adorava encarar problemas e delegar tarefas. Depois de um quarto de vida de fracassos, ele finalmente havia encontrado algo em que era bom, e deu tudo de si. Parte desse sacrifício significava que ele vivia uma vida de cão de caça: olhe adiante, sinta o cheiro de sangue e corra.

Mas a doença de minha mãe não era um problema que ele pudesse resolver por meio de negociação ou fazendo hora extra. E, assim, ele começou a se sentir impotente, e depois, a fugir.

Certa vez, voltei para casa ao meio-dia, grogue e exausta de ter passado mais uma noite no banco do hospital, e o encontrei sentado à mesa da cozinha. A casa estava cheirando queimado.

"Este não sou eu", ele balbuciou para si mesmo. Estava olhando para a papelada do seguro do carro, sacudindo a cabeça. Segurava o telefone à orelha, esperando para resolver a segunda batida em que tinha se envolvido naquela semana, e a culpa tinha sido dele nas duas vezes. Na lata de lixo, havia duas fatias de torrada queimadas; na torradeira, mais uma começava a fumegar.

Tirei o pão da torradeira e o raspei sobre a pia com uma faca de mesa para tirar um pouco da parte queimada. Coloquei em um prato e pousei à mesa, perto dele.

"Eu não sou assim", ele disse.

Naquela noite, antes de eu sair para o hospital, encontrei-o no mesmo lugar, caindo no sono e acordando, balbuciando coisas incoerentes. Estava vestido com uma camiseta de usar por baixo e cueca branca.

Eram nove da noite e ele já tinha enxugado duas garrafas de vinho e mascava uma bala de cannabis que tinha comprado na loja de venda controlada para minha mãe.

"Ela não consegue nem olhar para mim", ele disse com a voz começando a embargar. "A gente não consegue nem olhar um para o outro sem chorar."

O corpo grande dele estremecia. As rachaduras de seus lábios estavam roxo-escuro por causa do vinho tinto. Não era raro ver meu pai chorar. Ele era um sujeito sensível, apesar de toda a sua determinação. Não sabia esconder nenhuma parte de sua verdade. Diferentemente de minha mãe, ele não reservara seus dez por cento.

"Precisa prometer que não vai me abandonar", ele disse. "Promete?"

Ele estendeu a mão para mim e pegou em meu pulso, em busca de minha garantia com os olhos semicerrados. Em outra das mãos, segurava uma fatia meio mordida de queijo Jarlsberg que desabava molenga enquanto ele se inclinava em minha direção. Lutei contra o ímpeto de me desvencilhar dele. Eu sabia que devia me sentir solidária ou empática, ter alguma noção de companheirismo ou compaixão, mas eu só fui tomada pelo ressentimento.

Ele era um parceiro indesejável em um jogo com a mais alta das apostas e probabilidades insuperáveis. Ele era o meu pai e eu queria que ele fosse um porto seguro sóbrio para mim, não que tentasse me forçar a navegar esse caminho desesperançado sozinha. Eu nem era capaz de chorar na presença dele, por medo de que se aproveitasse do momento, lançasse o seu pesar contra o meu em uma competição para ver quem a amava mais e quem mais tinha a perder. Além do mais, fiquei completamente abalada por ele ter dito em voz alta algo que eu considerava indizível. A possibilidade de que ela não fosse superar aquilo, de que seria possível existir um nós sem ela.

Duas semanas depois, minha mãe finalmente pôde voltar para casa. Coloquei um aquecedor no banheiro e preparei um banho de banheira para ela, conferindo a água com frequência para ter certeza de que estava na temperatura ideal. Ajudei-a a ir da cama, bem devagar, até a banheira. Ela estava fraca e caminhava como se estivesse reaprendendo. Baixei a calça de pijama e ergui a camiseta dela como fazia comigo quando eu era criança. "*Man seh*", fiz piada, algo que ela costumava dizer quando tirava minha roupa, uma instrução para que eu erguesse os braços.

Escorei o peso dela no ombro e a ajudei a entrar na banheira. Lembrei a ela do *jjimjilbang*, da aposta que ela tinha ganhado, de como Peter e o meu pai deviam ter se sentido pouco à vontade lá nus, juntos. Eu disse a ela que tinha sorte por nos sentirmos tão confortáveis uma com a outra. Que muitas famílias se sentiam acanhadas com a nudez. Lavei seus cabelos pretos com cuidado, me esforçando ao máximo para deixá-los bem limpos sem mal tocar, por medo de que se desfizessem em minhas mãos.

"Olhe só para as minhas veias", ela disse, examinando a barriga através da água. "Não é assustador? Parecem pretas. Meu corpo nunca ficou assim tão estranho, nem quando eu estava grávida. Parece que tenho veneno dentro de mim."

"Remédio", eu corrigi. "Matando todas as coisas ruins."

Tirei a tampa do ralo e a ajudei a sair da banheira; sequei sua pele com batidinhas leves de uma toalha amarela felpuda. Fiz tudo o mais rápido possível, tentando ter certeza de que ela não iria cair. "Apoie-se em mim", eu disse, e a enrolei em seu roupão aveludado.

Enquanto a água escoava, reparei em um resíduo preto se acumulando nas laterais da banheira branca, baixando junto com a superfície da água. Quando olhei novamente para minha mãe, havia falhas em seu cabelo, revelando partes do couro cabeludo pálido. Dividida entre ajudá-la a ficar em pé e correr para a banheira para lavar a evidência, fui lenta demais para impedir que a minha mãe desse uma olhada em si mesma no espelho de corpo inteiro. Deu para sentir o corpo dela esmorecer, escorrendo sobre o tapete, para fora de meus braços, feito areia.

Sentou-se no chão e confrontou seu reflexo. Passou a mão na cabeça e ficou olhando fixamente para o cabelo que caiu. No mesmo espelho de corpo inteiro diante do qual eu a tinha visto posar durante mais da metade de minha vida. O mesmo espelho diante do qual eu a havia visto aplicar um creme após o outro para preservar sua pele lisa e perfeita. O mesmo espelho diante do qual eu a tinha visto experimentando uma roupa atrás da outra, caminhando como se estivesse na passarela com a postura perfeita, examinando a si mesma com orgulho, posando com uma bolsa nova ou com uma jaqueta de couro. O espelho diante do qual ela se demorava em toda a sua vaidade. Agora, no espelho, havia uma pessoa irreconhecível e fora de seu controle. Uma pessoa desconhecida e indesejável. Ela começou a chorar.

Agachei-me ao lado dela e abracei seu corpo trêmulo. Queria chorar com ela, vendo essa imagem que eu também não reconhecia, essa manifestação gigantesca de maldade que tinha penetrado em nossa vida. Mas, em vez disso, senti meu corpo se retesar, meu coração endurecer, meus sentimentos congelarem. Uma voz interna ordenou: "Não desabe. Se você chorar, é um reconhecimento do perigo. Se você chorar, ela não vai parar". Então, em vez disso, engoli em seco e firmei a voz, não só para reconfortá-la com uma mentirinha, mas para realmente me forçar a acreditar.

"É só cabelo, *Umma*", eu disse. "Vai crescer de novo."

Unni

Três semanas se passaram, e minha mãe começou a melhorar, recobrando as forças no fim de junho, bem a tempo do segundo tratamento.

Havia um plano traçado para que três mulheres coreanas se juntassem a nós, em uma espécie de estratégia de "todas as mãos na massa". Amigos, familiares e os funcionários do hospital, todos afirmavam que seríamos melhores cuidadores se também tirássemos um tempo para nós mesmos. Se tivéssemos um rodízio, teríamos algum respiro e ajuda extra para nos concentrar na dieta dela, saber que pratos poderiam parecer mais apetitosos, que comidas coreanas ela conseguiria segurar no estômago nos períodos de enjoo.

Kye chegaria primeiro. Então, depois de três semanas, LA KIM, de Los Angeles, ficaria no lugar dela, e, três semanas depois, havia a ideia de que Nami chegaria, mas como Nami Emo tinha sido a única a cuidar de Eunmi durante dois anos antes de ela morrer, esperávamos que não chegasse a tanto, que pudéssemos nos virar sozinhos e poupá-la da visão da segunda irmã passando por aquilo novamente.

Quando Kye chegou, parecia que tudo ia melhorar. Ela exalava calma e concentração, como uma enfermeira severa. Baixinha, com constituição parruda e rosto largo, era vários anos mais velha do que minha mãe, imaginei que tivesse uns sessenta e tantos anos. Prendia o cabelo grisalho comprido em um coque, como uma madame. Quando sorria, seus lábios se esticavam até ficarem achatados e paravam antes de se curvar para cima, como se tivessem emperrado no meio do caminho.

Nós três nos juntamos ao redor dela à mesa da cozinha. Kye tinha chegado com objetivos e distrações, uma pilha de informações impressas, máscaras faciais coreanas, esmaltes e pacotes de sementes. Minha mãe estava de pijama, enrolada em um roupão. O cabelo dela estava cheio de falhas, igual a uma boneca mal-amada.

"Amanhã de manhã, quero que todas plantemos estas aqui", Kye disse.

Ergueu três pacotes finos. Sementes de alface-roxa, que usamos para fazer *ssam*, um pé de tomate-cereja e pimentões verdes coreanos. Uma vez, quando eu era criança, tinha impressionado minha mãe quando coloquei, por intuição, um pimentão cru inteiro na pasta *ssamjang* em um restaurante de grelhados em Seul. O gosto amargo e picante do legume combinou perfeitamente com o sabor salgado do molho, feito de pimentões e grãos de soja fermentados. Era uma combinação poética, promover o reencontro de algo em sua forma crua com seu primo morto duas vezes. "Este é um sabor muito antigo", minha mãe tinha dito.

"Podemos dar uma volta ao redor da casa todas as manhãs", Kye prosseguiu. "E depois podemos regar as nossas plantas e observar enquanto crescem."

Kye era sábia e inspiradora e renovou em mim a esperança que tinha sido abalada. Com meu pai começando a afundar, a presença dela foi um alívio. Afirmou com firmeza: "Estou aqui".

Com Kye, minha mãe realmente poderia vencer essa coisa, poderia se curar.

"Muito obrigada por vir, Kye *unni*", minha mãe disse.

Ela estendeu a mão por cima da mesa de jantar e colocou sobre a de Kye. *Unni* é como as coreanas se referem às irmãs mais velhas e amigas próximas que são mais velhas. A tradução é "irmã mais velha". Minha mãe não tinha muitas *unnis* em Eugene. A única vez que lembro de ter dito essa palavra foi no apartamento de *halmoni*, quando falou com Nami. Levou-a a parecer infantil, e fiquei imaginando se, pelo fato de Kye ser mais velha, poderíamos mobilizar uma tática nova e mais forte. Seria mais fácil para ela se apoiar em alguém com mais idade, que compartilhava da cultura dela, que não era a filha que ela buscava proteger por instinto. Perante a força de uma *unni*, minha mãe poderia se entregar com naturalidade.

Na manhã seguinte, plantamos as sementes de Kye e caminhamos devagar ao redor da casa. Meu pai estava no escritório, e Kye me incentivou a tirar um tempo para mim também, afirmando que ela e a minha mãe podiam se virar sozinhas. Resolvi tirar minha primeira folga e fui até a cidade.

Durante muitos anos, eu, teimosa, tinha considerado todas as formas de atividade física uma perda de tempo, mas, naquela ocasião, me vi estranhamente compelida a ir até a academia de meus pais. Antes de a minha mãe ficar doente, sempre me mandava artigos a respeito da frequência com que pessoas de sucesso se exercitavam, e eu comecei a alimentar a ideia de que, se corresse oito quilômetros por dia, poderia me transformar em uma pessoa regrada, uma cuidadora valiosa e uma animadora de torcida perfeita, a filha que a minha mãe sempre quis que eu fosse.

Passei uma hora na esteira. Em minha cabeça, eu fazia um jogo com os números. Pensava comigo: se eu correr a treze quilômetros por hora durante mais um minuto, a químio vai funcionar. Se conseguir fazer oito quilômetros em meia hora, ela vai se curar.

Eu não corria com tanta convicção desde o sexto ano, no primeiro dia do segundo ciclo do ensino fundamental, quando o professor de educação física anunciou que faríamos um quilômetro com tempo marcado ao redor do pátio da escola. Achei que seria mamão com açúcar. No ano anterior, eu tinha sido a corredora mais rápida de minha classe e estava pronta para brilhar, ansiosa para impressionar meus novos colegas com minha supervelocidade, só para ser confrontada com a realidade nua e crua. Ultrapassada em questão de segundos, eu era uma suricata correndo em meio a um bando de gazelas.

A puberdade foi assim, uma grande piada masoquista ambientada nesse nível intermediário que é o segundo ciclo do ensino fundamental, no qual as crianças passam os anos mais confusos e sensíveis da vida, em que as meninas que já usavam sutiã com taça D e sabiam o que é boquete se sentavam ao lado das que usavam o primeiro sutiã e ainda eram apaixonadas por personagens de anime. Um período em que, qualquer coisa que seja única a respeito de nós mesmas, qualquer coisa que faça com que nos afastemos ainda que só um pouquinho da visão coletiva, do protótipo da beleza que faz sucesso, se transforma em uma cicatriz dolorosa, e a autonegação é o único remédio à disposição.

Depois da aula de educação física, enquanto eu ainda estava lamentando a vergonha de minha desgraça atlética, uma menina da minha classe me confrontou no banheiro com uma série de perguntas que iria se tornar frequente.

"Você é chinesa?"

"Não."
"Você é japonesa?"
Sacudi a cabeça.
"Bom, então, o que você é?"
Tive vontade de informá-la que havia mais do que dois países que formavam o continente asiático, mas me senti confusa demais para responder. Havia algo em meu rosto que as outras pessoas decifravam como uma coisa deslocada de sua origem, como se eu fosse alguma espécie de alienígena ou de fruta exótica. "Então, o que você é?" era a última coisa que eu queria que me perguntassem aos doze anos, porque estabelecia que eu me destacava, que era irreconhecível, que não pertencia. Até então, eu sempre tinha tido orgulho de ser meio coreana, mas de repente fiquei com medo de que aquilo fosse se tornar o traço que me definia, por isso comecei a apagá-lo.

Pedi a minha mãe que parasse de mandar almoço feito em casa para que eu pudesse ir comer fora da escola com a galera popular; uma vez, fiquei tão apavorada que uma menina fosse me julgar pelo meu pedido na lanchonete que pedi exatamente o mesmo que ela, um *bagel* simples com cream cheese e um chocolate quente meio amargo, a encarnação do sem graça, uma combinação que eu jamais teria escolhido por conta própria. Parei de fazer pose com o gesto da paz em fotos, por medo de parecer uma turista asiática. Quando minhas colegas começaram a namorar, desenvolvi um complexo de que a única maneira de alguém se interessar por mim seria se a pessoa tivesse um fetiche por asiáticas, e se não gostassem de mim, eu me torturava com a dúvida: será que era por causa das piadas cruéis que os meninos de minha classe faziam sobre as asiáticas terem a xoxota de lado e serem vadias?

O pior de tudo é que eu fingia não ter nome do meio, que na verdade era de minha mãe, Chongmi. Com um nome como

Michelle Zauner, eu era neutra no papel. Considerava a omissão chique e moderna, como se eu tivesse me esquivado de uma extremidade vestigial e me poupado de mais um ataque de vergonha extrema quando as pessoas pronunciavam, sem querer, "Chow Mein", mas a verdade era que eu simplesmente tinha passado a ter vergonha de ser coreana.

"Você não sabe o que é ser a única menina coreana na escola", expliquei a minha mãe, que ficou me olhando sem entender nada.

"Mas você não é coreana", ela disse. "Você é norte-americana."

Quando cheguei em casa da academia, Kye e minha mãe estavam comendo juntas à mesa da cozinha. Kye tinha preparado os grãos de soja que ela havia deixado de molho na noite anterior e batido com semente de gergelim e água para fazer um caldo frio de leite de soja. Tinha cozinhado macarrão, enxaguado na água fria e servido em uma tigela com pepino cortado em tirinhas, com o caldo espesso por cima.

"O que é isso?", perguntei.

"Isto aqui se chama *kongguksu*", Kye respondeu. "Quer experimentar?"

Assenti e me sentei em meu lugar de sempre à mesa, em frente a minha mãe. Sempre me considerei bem versada na culinária coreana, mas estava começando a questionar o alcance de meu conhecimento. Nunca tinha ouvido falar de *kongguksu*. Minha mãe nunca fez e eu nunca vi em nenhum restaurante. Kye voltou com uma cumbuca para mim e se sentou ao lado de minha mãe. Tomei uma colherada. Era simples e saudável, com um gostinho de castanha que ficava na boca. O macarrão era pegajoso e o caldo era leve, com pedacinhos pequenos e ásperos da soja batida no liquidificador. O prato perfeito para o verão, e o prato ideal para minha mãe, que ficava enjoada com facilidade com os cheiros e sabores que adorava antes do tratamento.

Minha mãe hesitou sobre a enorme tigela de cerâmica azul e tomou o restante do caldo ralo. As falhas no cabelo dela tinham sido totalmente corrigidas.

"Você raspou a cabeça", eu disse.

"É. A Kye *unni* raspou para mim", minha mãe disse. "Não ficou muito melhor?"

"Ficou muito melhor."

Eu me senti culpada por não ter sugerido que raspássemos antes, e só pude me sentir um pouco excluída por elas terem feito sem mim.

"*Gungmul masyeo*", Kye ordenou. Beba o caldo.

Minha mãe obedeceu: virou a tigela e bebeu o líquido. Desde que ela tinha começado a químio, era a primeira vez que a via consumir um prato todo.

À noite, Kye usou a panela elétrica de arroz para fazer *yaksik* caseiro. Misturou arroz com mel local, molho de soja e óleo de gergelim, e adicionou pinoli, tâmaras sem caroço, uvas-passas e castanhas. Abriu a mistura em uma tábua e dividiu a massa trabalhada em quadrados menores. Recém-saída da panela de arroz, estava fumegante e suculenta. As cores eram douradas, de outono, as tâmaras de um vermelho intenso e escuro; as castanhas bege-claro, emolduradas pelo arroz cor de bronze caramelizado. Levou para minha mãe na cama com uma xícara de chá de cevada.

Mais tarde, Kye pegou as máscaras faciais coreanas que tinha deixado no congelador e preparou uma bandeja de nozes e bolachas de água e sal, queijos e frutas. Nós três colocamos as folhas brancas frias no rosto e deixamos o hidratante espesso penetrar em nossos poros. Nos revezamos com o bastão inalador que o meu pai tinha comprado na loja de produtos de cannabis, tragando como se fosse a cigarreira glamorosa de Holly Golightly em *Bonequinha de luxo*.

Então Kye espalhou revistas sobre o edredom de minha mãe e fez um gesto em direção à coleção de esmaltes que tinha trazido, dizendo a minha mãe que escolhesse uma cor para as unhas dos pés. Repreendi a mim mesma por não ter pensado nessas coisas antes. Observar minha mãe se deleitar com pequenos atos de vaidade era um alívio, ainda mais depois dela perder o cabelo. Fiquei agradecida por Kye estar presente, alguém com maturidade para nos guiar.

Na manhã seguinte, Kye estava na cozinha preparando *jatjuk*, um mingau de pinoli que minha mãe costumava fazer para mim quando eu estava doente. Lembro de ela dizer que as famílias faziam *jatjuk* para os doentes porque é fácil de digerir e cheio de nutrientes, e aquela era uma delícia rara porque pinoli era tão caro. Lembrei da textura espessa e cremosa e do sabor de noz reconfortante ao observar o mingau engrossar na panela. Kye mexia devagar com uma colher de pau.

"Pode me ensinar a fazer?", perguntei. "Minha mãe me disse que você poderia me ajudar a aprender a cozinhar para ela. Quero poder ajudar para que você possa ter tempo de tirar algumas folgas também."

"Não se preocupe com isso", Kye disse. "Deixe que eu cuido, e você me ajuda a preparar o jantar para você e seu papai."

Fiquei me perguntando se eu devia tentar explicar como isso era importante para mim. Que preparar a comida da minha mãe tinha passado a representar uma inversão absoluta de papéis, um papel que eu devia preencher. Que a comida era uma linguagem sem palavras entre a gente, que tinha passado a simbolizar nosso retorno uma à outra, nosso laço, nosso terreno comum. Mas estava tão agradecida pela ajuda de Kye que não quis incomodar. Atribuí esses sentimentos ao egocentrismo injustificado de uma filha única e resolvi que, se Kye não ia me ensinar, devia me submeter a outro papel.

Então me transformei na tomadora de notas da casa. Eu escrevia todos os remédios que minha mãe tomava, o horário em que tomava e os sintomas de que reclamava; aprendi a combatê-los com outros remédios que tinham sido receitados. Monitorava a consistência e a textura das idas dela ao banheiro; introduzia laxantes quando necessário, como o médico tinha sugerido. Em um caderno verde com espiral que eu deixava ao lado do telefone na cozinha, comecei a anotar, obsessivamente, tudo que ela consumia; pesquisava o valor nutricional de cada ingrediente, calculava as calorias de cada refeição e somava no fim do dia para ver como aquilo se comparava a uma dieta normal de duas mil calorias por dia.

Dois tomates somavam quarenta calorias. Com uma colher de mel, dava sessenta e quatro, e achava que garantíamos cem calorias depois que minha mãe tomava o suco de tomate dela pela manhã.

Ela não gostava de bebidas de suplemento nutricional, como Ensure, porque tinham gosto de gesso e pareciam vitamina, mas uma das enfermeiras no centro de oncologia sugeriu que usássemos Ensure Clear, que tinha mais gosto de suco. Minha mãe achou que era muito mais palatável, e essa foi uma vitória gloriosa. Meu pai comprou caixas de todos os sabores no Costco e empilhou na garagem, no lugar onde minha mãe costumava guardar seu estoque de vinho branco. Tentávamos fazer com que ela bebesse dois ou três por dia, enchendo de maneira compulsiva a taça de vinho em que ela costumava beber seu chardonnay. Com aquilo, chegávamos a pelo menos seiscentas ou setecentas calorias.

Misutgaru também se tornou um alimento básico. Um pó fino e marrom-claro com sabor sutil e doce que costumávamos colocar sobre o *patbingsu* no verão. Uma ou duas vezes por dia, eu misturava com água e um pouco de mel. Duas colheres de sopa faziam com que chegássemos perto das mil calorias.

Para as refeições, Kye preparava mingau coreano, ou *nurungji*. Ela espalhava arroz recém-cozido em uma camada no fundo de uma panela, tostava até ficar uma massa crocante, depois despejava água quente e servia como se fosse um mingau aguado e salgado.

Na sobremesa, Häagen-Dazs de morango fornecia uma vitória fundamental, com impressionantes duzentas e quarenta calorias a cada meia xícara.

Minha mãe desenvolveu feridas nos lábios e na língua que faziam com que fosse quase impossível comer. Qualquer coisa saborosa fazia arder os pequeninos cortes na boca, deixando para nós poucas escolhas culinárias que não fossem mornas ou sem graça ou praticamente líquidas, fazendo com que ficasse mais difícil do que nunca alcançar as duas mil calorias. Quando as feridas ficaram ruins a ponto de ela não conseguir mais engolir os analgésicos, eu esmagava o Vicodin com a parte de trás de uma colher e espalhava as migalhas azulzinhas sobre bolas de sorvete, como um granulado de narcótico. Nossa mesa, que antes era linda e única, tinha se transformado em um campo de batalha de pós de proteína e mingaus turbinados; a hora do jantar era um cálculo e uma briga para fazer com que ela engolisse qualquer coisa.

A obsessão com o consumo calórico de minha mãe acabou com meu próprio apetite. Desde que eu tinha chegado a Eugene, tinha perdido dez quilos. A dobrinha que a minha mãe sempre beliscava em minha barriga tinha desaparecido e o meu cabelo começou a cair em mechas grandes no banheiro, de tanto estresse. De um modo perverso, fiquei contente. Minha perda de peso fazia com que me sentisse unida a ela. Queria incorporar um alerta físico: de que, se ela começasse a desaparecer, eu desapareceria também.

As sementes que plantamos começaram a brotar, consumindo o sol de julho sem nenhum esforço com seu apetite desenfreado. Minha mãe fez a segunda rodada de quimioterapia. Depois da reação catastrófica ao primeiro tratamento, o oncologista diminuiu a dosagem a quase a metade do que tinha começado, mas, mesmo assim, a semana seguinte foi difícil.

Fazia duas semanas que Kye estava conosco, e meus pais passaram a depender dela cada vez mais. Comecei a ficar preocupada que não seríamos capazes de cuidar de minha mãe sem ela. O meu pai ficava mais tempo fora, na cidade, e a minha mãe naturalmente achava mais fácil chamar Kye para ajudá-la. Desconfiava que ela ficava com o orgulho ferido de depender de mim. Mesmo com todas as dificuldades da químio, ela sempre perguntava como eu estava ou se meu pai tinha comido.

Kye se recusava a tirar qualquer folga, apesar da nossa insistência. Passava o dia todo com a minha mãe, massageando seus pés e atendendo a cada necessidade dela, sem nunca sair de seu lado, nem quando eu dava indiretas sutis de que queria ficar um momento sozinha com a minha mãe. Aquilo fazia com que eu me sentisse culpada, até quando saía de casa durante uma hora para correr na academia. As duas eram inseparáveis e, embora eu me sentisse em dívida com Kye pelo apoio, estava começando a me sentir excluída. Apesar de eu ter empurrado o medo do pior para os cantos mais afastados de minha mente e tentado enterrá-lo com pensamentos positivos, no fundo eu sabia que aqueles poderiam ser os últimos momentos que eu teria com minha mãe, e eu queria aproveitar o tempo que tínhamos juntas enquanto ainda era possível.

Quando marcamos uma infusão para melhorar os eletrólitos dela, me ofereci para levá-la de carro à consulta. Kye relutou em ficar, mas fui firme em relação a ir sozinha com ela.

“Por favor, tire um tempo para você, Kye. Você merece.”

Eu não levava minha mãe a lugar nenhum desde que tinha quinze anos e estava aprendendo a dirigir. Naquela época, ela ficava tão nervosa, sempre certa de que eu estava ultrapassando a faixa para a outra pista. Berrávamos uma com a outra, exacerbando a situação, discutindo a respeito de banalidades como quando ligar a seta e que caminho tomar para atravessar a cidade.

Agora, estávamos em silêncio. Demos as mãos e foi gostoso, por um momento, finalmente sozinhas, só a gente. Pensei: sim, íamos conseguir sem Kye. Eu seria capaz de fazer tudo sozinha.

No centro de infusão, um enfermeiro nos levou a um quarto privativo que era silencioso e com iluminação suave. Ficava em um prédio no campus da Universidade do Oregon, em frente a uma lanchonete onde eu costumava comprar sorvete antes de passar por um buraco no alambrado próximo que levava a um trecho do rio Willamette ladeado por um platô de pedra. Meus amigos e eu costumávamos saltar de pedras escorregadias e íngremes e deixar que as corredeiras nos empurrassem nosso corpo corrente abaixo até que tivéssemos percorrido um bom meio quilômetro. Então íamos até a margem, espalhando água por todos os lados, pulávamos na água novamente e nos deixávamos levar mais uma vez.

Eu me lembrei daqueles verões tão fáceis. Quando minhas mãos ficavam meladas de sorvete e doces, o sol batendo em minha nuca enquanto eu destravava a corrente de minha pesada bicicleta Schwinn, ansiosa para mergulhar na água fresca, que estava à minha espera. Não fazia ideia do que era o prédio do outro lado do estacionamento. Um hospital significava algo diferente naquela época. Mesmo que eu tivesse conhecimento suficiente para identificar um prédio desses, eu teria sido incapaz de imaginar as pessoas lá dentro. Como era o sofrimento delas, tanto de pacientes quanto de pessoas que os amavam, o que exatamente estava em jogo. Havia tanta gente ali com a sorte tão pior que a nossa, algumas sem familiares para ajudar, sem seguro-saúde, incapazes até de conseguir licença do trabalho enquanto faziam o tratamento. Apesar de sermos três pessoas fazendo o trabalho, cuidar dela o tempo todo parecia uma tarefa hercúlea.

No caminho de volta para casa, refleti e achei melhor não mencionar meus sentimentos em relação a Kye. Em vez disso, dei uma olhada nos CDs que estavam no carro de minha mãe. O disco número um era o primeiro álbum de minha banda; o disco dois pertencia ao novo cantor preferido de minha mãe, "Bruno Mar"; e o disco três era o álbum *Higher Ground*, de Barbra Streisand. Minha mãe não era de escutar muita música, mas adorava Barbra Streisand e incluía *Nosso amor de ontem* e *Yentl* entre seus filmes preferidos. Me lembrei de como cantávamos juntas a música "Tell Him", e fui passando as faixas do disco até achar, na quarta.

"Você se lembra disso?"

Dei risada e aumentei o volume. Era um dueto entre Babs e Celine Dion, duas divas poderosas unidas em uma faixa épica. Celine faz o papel de uma mulher com medo de confessar seus sentimentos ao homem que ama, e Barbra é sua confidente que a incentiva a arriscar.

"*I'm scared, so afraid to show I care... Will he think me weak if I tremble when I speak?*",* Celine começa.

Quando eu era pequena, minha mãe costumava tremer o lábio inferior para causar dramaticidade ao cantar a palavra "tremer". Nós trocávamos versos na sala. Eu era Barbra e ela, Celine, nós duas adicionávamos dança interpretativa e fazíamos expressões para transmitir veracidade.

"*I've been there, with my heart in my hand...*",** eu me juntava a ela em uma sequência de badaladas que pontuavam minha entrada. "*But what you must understand, you can't let the chance to love him pass you by!*",*** eu exclamava, saltitando de um lado a outro, levantando a mão para levar minha voz às alturas, exibindo meu alcance vocal exagerado.

Então, juntas, nos uníamos em triunfo. "*Tell him! Tell him that the sun and the moon rise in his eyes! Reach out to him!*"**** E dançávamos ao redor do tapete, olhando uma nos olhos da outra ao entoarmos o refrão.

Minha mãe soltou uma risadinha suave do assento do passageiro e cantamos baixinho no caminho que faltava até em casa. Passamos pela clareira bem quando o sol estava baixando, as nuvens tingidas de um alaranjado profundo que parecia lava.

Quando chegamos em casa, Kye estava ensandecida. Ela saiu do quarto de meus pais com a revelação de que tinha raspado a

* Em tradução livre, "Eu tenho medo, tanto temor de mostrar que gosto dele... Será que ele vai me achar fraca se eu tremer quando falar?" (N.T.)

** Em tradução livre, "Já passei por isso, com o coração na mão...". (N.T.)

*** Em tradução livre, "Mas você precisa entender que não pode deixar passar a oportunidade para o amor!" (N.T.)

**** Em tradução livre, "Diga a ele! Diga a ele que o sol e a lua se erguem nos olhos dele! Vá atrás dele!" (N.T.)

cabeça para ficar como minha mãe. Jogou o quadril para o lado, estendeu os braços e revirou os olhos, lânguida, fazendo pose no corredor.

"O que acham?"

Bateu as pestanas e inclinou a cabeça recém-raspada em direção da minha mãe, que estendeu a mão e acariciou a pele lisa. Fiquei esperando minha mãe dar uma bronca nela, do jeito que teria feito comigo se eu tivesse aprontado algo desse tipo, ou se retesar como Eunmi fez quando mencionei a ideia três anos antes, mas, em vez disso, ela ficou comovida.

"Ah, *Unni*", ela disse com lágrimas nos olhos enquanto as duas se abraçavam e Kye a levava de volta para a cama.

Quando as três semanas dela conosco terminaram, Kye insistiu para ficar mais tempo. Por que fazer outra pessoa viajar até lá? Já sabia tudo que era necessário fazer e queria ficar. Minha mãe ficou aliviada e agradecida, mas tanto meu pai quanto eu começamos a ficar incomodados com a presença dela.

Ela era bem diferente da gente: reservada e rigorosa. Tinha sido criada em Ulsan, uma cidade no litoral sudeste da Coreia, e, depois de sair da base no Japão, ela e o marido, Woody, tinham passado os últimos vinte anos na Geórgia. Achei que, tendo vindo de uma região ao sul da Coreia e por morar na parte sul dos Estados Unidos, teria uma personalidade mais aberta, mas era difícil decifrar Kye. Era diferente da maior parte das mulheres coreanas com quem eu tinha sido criada, que eram calorosas e maternais, chamadas pelo nome dos filhos. Kye não tinha filhos e interagia comigo e com meu pai de modo distante. A atitude gélida dela nos deixava paralisados.

Kye tinha mania de deixar comida fresca estragar sobre a pia da cozinha. Drosófilas começavam a se juntar, e, com o sistema imunológico de minha mãe debilitado, nos preocupávamos que alguns dos ingredientes usados por Kye poderiam estar estragados. Quando o meu pai a confrontou a respeito de alguns caquis que tinham atraído uma nuvem de mosquinhas, se irritou e começou a tirar sarro dele por ser cauteloso demais.

Em uma noite, no jantar, arrumei meu lugar ao lado de minha mãe. Kye mudou meus talheres para o outro lado da mesa para ela mesma ocupar o lugar. Depois de terminarmos de comer, ela entregou a minha mãe uma carta comprida, escrita à mão em coreano, e pediu que lesse em silêncio enquanto meu pai e eu ainda estávamos à mesa. Tinha três páginas, e, no meio da leitura, minha mãe começou a chorar e pegou a mão dela.

"Obrigada, *Unni*", ela disse. Kye respondeu com um sorriso solene.

"O que diz?", meu pai perguntou.

Minha mãe ficou em silêncio e continuou a ler. Se não fosse pelo torpor induzido pelos medicamentos, ela teria captado nosso desconforto, mas, no estado em que estava, ficou cega à nossa apreensão.

"É só para nós", Kye disse.

O que aquela mulher estava fazendo ali? Será que não estava com saudade do marido? Não era estranho uma mulher de sessenta e poucos anos sair da casa dela na Geórgia para vir morar conosco durante mais de um mês sem receber compensação? Eu não tinha certeza se havia alguma coisa ali ou se eu só estava paranoica ou, pior, com ciúme por aquela mulher ser uma cuidadora melhor para minha mãe do que eu. Como eu podia ser tão obcecada por mim mesma a ponto de reclamar de uma pessoa que tinha se oferecido para ajudar de modo tão altruísta?

À medida que os medicamentos de minha mãe iam fazendo mais efeito, ela começou a ficar grogue e sem cor e era cada vez mais difícil nos comunicarmos. Começou a falar em sua língua nativa com mais frequência, e isso deixava meu pai particularmente maluco. Fazia quase trinta anos que ela falava inglês fluente, e foi chocante quando começou a se esquecer de traduzir, a nos excluir. Às vezes, até parecia que Kye estava se aproveitando disso, respondendo em coreano e ignorando as súplicas de meu pai para que falassem inglês.

Quando tivemos uma consulta com o médico de dor, eu me peguei tentando arredondar os números para baixo, com receio de que, se aumentassem a dosagem, ela se tornasse ainda mais ausente. Tem certeza de que a sua dor com medicamento está em seis e não em quatro? Com meu caderno espiral pressionado contra o peito, parte de mim queria esconder as anotações que eu tinha feito, o número de vezes que precisamos ministrar hidrocodona líquida além do adesivo de vinte e cinco microgramas por dia de fentanil. Não está tão ruim quanto parece, eu tinha vontade de afirmar. Não queria que ela sentisse dor, mas também não queria perdê-la completamente.

O médico sentiu minha frustração e receitou uma pequena dose de Adderall para ajudar a combater os efeitos dos analgésicos. Da primeira vez que ela tomou, ficou tão cheia de energia que tivemos de literalmente segurá-la para impedir que limpasse a casa. Durante um breve período, parecia que minha mãe estava de volta. Na vez seguinte em que estávamos sozinhas, só a gente, aproveitei a oportunidade para mencionar como eu me sentia em relação a Kye.

"Ela faz tanta coisa por mim", minha mãe disse com a voz trêmula. "Ninguém nunca fez por mim o que ela fez. Michelle-ah, ela até limpa a minha bunda."

Eu quero limpar sua bunda, era o que eu tinha vontade de dizer, mas percebi que seria ridículo.

"A vida da Kye foi muito difícil", ela disse. "O pai de Kye era um playboy. Quando ele abandonou a mãe de Kye por uma amante, fez a amante cuidar dela. Então, quando conheceu outra mulher depois dela, abandonou as duas. Aquela amante criou Kye a vida toda e nunca contou a ela que não era sua mãe verdadeira. Mas Kye sabia, porque tinha ouvido boatos pela cidade. Então, quando a amante teve câncer, Kye cuidou dela. Mesmo no leito de morte, nunca contou à Kye que não era sua mãe verdadeira, e Kye nunca contou a ela que já sabia. E você sabe que Kye é a segunda mulher de Woody, e os filhos dele nunca a aceitaram porque ela era amante dele", minha mãe completou. "Apesar de já estarem casados há mais de vinte anos, os filhos dele continuam sendo cruéis com ela por causa do que acham que ela fez com a mãe deles. Ela me disse que, uma vez, eles a deixaram tão perturbada que ela teve de ir para um hospital psiquiátrico."

Na manhã seguinte, Kye preparou ovos quentes para o café da manhã. Abriu a ponta da casca e manteve o restante para minha mãe comer o ovo com uma colher. A gema amarela emergiu com a membrana sedosa e translúcida. Parecia praticamente cru.

"Tem certeza de que é uma boa ideia?", perguntei.

Eu sempre tinha preferido ovos com a gema mole, mas a doença de minha mãe tinha me deixado cada vez mais paranoica. Intoxicação alimentar já não era mais um ritual de passagem. Era uma aposta que eu não podia me dar ao luxo de perder. Kye me ignorou; a atenção dela estava voltada a quebrar a casca de seu próprio ovo.

"Só estou preocupada porque o sistema imunológico dela está fraco", completei. "Não quero que ela passe mal."

Kye pressionou os olhos para mim, como se eu fosse uma sujeirinha em uma lente. Soltou um murmúrio desdenhoso. "É assim que se come na Coreia", ela disse. Minha mãe ficou em silêncio ao lado dela, como um animal de estimação obediente. Fiquei esperando que ela saísse em minha defesa, mas ela ficou em silêncio, segurando o ovo com as mãos, anuviada.

Que reviravolta cruel do destino, pensei, com o rosto ficando vermelho enquanto segurava as lágrimas. Eu tinha passado toda a adolescência tentando me misturar aos meus colegas dos subúrbios dos Estados Unidos, e tinha chegado à maioridade sentindo que o meu pertencimento era algo a ser provado. Algo que sempre estava nas mãos dos outros, para ser dado e nunca tomado por conta própria; eu nunca poderia decidir de que lado eu estava, com quem eu tinha permissão de me alinhar. Nunca podia fazer parte dos dois mundos, só metade de um e metade do outro, esperando para ser ejetada à mercê de alguém que tivesse mais crédito do que eu. Alguém completo. Alguém inteiro. Durante muito tempo, tinha tentado pertencer aos Estados Unidos, queria e desejava aquilo mais do que qualquer outra coisa, mas, naquele momento, tudo que queria era ser aceita como coreana por duas pessoas que se recusavam a me acolher. Você não é uma de nós, Kye parecia estar dizendo. E nunca vai compreender de verdade o que ela realmente precisa, por mais perfeita que você tente ser.

Para onde a gente está indo?

"Você vai fazer uma viagem e tem cinco animais", Eunmi disse.

"Um leão.

"Um cavalo.

"Uma vaca.

"Um macaco.

"E um carneiro."

Estávamos sentadas ao ar livre no terraço de um café e ela estava me ensinando uma brincadeira que tinha aprendido com uma colega de trabalho. Na viagem, havia quatro paradas em que era preciso deixar um dos animais; no fim, você só ficava com um deles.

Era a primeira vez que eu ia a Seul depois da morte de *halmoni*. Tinha dezenove anos, estava entre o primeiro e o segundo ano na Bryn Mawr e tinha me matriculado em um curso de idiomas de verão na Universidade Yonsei. Ficaria hospedada com Eunmi Emo por seis meses.

Nunca tinha viajado à Coreia sem minha mãe. Pela primeira vez, éramos só Eunmi e eu no apartamento que sempre visitava quando pequena. Nós e o poodle-toy insuportável que ela tinha adotado e batizado de Leon porque, quando combinado ao sobrenome da família, Yi Leon soava parecido com a expressão "vem cá".

Eu dormia no antigo quarto de Nami; àquela altura, ela tinha se casado com Emo Boo e eles haviam se mudado para outro apartamento, a algumas quadras dali. Seong Young estava em San Francisco atrás de trabalho como designer gráfico. O quarto de *halmoni* permaneceu exatamente como antes, a porta ficava fechada. O apartamento, que antigamente era tão movimentado, no começo pareceu vazio, mas, no decurso de seis semanas, ele se transformou em um alegre apê de solteira. À noite, Eunmi Emo pedia pelo telefone frango frito coreano e garrafas de chope Cass. Mordiscávamos a pele crocante, o óleo escorria com triunfo da crosta de fritura dupla e chegávamos à carne escura reluzente, terminávamos com a crocância fria dos cubos em conserva de nabo branco que vinham nas entregas.

Depois do jantar, colocávamos as pernas embaixo da mesinha baixa na sala, e Eunmi me ajudava com a lição de casa de coreano. Nos fins de semana, íamos a cafés e padarias refinadas em Garosugil e ficávamos vendo as pessoas passarem. Moças com o cabelo penteado à perfeição e bolsas de grife passavam de braços dados com rapazes igualmente alinhados, e noventa por cento deles pareciam ter o mesmo corte de cabelo.

"Qual você deixa para trás primeiro?", Eunmi perguntou.

"Com certeza o leão", eu disse. "Comeria os outros animais."

Eunmi assentiu com a cabeça. Tinha uma feição infantil, um rosto mais redondo e cheio do que o das irmãs. Vestia-se com modéstia, com calça cápri cáqui e um cardigã branco fino.

Era julho, e tínhamos pedido *patbingsu* para dividir e lutar contra a umidade. Essa versão era bem mais elaborada do que as iniciativas caseiras de minha infância, com a base de um pó de neve, macio e perfeito, coberto de feijões-vermelhos doces, acompanhado de morangos lindamente cortados, quadradinhos perfeitos de manga madura e almofadinhas multicoloridas de biscoito de arroz. Uma teia fina de leite condensado se espalhava nas laterais e um monte de sorvete de baunilha coroava o topo.

"E depois, qual você deixa para trás?", Eunmi perguntou, passando a colher com cuidado pela raspadinha de gelo e o feijão-vermelho doce, com um fiozinho de leite condensado escorrendo.

Fiquei refletindo sobre a questão, me imaginando em um tipo de viagem que envolveria vários meios de transporte diferentes. Vi-me tendo de lidar, com muita dificuldade, com animais grandes, lutando para que cooperassem enquanto eu embarcava em um barco a vapor, um trem, uma balsa. Achei que seria melhor me livrar dos grandes primeiro.

"Acho que a vaca, depois o cavalo", eu disse.

Decidir entre o carneiro e o macaco foi mais difícil. Os dois animais eram pequenos e fáceis de lidar. O carneiro parecia ser o mais reconfortante. Imaginei-me aninhada em sua lã me esquentando, sozinha em um trem que disparava para a escuridão do desconhecido. Mas, daí, o macaco parecia mais humano, um companheiro que poderia me ajudar com todas as dificuldades.

"Ficaria... com o macaco", decidi.

"Interessante", ela disse. "Então, cada um desses animais simboliza suas prioridades na vida. Aquilo de que você se livra primeiro é o menos importante; aquilo que você guarda para o fim é sua maior prioridade. O leão representa o orgulho, e foi o que você deixou para trás primeiro."

"Faz sentido", eu disse. "Fiquei preocupada de que fosse devorar os outros animais, assim como o orgulho consome todas as suas outras prioridades. Você não pode amar alguém de verdade se tem orgulho demais, nem conseguir um bom emprego se achar que tudo é inferior a você, por exemplo."

"A vaca representa a riqueza, porque você pode tirar leite dela. O cavalo representa sua carreira, porque pode cavalgar por ela. O carneiro é o amor, e o macaco é o seu bebê."

"Com qual você ficou?", perguntei.

"Fiquei com o cavalo."

Eunmi foi a única das irmãs a fazer faculdade, e se formou com as melhores notas da classe, com diploma em inglês. Conseguiu emprego como intérprete na empresa aérea KLM, que voava entre a Holanda e a Coreia, levando-a a ser tradutora natural para meu pai e eu. Em meio a minha paranoia de algum dia ficar órfã por causa de algum acidente bizarro, eu costumava implorar a meus pais que colocassem no testamento que Eunmi seria minha guardiã legal. Ela não era apenas minha camarada solteira; ela era como uma segunda mãe para mim.

"Você fez a brincadeira com minha mãe? O que ela escolheu?", perguntei, na esperança de que tivéssemos escolhido a mesma coisa, que ela tivesse me escolhido.

"A sua mãe escolheu o macaco, é claro."

Dois anos e meio depois, minha mãe ligou para dizer que Eunmi estava com câncer de cólon em estágio IV. Tinha vendido o apartamento de *halmoni* e guardado as coisas dela em um desses prédios mistos, com pequenas quitinetes e salas comerciais nos andares mais baixos. Iria morar com Nami e Emo Boo para que pudessem ajudar enquanto ela fazia quimioterapia.

Foi impossível fazer aquele diagnóstico entrar em minha cabeça. Eunmi era tão certinha. Ela só tinha quarenta e oito anos. Ela nunca tinha fumado um único cigarro na vida. Fazia exercícios e ia à igreja. Tirando nossas noitadas de solteira, quase nunca bebia. Nunca tinha beijado ninguém. Pessoas assim não tinham câncer.

Dei um Google em pólipos adenomatosos, as pequenas protuberâncias em forma de cogumelo, fungos venenosos que desabrochavam em grandes flores malignas a partir do revestimento marrom rosado do cólon da minha tia. Hoje eu sei que, àquela altura, o câncer tinha invadido os órgãos adjacentes, criando metástases em três nódulos linfáticos na região, mas, naquele momento, eu não compreendia a doença. Não acompanhei os detalhes clínicos como fiz com minha mãe, nem as estatísticas e os prognósticos que sempre mudavam. Só sabia que ela tinha câncer de cólon e que estava fazendo quimio, determinada a vencer a doença, e isso era suficiente para eu realmente acreditar que ela venceria.

Vinte e quatro tratamentos de quimioterapia depois, Eunmi morreu no dia de São Valentim. Um destino cósmico cruel para uma mulher que nunca tinha conhecido o amor romântico. As últimas palavras dela foram: "Para onde a gente está indo?".

Deixei a Filadélfia e viajei a Seul para me encontrar com os meus pais para o funeral. O ritual se estendeu por três dias em uma sala fúnebre à moda antiga, revestida de madeira, com portas de correr de papel de arroz. Grandes coroas de flores adornadas com faixas enchiam os corredores e, na sala, uma fotografia brilhante e grande de Eunmi segurando Leon estava exposta em um cavalete de madeira sobre uma plataforma cheia de flores. Nami e minha mãe vestiram *hanboks* pretos e serviram um fluxo contínuo de visitantes, oferecendo-lhes petiscos e servindo bebidas enquanto prestavam suas homenagens. Parecia injusto que as duas tivessem que servir a todos quando o pesar delas com certeza era o mais profundo.

"Nami é muito melhor com esse tipo de coisa", minha mãe me confidenciou enquanto observávamos a irmã mais velha trocar as amabilidades costumazes com um novo círculo de visitantes. Aquilo fez com que eu me sentisse próxima dela, uma confissão de desconforto de alguém que sempre considerei o protótipo da altivez e da autoridade. Aquilo lançava luz sobre uma verdade que, com frequência, achava difícil de acreditar: que ela não era sempre a graça personificada, que em algum momento tinha possuído exatamente a mesma petulância juvenil e a inquietude com os protocolos pelos quais sempre me dava bronca, e que o tempo que havia passado longe de Seul talvez tivesse exacerbado o estranhamento que ela sentia em relação a certas tradições, tradições que eu nunca havia aprendido.

No último dia, vestida com meu próprio *hanbok* preto e um par de luvas brancas de algodão, encabecei a procissão até o crematório. O frio era opressivo. O ar parecia cortante, como se uma geada penetrasse pelos poros de meu rosto, e a cada rajada de vento meus olhos lacrimejavam. Chegando lá, esperamos em uma antecâmara, depois nos apertamos ao redor de uma vitrine. Um homem de jaleco e máscara cirúrgica estava parado em frente a um balcão onde os restos mortais chegavam por uma esteira. O pequeno monte de poeira cinzenta não era um pó consistente, parecia mais destroços. Dava para ver pedacinhos de ossos, de seus ossos, e de repente senti que estava perdendo o equilíbrio. Meu pai me segurou quando caí para trás. O homem de máscara cirúrgica a colocou em um pacotinho que parecia ser de papel de rotisseria, dobrando com cuidado e despreocupação os cantinhos ao redor das cinzas, como se fosse um sanduíche, então colocou em uma urna.

Depois do funeral, Nami e minha mãe me levaram até a quitinete onde Eunmi tinha guardado os pertences dela. Havia fotos minhas e de Seong Young sobre a porta da geladeira. Por não ter tido filhos, deixou tudo para nós. Minha mãe e eu examinamos a caixa de joias dela. Avistei um colar de prata simples com um coração pendurado em uma corrente e perguntei se podia ficar com ele. "Para falar a verdade, eu que comprei isto para a Eunmi no aniversário dela", minha mãe disse. "Que tal eu ficar com ele e, quando voltarmos para casa, compro um novo para você, para podermos fazer par. Quando usarmos, poderemos pensar nela juntas."

Meu pai e eu pegamos o ônibus para o aeroporto de Incheon enquanto minha mãe ficou, cuidando do restante dos pertences de Eunmi. Ao nos afastarmos da cidade, me peguei virando para trás e olhando para Seul como se fosse uma cidade estrangeira, diferente da utopia idílica de minha infância. Sem *halmoni* e Eunmi, parecia que Seul me pertencia um pouco menos.

Minha mãe mudou muito depois da morte da Eunmi. Antes, ela era uma colecionadora obsessiva e ávida, mas largou essa mania e começou a adotar novos hobbies, a passar mais tempo com gente nova. Matriculou-se em um breve curso de arte com algumas de suas amigas coreanas. Uma vez por semana, usando o aplicativo de mensagens, mandava fotos de coisa qualquer em que estivesse trabalhando. No começo, eram bem horríveis. Um esboço a lápis de Julia no qual ela parecia uma linguiça gorducha, cômico em especial, mas, depois de algumas semanas, evoluiu. Fiquei emocionada pelo fato de a minha mãe finalmente ter descoberto uma maneira de se expressar, retratando pequenos objetos de seu cotidiano, bugigangas da casa, uma borla, um bule de chá, concentrada em aperfeiçoar algo tão fugidio e simples como o sombreamento de um ovo. Para o Natal, ela pintou para mim um cartão com flores amarelo-claras e cor de lavanda, com os caules de um verde-mar aguado. "Este é um cartão especial que eu fiz. Meu primeiro cartão feito à mão para você", ela escreveu.

Um dos últimos pedidos de Eunmi foi para que minha mãe começasse a frequentar a igreja, mas ela nunca o fez. Minha mãe era a única na família que não praticava o cristianismo. Ela acreditava em alguma força superior, mas não gostava do aspecto de culto da religião institucionalizada, apesar de ser o que levava a maior parte da comunidade coreana de Eugene se unir. "Como é possível acreditar em deus quando uma coisa dessas acontece?", ela disse.

A maior lição que ela tirou da morte de Eunmi foi que era possível passar vinte e quatro vezes por quimioterapia e, ainda assim, morrer, e essa era uma provação que ela não estava disposta a suportar. Quando recebeu o primeiro diagnóstico, assumiu o compromisso de fazer dois tratamentos e, se não desse certo, disse que não iria continuar. Se não fosse por mim e meu pai, não sei nem se ela teria chegado a fazer o tratamento.

No fim de julho, minha mãe estava terminando a segunda rodada de quimioterapia. Os efeitos colaterais tinham amainado e, em duas semanas, o oncologista determinaria se o tamanho do tumor tinha ou não diminuído.

Estava na hora de voltar para a Costa Leste. Minha banda tinha uma turnê marcada para a primeira semana e a metade de agosto, os últimos shows que tínhamos planejado durante um tempo. Depois, eu iria empacotar os pertences que tinha deixado para trás e voltar para o Oregon de uma vez por todas.

A minha mãe garantiu que queria que eu partisse, mas ali, parada no terraço com Kye, acenando enquanto meu pai e eu saíamos para o aeroporto, percebi que ela estava chorando. Parte de mim queria saltar fora do carro e voltar para ela, como em uma cena de filme romântico, mas eu sabia que isso não ia resolver nada. Agora só tínhamos de ter esperança e aguardar. A única coisa que eu podia fazer era saber no meu coração que ela estava feliz por eu ter ficado com ela, no fim das contas.

Fazia um mormaço na Filadélfia. O ar estava tão úmido que dava a impressão de que nos movíamos em uma piscina. Era um choque ter tanta gente ao redor mais uma vez, depois de passar os três últimos meses em uma casa no meio do mato. Dava para ver que meus amigos não faziam a menor ideia do que dizer. Olhavam-me como se tivessem passado um tempo refletindo sobre a questão, mas convencidos a não dizer nada do que tinham pensado. O grupo com que eu andava na verdade não era assim. Expressávamos afeição ao escavar as inseguranças uns dos outros, e esse era um território não mapeado para a maioria.

Peter iria começar um trabalho novo dali a algumas semanas, dando aula de filosofia como professor adjunto em uma pequena faculdade nos subúrbios. Eu tinha dado força para que ele se candidatasse antes da minha mãe ficar doente, e agora ele hesitava em aceitar, porque isso significaria mais uma temporada de longa distância, mas parecia ser uma oportunidade profissional importante demais para deixar passar. Sugeri que pelo menos experimentasse durante um semestre, e nós poderíamos reavaliar nas férias de fim de ano. Por fim, resolvemos que iríamos nos mudar para Portland quando minha mãe se recuperasse. Poderíamos arrumar emprego lá e eu visitaria minha mãe nos fins de semana.

Nesse ínterim, Peter tirou uma semana e meia de folga do restaurante para tocar baixo na turnê com Ian, Kevin e eu, já que Deven estava fora, fazendo turnê com outra banda, crescendo até ficar do "tamanho de tocar no Jimmy Fallon". Nosso primeiro show foi em um pequeno bar na Filadélfia que, coincidentemente, se chamava The Fire, o fogo, já que ficava ao lado de um quartel de bombeiros. De lá, fomos para o sul, passando por Richmond e Atlanta, para algumas apresentações na Flórida, então serpenteamos para o oeste até Birmingham e Nashville. Fazia um calor insuportável em todos os lugares. A maior parte dos locais em que tocamos eram do tipo "faça você mesmo" ou casas de show sem janelas nem ar-condicionado. Encharcávamos as roupas de suor todas as noites, e geralmente as casas em que dormíamos eram tão depauperadas que parecia mais higiênico evitar o chuveiro. A van tinha um cheiro acre, de odor corporal e cerveja choca. Perante a vida e a morte, a estrada aberta — antes tão cheia de coragem e possibilidade, os desconhecidos que abrigava, tão criativos e generosos, a leveza do estilo de vida —, que eu antes tinha considerado tão glamorosa, começou a perder o brilho.

Meus pais garantiram que eu não estava perdendo muita coisa em casa; ela estava recobrando as forças, e a única coisa a fazer era esperar. Ainda assim, me sentia culpada. Eu sentia que devia estar com eles no Oregon, não sentada no banco de trás de uma van Ford para quinze pessoas em algum lugar nos arredores de Fort Lauderdale, comendo taquitos de posto de gasolina. Eu olhava para as amplas extensões da rodovia I-95 e sabia que essa seria a última turnê que faria em muito tempo.

Depois do nosso show em Nashville, viajamos durante treze horas sem parar até a Filadélfia. No dia seguinte, empacotei o resto de meus pertences. Peter estava de volta ao bar do restaurante, compensando os turnos que tinha perdido enquanto estávamos em turnê, quando recebi o telefonema.

"É melhor você se sentar", meu pai disse.

Esmoreci no chão do quarto entre caixas de papelão meio cheias. Prendi a respiração.

"Não funcionou", ele disse com voz entrecortada. Dava para ouvir os soluços dele do outro lado da linha, sua respiração pesada.

"Não diminuiu... nem um pouco?", perguntei.

Parecia que ele tinha enfiado o braço pela minha garganta e agarrado meu coração com o punho fechado. Tinha passado tanto tempo segurando as lágrimas, tentando ser uma força estoica de positividade para que pudesse me enganar, achando que estávamos na fila para um milagre. Como é que tudo aquilo podia ter sido em vão? As veias escuras, os chumaços de cabelo, as noites no hospital, o sofrimento de minha mãe: para quê tudo aquilo?

"Quando nos disseram... ficamos no carro olhando um para o outro. Só conseguimos dizer: então, acho que é isso."

Dava para ver que meu pai não estava pronto para minha mãe desistir do tratamento. Parecia que esperava que eu protestasse, que nos unissemos para incentivá-la a prosseguir. Mas era difícil não ficar achando que a químio já tinha roubado os últimos fiapos de dignidade da minha mãe e que, se houvesse mais para levar embora, o tratamento iria encontrar. Desde o recebimento do diagnóstico, ela tinha confiado na gente para tomar muitas das decisões em seu lugar, para ser seus defensores, para discutir com enfermeiros e médicos, para questionar medicamentos. Mas eu sabia que, por causa de Eunmi, se duas rodadas de quimioterapia não melhorassem o câncer dela nem um pouquinho, seu desejo era interromper o tratamento. Parecia ser uma decisão que eu devia honrar.

Minha mãe tomou o telefone de meu pai. Com voz suave, mas resoluta, me disse que queria fazer uma viagem à Coreia conosco. A situação dela parecia estável, e apesar de o médico ter aconselhado a não viajar, parecia o momento de escolher a vida em vez da morte. Queria ter a oportunidade de se despedir de seu país e da irmã mais velha.

"Existem pequenos mercados em Seul que você ainda não visitou", disse. "Nunca levei você ao mercado de Gwangjang, onde *ajummas* há anos e anos fazem *bindaetteok* e vários tipos de *jeon*."

Fechei os olhos e deixei as lágrimas correrem. Tentei nos imaginar juntas mais uma vez em Seul. Tentei imaginar a massa de feijão-mungo no óleo, bifinhos de carne e ostras encharcadas e ovos de gema mole, minha mãe explicando tudo que eu precisava saber antes que fosse tarde demais, mostrando para mim todos os lugares que sempre achei que teríamos mais tempo para ver.

"Então, depois de uma semana, a Nami vai reservar para a gente um hotel bem lindo na ilha Jeju. Em setembro, vai estar o clima perfeito. Quente, mas não muito úmido. Poderemos relaxar e apreciar a vista da praia juntos, e você vai poder ver os mercados de pescado onde vendem todo o tipo de frutos de mar."

Jeju era famosa pelas *haenyeo*, mergulhadoras que treinavam por gerações para segurar a respiração sem material de mergulho e coletar abalone, pepino-do-mar e outras delícias submarinas.

"Talvez eu possa filmar tudo com minha câmera. Posso fazer um documentário ou algo assim. Do tempo que passarmos lá", disse. Meu instinto era documentar. Cooptar algo tão vulnerável e pessoal e trágico para um artefato criativo. Percebi isso assim que falei em voz alta e fiquei enjoada comigo mesma. A vergonha floresceu e me lançou para fora do sonho que ela tinha imaginado, e a realidade veio para cima de mim em alta velocidade e com uma clareza estonteante.

"É só que... *Umma*, simplesmente não dá para acreditar..."

Apertei os joelhos contra o peito e chorei bem alto, com soluços rápidos em fôlegos rasos, o rosto vermelho de agonia. Balançava para a frente e para trás no assoalho de madeira do meu quarto, sentindo como se todo o meu ser fosse simplesmente dilacerar. Pela primeira vez, ela não me deu bronca. Talvez porque ela não pudesse mais se apoiar em sua frase feita. Porque ali estavam elas, as lágrimas que eu estava guardando.

"*Gwaenchanh-a*, *gwaenchanh-a*", ela disse. Está tudo bem, está tudo bem. Palavras coreanas tão familiares, o som reconfortante que escutei a vida toda para garantir que qualquer dor presente iria passar. Até a beira da morte minha mãe me oferecia consolo; seu instinto de cuidar de mim superava qualquer medo que pudesse estar sentindo, mas que escondia com competência. Era a única pessoa no mundo que poderia me dizer que, de algum jeito, as coisas iam dar certo. O olho do furacão, uma testemunha tranquila do caos que rodopiava e terminava ali.

Viver e morrer

Meu pai reservou um voo para mim da Filadélfia a Seul. Eu iria encontrar meus pais lá e, depois de duas semanas na Coreia, voltaríamos juntos para o Oregon. Chegou a manhã em que Peter iria me levar ao aeroporto. Era cedo e o sol estava começando a despontar, lançando uma luz romântica sobre nosso quarteirão decrépito, caixas vazias de Arctic Splash no meio de montes de folhas caídas das árvores, o campinho de beisebol infantil fechado atrás de seu alambrado.

"Talvez a gente devesse se casar", disse como quem não quer nada. "Para minha mãe poder estar presente."

Peter apertou os olhos. Ele estava com sono e concentrado no trânsito. A luz quente e alaranjada do amanhecer dançava intermitente no horizonte. Ele não respondeu, só estendeu o braço e apertou minha mão, o que achei meio irritante. Igual a todo mundo, ele nunca sabia qual era a coisa certa a dizer. O método de consolo dele era simplesmente ficar deitado a meu lado em silêncio até minhas emoções completarem o ciclo e acalmarem. Mas preciso admitir que, de todo modo, não havia mais nada a fazer.

Dormi a maior parte das dezoito horas do voo, peguei o ônibus de Incheon a Seul e depois um táxi até o apartamento de Nami. Já estava escuro na hora que cheguei, um pouco depois das nove. O ar estava fresco e a brisa fazia um som agradável, serpenteando por entre as folhas enquanto atravessava o pátio cercado em direção ao prédio. Toquei o interfone e peguei o elevador para subir. Leon latiu a distância quando tirei os sapatos na entrada.

Nami me deu um abraço e levou a minha mala para o quarto de hóspedes. Estava de penhoar e parecia sem jeito. De imediato, me levou para o quarto dela. O voo de meus pais não tinha sido bom. Minha mãe estava na cama de Nami, tremendo descontrolada e queimando de febre. Meu pai estava deitado ao lado dela, abraçando-a por baixo das cobertas. Ele confessou que a febre tinha começado antes deles embarcarem. Por não querer cancelar a viagem, a confortou com seu corpo, desejando que aquilo acabasse, desejando que o calor de seu corpo a curasse.

Fiquei parada ao pé da cama, observando enquanto estremecia e o corpo sacudia. Emo Boo estava agachado ao lado da minha mãe usando um pijama largo, inserindo agulhas de acupuntura nos pontos de pressão das pernas dela.

"Ela precisa ir para o hospital", disse.

Nami estava parada à porta com os braços cruzados e o cenho franzido, sem saber bem o que fazer a seguir. Seong Young apareceu atrás dela, avultando-se uns dois palmos por cima da cabeça da mãe. Era surpreendente uma pessoa tão grande ter sido gerada em uma mulher tão pequena. Minha mãe costumava dizer que era a influência da comida norte-americana. Nami disse alguma coisa em coreano e ele traduziu.

"Minha mãe acha... que se formos para o hospital. Talvez. Não vão mais deixar que ela saia."

"Da última vez que esperamos para ir ao hospital, ela quase morreu", eu disse. "Realmente acho que precisamos ir."

O quarto ficou em silêncio por um momento, e minha mãe soltou um gemido. Nami suspirou pesado, então saiu do quarto para começar a juntar as coisas dela. Nós seis nos dividimos em dois carros e fomos até um hospital que ficava logo do outro lado do rio Han. Minha negação ainda estava com força total. Eu tinha certeza de que só precisava de mais uma infusão, uma aplicação intravenosa para estabilizar. Achava que poderíamos continuar assim por anos, só atenuando o sofrimento dela.

Tínhamos esperança de que minha mãe fosse se recuperar e pegar o voo para Jeju dali a uma semana. Nami já tinha reservado os voos e os quartos. Mas o estado dela só piorava. Uma semana se passou e ela continuava acamada, atormentada por uma febre terrível e tremendo a noite toda. Cancelamos nossa viagem para Jeju. Uma semana depois, tivemos de cancelar as passagens de volta a Eugene.

Mais uma vez, fui a companhia de minha mãe durante a noite. Chegava no fim da tarde, por volta das seis, e ficava até de manhã, até meu pai chegar ao meio-dia. Então eu pegava um táxi, com os olhos marejados, cruzava a ponte Hannam até o apartamento de Nami e caía na cama, onde tentava recuperar o sono que tinha perdido à noite.

No hospital, eu acordava com ela a qualquer hora, era sua defensora. Quando ela ficava sem ar de tanta dor, eu apertava o botão para chamar o enfermeiro e, como nunca chegavam rápido o bastante, berrava e apontava para nosso quarto no corredor iluminado com lâmpadas fluorescentes, balbuciando súplicas desesperadas em coreano enrolado. Expulsei a enfermeira que não conseguiu pegar uma veia várias vezes e deixou um monte de marcas de picada nos braços de minha mãe. Deitei na cama com ela e a abracei enquanto esperávamos os analgésicos fazerem efeito, sussurrando no escuro: "Vai ser a qualquer segundo, vai ser a qualquer segundo, só mais um minuto e vai passar. *Gwaenchanh-a, Umma, gwaenchanh-a*".

O massacre dos sintomas era algo saído de um filme de catástrofe. Assim que vencíamos um acontecimento, outro mais mortal surgia. O estômago dela ficou inchado, apesar de mal comer. Edemas tomaram conta de suas pernas e de seus pés. A herpes cobriu os lábios e a parte interna da boca, fazendo com que a língua ficasse cheia de bolhas brancas volumosas. A médica nos deu dois tipos de enxaguante bucal de ervas e um creme para os lábios, um unguento verde espesso para ajudar a aliviar as feridas. Seguíamos o regime de tratamento religiosamente, na esperança de poder remediar pelo menos um de seus males. A cada duas horas eu levava um copo para ela cuspir e água para enxaguar, depois um lenço de papel para enxugar os lábios antes de aplicar a meleca verde-escura. Ela perguntava se eu achava que as feridas estavam melhorando e abria a boca para eu olhar. A língua dela parecia podre: igual a um saco de carne velha, como se uma aranha a tivesse envolvido em uma teia cinzenta grossa.

"Com certeza", respondia. "Já está bem melhor do que ontem!"

Como mal conseguia comer, foi conectada a uma bolsa leitosa que fornecia a maior parte dos nutrientes de que ela precisava para sobreviver. Quando não conseguia mais levantar para ir ao banheiro, nem com ajuda, inseriram um cateter, e começamos a usar uma comadre; esvaziá-la passou a ser minha função. Quando não conseguia mais evacuar, os enfermeiros começaram a lhe aplicar enemas. Colocavam uma fralda enorme nela e, quando soltava tudo, o líquido esguichava da parte de cima e dos buracos das pernas feito lodo mole. Não havia mais nada de que ter vergonha, só sobrevivência; tudo era ação e reação.

De manhã, se minha mãe ainda estivesse dormindo, eu colocava um par de sandálias do hospital e descia pelo elevador. Do lado de fora, vagava ao redor do quarteirão em busca de algo para levar para ela, para lembrá-la de onde estávamos.

Tinha uma Paris Baguette ali perto, uma rede de padarias coreana que serve pães e confeitos franceses com um toque coreano. Voltava com uma seleção de doces brilhantes e *smoothies* de cores fortes, na esperança de despertar seu apetite. *Soboro ppang*, um pãozinho macio com migalhas de amendoim por cima que tínhamos dividido em visitas a Seul. Uma rosquinha de feijão-vermelho, um *cheesecake* macio de batata-doce. Ou milho cozido no vapor comprado de uma *ajumma* sentada sobre um quadrado de papelão na rua. Minha mãe e eu tirávamos os grãos duros da espiga, um por um, tão meticulosas quanto Eunmi, lembrando de como ela sempre deixava uma fileira perfeita de membranas limpas, quadradas e transparentes quando terminava. Comprei *jjajangmyeon* de um restaurante sino-coreano e enxaguei o *kimchi* com a água da pia no banheiro para que a pimenta vermelha não fizesse a língua dela arder.

"O que ainda me resta esperar da vida, Michelle?", disse, com os olhos cheios de lágrimas ao olhar para a acelga branca e murcha. "Não consigo nem mais comer *kimchi*."

"O seu cabelo está voltando a crescer, mesmo", eu disse, tentando mudar de assunto. Encostei a mão na cabeça dela e acariciei com cuidado a penugem branca e rala. "Para uma pessoa que está doente, você ainda está com aparência muito jovem e linda."

"Estou?", ela indagou, fingindo modéstia.

"É verdade", eu disse. "Quase parece que... Você está usando maquiagem?"

Nunca havia percebido que minha mãe tinha as sobrancelhas tatuadas. Pareciam tão naturais que era difícil perceber. Lembrei de Youngsoon, amiga dela, que tinha as sobrancelhas tão malfeitas que a direita era sempre torta.

"Fiz isso há muito tempo", ela disse, sem querer prolongar o assunto. Ela se ajeitou na cama, estendeu as pernas e apoiou as costas no travesseiro. "Você sabe que o seu pai é que devia estar aqui."

"Eu gosto de estar aqui."

"Sim, mas ele é meu marido", ela disse. "Mesmo quando está aqui, ele não faz a menor ideia de como cuidar de mim. Quando peço a ele que me ajude com o enxaguante bucal, ele só entrega o frasco para mim, nem me dá um copo."

Recostei-me no banco e fiquei olhando para os pés, batendo devagar a sandália do lado esquerdo no calcanhar. Alguns anos antes, estávamos no restaurante Olive Garden quando ela mencionou uma briga que eles tinham tido, mas disse que nunca seria capaz de revelar o motivo. Que aquilo destruiria a imagem que tinha dele, como um prato quebrado com os cacos colados que é preciso continuar usando, mas daí você só enxerga a rachadura.

"Você acha que ele vai voltar a se casar?"

"Acho que sim. Provavelmente", ela disse. Fez uma cara de quem não se incomodava, como se fosse algo que tivessem discutido antes. "Ele provavelmente vai se casar com outra asiática." Encolhi-me na cadeira, especialmente aborrecida com a ideia de que seria outra asiática. Sentia-me péssima de imaginar o que os outros poderiam pensar, que ele simplesmente poderia substituí-la, que ele tinha fetiche por asiáticas. Aquilo fazia a ligação deles parecer uma farsa. Parecia que éramos uma fraude.

"Acho que não iria suportar", disse. "Acho que eu não poderia aceitar. É nojento."

Havia uma perspectiva perigosa e não mencionada que se avultava, de que, sem minha mãe para nos unir, o meu pai e eu iríamos nos afastar. Eu não era essencial para ele da maneira que eu sabia que eu era para minha mãe, e dava para ver que, depois de tudo, a convivência seria difícil. Que havia uma boa chance de ficarmos à deriva, que nossa família fosse se dissolver por inteiro. Fiquei esperando minha mãe me dar uma bronca, afirmar que ele era meu pai, sangue de meu sangue. Que eu era egoísta e mimada de pensar assim a respeito do homem que tinha nos sustentado. Em vez disso, ela pousou a mão em minhas costas, resignada com o fato de que não podia fazer nada a respeito do que ficou sem ser dito.

"Você vai fazer o que tiver de fazer."

Duas semanas e meia depois do início de nossas férias desastrosas, cheguei ao hospital e deparei com meu pai berrando com Seong Young e uma das enfermeiras no corredor, com toda aquela ala do hospital boquiaberta diante daquele norte-americano alto, com sua expansiva personalidade norte-americana.

"É minha mulher!", ele gritava. "Falem em inglês!"

"O que aconteceu?", perguntei.

Meu pai estava acusando Seong Young de amenizar as traduções para tentar poupá-lo das piores informações. Seong Young estava quieto, assentindo com a cabeça. Estava com as mãos atrás das costas, como se estivesse pronto para fazer uma mesura, e escutava com atenção, deixando que o meu pai colocasse a raiva para fora. A enfermeira parecia nervosa e desesperada para recuar. No quarto, a minha mãe estava inconsciente, com a boca coberta por uma máscara de oxigênio presa ao que parecia ser um aspirador de alta tecnologia. Nami estava parada diante da cama, com o punho fechado encostado nos lábios. Ela devia ter sabido desde o começo que era bem isso que iria acontecer.

Seong Young e meu pai voltaram, com nossa médica bonitinha logo atrás. Fiquei chocada com a quantidade de tempo que a médica passava conosco na Coreia. No Oregon, eu não conseguia me lembrar de ter estado com um médico durante mais de um minuto antes que ele saísse correndo para outro quarto e deixasse os enfermeiros no comando. Aqui, a médica parecia interessada de verdade em nos ajudar, tinha até segurado a mão de minha mãe quando chegamos ao hospital. Apesar de ela parecer saber bastante inglês, vivia pedindo desculpa por sua incapacidade de falar bem a língua. Informou que a minha mãe tinha entrado em choque séptico. Que a pressão sanguínea dela estava perigosamente baixa e que ela provavelmente teria de ser colocada em um respirador para ser mantida viva.

Costumava ser algo tão claro para mim, a diferença entre viver e morrer. Minha mãe e eu sempre tínhamos concordado que preferíamos acabar com a vida a viver vegetando. Mas agora que precisávamos confrontar a situação, com os restos de autonomia física a cada dia mais rotos, a fronteira tinha ficado imprecisa. Estava acamada, era incapaz de caminhar sozinha e seu intestino não funcionava. Alimentava-se por meio de uma bolsa intravenosa em seu braço e agora já não podia mais respirar sem uma máquina. Estava ficando mais difícil, a cada dia que passava, dizer que isso ainda era viver.

Observei o arco das luzes do elevador se iluminar do cinco ao três enquanto o meu pai e eu descíamos, pulando o quarto piso inexistente, que é considerado azarado porque a pronúncia do número quatro em coreano lembra o caractere chinês para morte. Meu pai e eu estávamos em silêncio. Resolvemos sair para tomar um pouco de ar fresco, antes de confrontar a decisão de quanto tempo a manteríamos entubada se chegasse a tanto. Já estava escuro lá fora. A iluminação amarela da rua atacada pelos insetos do fim do verão clareava os poucos quarteirões que percorremos antes de entrarmos no primeiro bar. Pedimos dois copos de chope Kloud e levamos para o espaço aberto, que estava vazio. Sentamos a uma mesa de piquenique; meu pai estendeu o braço em minha direção do outro lado da mesa e fechou a mão grande e calejada dele sobre a minha.

"Então, é realmente isso", ele disse.

Fixou o olhar sobre a superfície da mesa e cutucou um nó da madeira com o indicador. Logo deu um suspiro profundo e passou a palma da mão sobre a mesa, como se estivesse limpando. Deu um gole na cerveja e olhou para a cidade, como se buscasse uma solução.

"Uau", ele disse e soltou minha mão.

Uma brisa fresca soprou e senti um friozinho. Estava com o mesmo vestidinho de verão e os chinelos do hospital que usei quase todos os dias desde a nossa chegada. Escutei o barulho do motor de uma bicicleta elétrica passando pela rua lá embaixo e lembrei de quando eu tinha uns cinco anos e o meu pai costumava me levar para passear em sua moto. Me colocava na frente, entre as pernas, e eu me segurava sobre o tanque para me apoiar. Em trajetos longos, o ronco do motor e o calor do tanque de gasolina abaixo de mim me faziam dormir e, às vezes, quando eu acordava, já estávamos de volta à entrada de casa. Desejei poder voltar àquele tempo, antes de saber da existência de qualquer coisa ruim.

Tínhamos nos arriscado demais ao viajar para a Coreia contra as ordens do médico. Tínhamos planejado algo por que valia a pena lutar e, no entanto, cada dia acabava sendo pior do que o outro. Tínhamos escolhido viver em vez de morrer e, no fim, tinha sido um erro péssimo. Bebemos mais uma rodada, na tentativa de lavar a nossa alma.

Não fazia nem duas horas que tínhamos saído, mas, quando voltamos, minha mãe estava sentada ereta. Os olhos dela estavam arregalados e alertas, como uma criança estupefata que tivesse acabado de entrar em algum lugar e interrompesse uma discussão tensa entre adultos.

"Vocês comeram alguma coisa?", perguntou.

Achamos que esse era um sinal. Meu pai começou a tomar providências para uma transferência médica de volta ao Oregon. Teríamos que voar com um enfermeiro registrado e, assim que chegássemos a Eugene, fazer a internação imediata no hospital Riverbend. Saí do quarto para telefonar para Peter, na esperança de voltar com algo que fosse digno de esperar.

Percorri o corredor e fui em direção à escada de incêndio, em um patamar de concreto ladeado por barras de metal em bronze. Sentei-me e apoiei os pés em um degrau. Peter estava de férias com a família naquele fim de semana em Martha's Vineyard, onde era de manhã cedo.

"A gente tem de se casar", eu disse.

Sinceramente, nunca tinha pensado muito a respeito de me casar. Desde adolescente, sempre tinha gostado de namorar e estar apaixonada, mas a maioria dos meus pensamentos a respeito do futuro girava em torno de fazer sucesso em uma banda de rock. Essa fantasia, por si só, me manteve ocupada durante uns bons dez anos. Não sabia o nome de decotes nem de silhuetas, de espécies de flores nem de cortes de diamante. Não existia, em nenhum canto de minha mente, nem a mais vaga noção de como gostaria de arrumar o cabelo nem de que cor a roupa de cama devia ser. O que eu sabia com certeza era que minha mãe tinha opiniões que bastavam para nós duas. Aliás, a única coisa que eu sempre soube era que, se um dia me casasse, seria minha mãe que garantiria que tudo ficasse perfeito. Se ela não estivesse presente, tenho certeza absoluta que eu passaria o dia imaginando o que ela iria pensar. Se os arranjos de mesa pareciam baratos, se as flores eram sem graça, se minha maquiagem era pesada demais ou se meu vestido não caía bem. Seria impossível me sentir bonita sem a aprovação dela. Se ela não estivesse presente, eu sabia que estava destinada a ser uma noiva infeliz.

"Se isso for algo que você pode se ver fazendo daqui a cinco anos e não fizermos agora, acho que não serei capaz de perdoar você", eu disse.

Fez-se uma pausa pesada no outro lado, e me ocorreu que eu nem fazia ideia de onde ficava Martha's Vineyard. Na época, achava que a família dele estava visitando as plantações poeirentas de um vinhedo. Essa era uma das diferenças entre a Costa Leste e a Oeste que me encantavam às vezes, como quando ele falava litoral em vez de costa ou a indiferença dele à aparição de vagalumes.

"Tudo bem."

"Tudo bem?", eu repeti.

"Sim, tudo bem!", ele disse. "Vamos nessa."

Saí saltitante pelo corredor fluorescente e estéril, com o peito batendo forte ao passar pelas instalações escuras e fechadas com cortinas dos outros pacientes com seus monitores cardíacos piscando, as linhas verdes que ziguezagueavam para cima e para baixo. Voltei para o quarto de minha mãe e disse a ela que precisava melhorar. Ela tinha de voltar para Eugene e ver sua única filha se casar.

No dia seguinte, procurei na internet empresas que organizam casamentos. Caminhando de um lado para o outro no quarto de hospital de minha mãe, expliquei a nossa situação e então encontrei uma pessoa disposta a fazer aquilo acontecer dali a três semanas. Em menos de uma hora, ela me mandou uma lista de afazeres.

Seong Young me levou para experimentar vestidos de noiva. Pelo Kakao, mandei para minha mãe fotos dos diversos corpetes e saias. Nós nos decidimos por um vestido tomara que caia de quatrocentos dólares com uma saia de tule simples que batia no tornozelo. A costureira tomou as minhas medidas e, dois dias depois, entregou no quarto de hospital, onde eu vesti para que ela pudesse ver pessoalmente.

Sabia que Nami e Seong Young achavam que eu era louca. E se ela morresse um dia antes do casamento? Ou se estivesse passando tão mal a ponto de nem conseguir ficar em pé? Sabia que era arriscado adicionar ainda mais pressão a circunstâncias que já eram tumultuosas, mas, ao mesmo tempo, parecia ser a maneira perfeita de lançar luz sobre a mais sombria das situações. Em vez de ficarmos pensando em remédio para afinar o sangue e em fentanil, poderíamos falar sobre cadeiras Chiavari e macarons e sapatos finos. Em vez de escaras e cateteres, seriam combinações de cores e penteados e coquetéis de camarão. Algo por que lutar, uma celebração por que ansiar.

Seis dias depois, minha mãe finalmente recebeu alta. Ao empurrarmos a cadeira de rodas em direção ao elevador, a médica nos parou no corredor para dar a ela um presente de despedida. “Eu vi isto e pensei em você”, ela disse e pegou a mão de minha mãe. Era uma pequena estátua de madeira entalhada a mão, representando uma família: um pai, uma mãe e uma filha se abraçando. Não tinham rosto, estavam bem juntinhos, conectados, como que esculpidos do mesmo pedaço de madeira.

Existe alguma espetacularidade procelosa que não sobeje em você?

Conheci Peter quando tinha vinte e três anos. Uma noite, em fevereiro, Deven nos convidou para ir a um bar depois do ensaio da banda. Um amigo de infância dele tinha acabado de voltar para a Filadélfia depois de fazer mestrado em Nova York e estava comemorando o aniversário de vinte e cinco anos no 12 Steps Down, um bar de fumantes na parte sul da cidade onde você tinha que, literalmente, descer doze degraus para entrar. Na época, éramos uma banda de fumantes, e poder fumar em um ambiente fechado no meio do inverno já era incentivo suficiente para irmos. Acendemos um cigarro antes mesmo de ter a oportunidade de pedir uma cerveja.

Era noite de karaokê, e Peter estava prestes a cantar quando entramos. Ele tinha escolhido uma música do Billy Joel chamada "Scenes from an Italian Restaurant". Eu nunca tinha ouvido a música, mas fiquei impressionada que, entre todos os outros *hipsters* que haviam escolhido os clássicos do Weezer e do Blink 182, ele tivesse escolhido uma faixa de rock mais meloso com um trecho instrumental de quarenta e oito compassos. Ele usava um par de óculos de aviador com aro fino de metal que cobria praticamente metade do rosto e uma camiseta branca com uma gola em V bem cavada, comicamente deixando exposto um chumaço de pelos castanhos e encaracolados. Segurava o microfone como se fosse a haste de uma taça de vinho — com delicadeza, com a ponta dos dedos — e fazia movimentos bizarros para acompanhar a música, balançando a cabeça para cima e para baixo, como se uma das dobradiças que a ligava ao pescoço estivesse solta, e batendo o pé correspondente a cada semínima, como se fosse o Mick Jagger dançando quadrilha.

Depois de ter cantado durante seis minutos e meio e suscitado bastante indignação coletiva da lista de espera que somava a metade dos presentes no bar, Peter deu um abraço em Deven, que falou alguma coisa engraçada e inaudível por cima da música. O que eu pude escutar foi a risada de Peter, um som de buzina agudo que era igual a uma mistura de um Muppet com uma menininha de cinco anos. E pronto: eu estava apaixonada.

Demorou bem mais para Peter descobrir sentimentos recíprocos — ou, talvez, para que eu os implantasse nele. Ele era muita areia para o meu caminhãozinho, objetivamente mais bonito, e a beleza dele até acabou virando uma piada recorrente entre nosso grupo de amigos debochados. Era um guitarrista competente, mas estava interessado em empreendimentos mais sofisticados: compilação de poesia censurada, tradução de três quartos de uma novela. Tinha mestrado e era fluente em francês e havia lido os sete volumes de *Em busca do tempo perdido*.

Mesmo assim, eu estava determinada, e passei os seis meses seguintes atrás dele, assídua em meu esforço de aparecer nas mesmas festas e, no final, a garantia de vê-lo durante a semana quando arrumei a ele um emprego de meio período como garçom responsável por levar os pratos à mesa no restaurante de comida *fusion* mexicana em que eu trabalhava. Mas, mesmo assim, depois de quase três meses de camaradagem no setor alimentício — relaxando na área de descanso com palavras cruzadas, enxugando copos e dobrando toalhas lado a lado, correndo atrás dos últimos pedidos para garantir mais gorjetas —, continuei nas profundezas da zona da amizade.

Em outubro, estávamos nos preparando para a Restaurant Week, o período mais movimentado do ano. Nessa época, famílias suburbanas invadem restaurantes mexicanos "refinados" como o nosso para fazer uma refeição de três pratos por trinta e três dólares, enquanto os chefs suam e xingam, produzindo ceviche atrás de ceviche improvisado e centenas de tamales desconstruídos e *tres leches* em miniatura, esforçando-se para atender aquilo que parece ser uma sucessão infinita, para serem capazes de alimentar as hordas frugais. Naquele ano, a Restaurant Week se transformou em Restaurant Weeks, no plural, para o deleite dos donos dos restaurantes participantes, loucos para lucrar, e igualmente para a tristeza das equipes de atendimento insuficientes, como a nossa, que tinham que trabalhar com o triplo de clientes e nenhum dia de folga.

Peter e eu estávamos agendados para trabalhar na noite de estreia juntos. Cheguei às três e meia para preparar tudo para a noite e fiquei surpresa ao encontrar Adam, nosso gerente careca e agressivo, que vivia ameaçando nos demitir por cada copo de vidro quebrado, sentado ao bar, imóvel, coisa que era bem fora do comum para ele, olhando fixo para o telefone.

"O Peter sofreu um acidente", ele disse.

Um acidente era uma maneira estranha de se referir ao que aconteceu, apesar de eu também me pegar, nos meses que se seguiram, referindo-me ao acontecimento assim, como se, de modo subconsciente, não quiséssemos admitir a realidade. Peter tinha sofrido um ataque violento. Adam se levantou e me mostrou a foto. Ele estava sentado ereto em uma cama de hospital com a camisola aberta na frente, vários círculos adesivos colados ao peito. O rosto estava irreconhecível de tão deformado, com o quadrante superior esquerdo todo roxo e torto.

Na noite anterior, Peter e Sean, amigo dele, estavam voltando a pé para casa tarde da noite, depois de uma festa. Entraram no beco que levava ao apartamento de Peter e, quando chegaram à entrada, alguém chamou atrás, pedindo um cigarro. Quando viraram para atender ao pedido, o cúmplice os atingiu com um tijolo os deixando inconscientes. Quando recobraram os sentidos, quem os tinha atacado já havia fugido. Sean tinha perdido os dentes e começou a procurá-los no beco escuro. O osso orbital de Peter, o encaixe que abriga o olho, tinha sido esmagado. Nem tinham roubado nada. O colega de apartamento de Peter encontrou-os ensanguentados na escada e os levou para o hospital Hahnemann. Peter ia ficar internado durante alguns dias para monitorar a hemorragia no cérebro causada pelo impacto.

Naquela noite, correndo para cima e para baixo, atendendo aos dois pisos do restaurante sozinha, não conseguia parar de pensar em Peter. O que poderia ter acontecido se o tijolo tivesse acertado com um tantinho mais de força, se o osso tivesse se deslocado mais meia unha dentro de seu cérebro? E, quanto mais pensava a respeito do assunto, mais percebia como realmente o amava. Na manhã seguinte, enchi a mochila com os livros mais descolados de minha estante, comprei um buquê de girassóis e duas abóboras em miniatura e fui até o hospital de bicicleta.

Peter estava lá com os pais, que eu tinha conhecido antes no restaurante. Ele parecia ainda pior pessoalmente, grogue e entupido de medicamentos, mas fiquei aliviada de ver que ainda conseguiu dar risada quando a enfermeira chegou com um frasco de drenagem de cateter para colocar as minhas flores.

Quando saiu do hospital, Peter foi para a casa dos pais, em Bucks County, para passar algumas semanas e se recuperar. Quando finalmente voltou ao trabalho, achei que as coisas seriam diferentes, que ele poderia ficar assustado e temeroso, com medo de andar sozinho à noite. Não dava para imaginar que ia querer sair e ir a bares conosco depois do trabalho. Mas parecia que a única coisa que realmente tinha mudado nele eram os sentimentos que nutria por mim. A partir de então, a piada recorrente passou a ser que eu tinha pagado para os dois caras enfiarem um pouco de juízo na cabeça dele.

A perspectiva de casamento funcionou como mágica. Tirando uma pequena briga com a agência de segurança do aeroporto por causa de uma almofada elétrica, tudo correu bem com a transferência médica de minha mãe. A seguradora pagou para viajarmos em classe executiva e nossa enfermeira registrada fingiu não perceber e deixou minha mãe tomar uns golinhos de champanhe para comemorar. Depois de mais uma semana de recuperação no hospital Riverbend, minha mãe finalmente pôde voltar para casa.

Parecia que uma persiana tinha sido aberta e a sala tinha se enchido de luz. Minha mãe tinha algo por que lutar, e fazíamos uso de seu desejo como moeda de barganha para levá-la a se mexer e comer. De repente, ela estava com os óculos de leitura em cima do nariz, examinando o celular em busca de um anel de noivado que tinha visto no Costco. Ergueu a tela para eu olhar. Uma aliança prateada simples com diamantes pequenos. "Mande o Peter comprar este", ela disse.

Enviei o link para Peter. Por telefone, fizemos planos de viagem para encaixar com a agenda de trabalho dele. Ele viajaria um fim de semana para pedir minha mão e visitar o espaço de aluguel de equipamentos que a organizadora do casamento tinha sugerido. Duas semanas depois, retornaria com a família para a cerimônia.

"A gente pode até se divorciar se as coisas azedarem", eu disse a ele ao telefone. "A gente pode ser, tipo, jovens divorciados descolados."

"Não, não vamos nos divorciar", Peter disse.

"Eu sei, mas, se nos divorciássemos, você não acha que 'meu primeiro marido' faria com que eu parecesse cheia de maturidade e de mística?"

Quando chegou a hora, o busquei no aeroporto de Portland. Já fazia quase um mês que não nos víamos e, apesar de praticamente tê-lo forçado a me pedir em casamento e até escolhido o anel, eu sentia uma agitação diferente ao estar perto dele. Chegamos à cidade e estacionamos o carro. Na caminhada até o restaurante, em uma rua qualquer do Pearl District, se ajoelhou.

No dia seguinte, fomos de carro até o fornecedor de artigos para casamentos e fizemos fotos das várias cadeiras e toalhas disponíveis para mandar para minha mãe. Achamos que o jeito mais fácil e mais barato seria fazer um casamento pequeno no quintal de meus pais. Tínhamos espaço para cem pessoas e, se a minha mãe não se sentisse bem, poderia se retirar para o quarto sem dificuldade.

De volta à Costa Leste, Peter fez os convites e mandou por remessa expressa. Elaborou cartõezinhos para colocar nas mesas com o nome de cada convidado e imaginou lemas heráldicos para adicionar seu próprio toque especial. "Kunst, Macht, Kunst", "Arte, Poder, Arte", dizia um deles, embaixo de um emblema que ele tinha feito com as nossas iniciais que se assemelhava a um escudo de armas. "Cervus Non Servus", "O Cervo não é Escravizado", dizia outro.

Encomendei o bolo em um mercado, depois de levar amostras para minha mãe experimentar. Pedi aos meus amigos da And And And para tocar como a banda da casa e arrumei uma pessoa para servir no bar, um fotógrafo e um juiz de paz. Minha mãe e eu nos deitamos na cama para conversar sobre a lista de convidados e organizar quem se sentaria onde. Pensei em como ela teria feito tudo muito melhor do que a cerimonialista contratada se estivesse com a cabeça no lugar, se tivéssemos tido tempo, se ela não estivesse apertando os olhos para enxergar em meio às oclusões da oxicodona e do fentanil.

Havia outras questões a serem tratadas que não eram tão agradáveis. Meu pai marcou uma reunião com uma clínica de cuidados paliativos. Suicídio assistido era uma opção legal no Oregon, mas o médico insistiu que era função dele garantir que ela não sentisse dor.

Assim que Peter foi embora, Kye voltou da Geórgia e chamou um grupo de coreanas da igreja para se reunirem no quarto de minha mãe e fazer com que ela se convertesse apropriadamente ao cristianismo. Espiei acanhada pela porta do quarto. Estavam entoando hinos religiosos coreanos e abanando suas Bíblias enquanto minha mãe participava vagamente, às vezes acordada, às vezes dormindo.

Sabia que minha mãe era grata à generosidade de Kye e se rendia ao estratagema para fazê-la feliz, mas eu sempre tinha tido orgulho da resistência dela à conformidade espiritual e fiquei mal de ver que ela tinha se rendido. Minha mãe nunca tinha praticado nenhuma religião, nem quando isso a afastou da comunidade coreana já pequena em uma cidadezinha do interior, nem quando a irmã dela lhe fez esse pedido em seu leito de morte. Adorava o fato de ela não ter medo de deus. Adorava o fato de ela acreditar em reencarnação, a ideia de que, depois disso tudo, ela poderia recomeçar. Quando perguntava como queria voltar, ela sempre dizia que gostaria de reencarnar como árvore. Era uma resposta estranha e reconfortante: em vez de algo grandioso e heroico, a minha mãe preferia voltar como uma forma de vida simples e imóvel.

"Você aceitou Jesus no coração?", perguntei.

"É, acho que sim", ela respondeu.

Atravessei o quarto e fui até a beira de sua cama, mas, antes de me deitar a seu lado, ela me pediu que pegasse a caixa de joias. Era um bauzinho de cerejeira com duas gavetas que abriam na parte de baixo e um compartimento com espelho que abria em cima. Dentro, era forrada de veludo azul, cada gavetinha dividida em nove compartimentos. Nenhuma das joias era especialmente antiga. Minha mãe não tinha herdado nada. Todas as peças tinham sido compradas durante sua vida, na maior parte presentes que tinha dado a si mesma e que eram preciosas para ela simplesmente porque ela tinha sido capaz de comprar sozinha.

"Vou dar uma parte de minhas joias esta semana", ela disse. "Mas quero que você escolha primeiro."

Isso, mais do que qualquer outra coisa, parecia ser uma expressão da espiritualidade de minha mãe. Para ela, nada era mais sagrado do que os acessórios de uma mulher. Passei os dedos pelos colares e brincos, egoísta, querendo ficar com tudo, apesar de saber que nunca usaria a maioria delas.

Não sabia nada sobre joias. Não sabia o que fazia uma peça ser mais valiosa do que outra, como distinguir prata de aço ou diamante de vidro, se uma pérola era verdadeira ou falsa. As peças que tinham mais significado para mim não tinham muito valor. Eram as que traziam à tona lembranças específicas, mais parecidas com peças de Banco Imobiliário do que com pedras preciosas. Um pendente pequeno, um boneco estilizado com minha pedra natal encravada na barriga, os braços e as pernas de correntes de ouro falso que se dependuravam nas laterais. Uma pulseira barata de contas que ela comprou de um vendedor de rua na praia durante umas férias no México. O broche em formato de terrier escocês que estava preso à lapela dela enquanto esperávamos no sofá até meu pai terminar de se arrumar no banheiro e nos levar de carro para a casa do tio Ron para o dia de Ação de Graças. Um anel cafona de borboleta do qual tirei sarro em um jantar de fim de ano. O mais importante, o colar de Eunmi que fazia par com o meu.

Em todos os dias que antecederam o casamento, minha mãe e eu dávamos a volta em torno de casa caminhando. Ela tinha estabelecido o objetivo de dançar uma música lenta com o genro e estávamos trabalhando para fortalecê-la. Era fim de setembro, e as agulhas dos pinheiros estavam começando a amarelar e cair; as manhãs estavam ficando mais frias. De braços dados, começávamos da porta de correr na sala e descíamos os três degraus de madeira do deque, atravessávamos o gramado devagar, passando bem pertinho da casca de pinus além das azaleias que minha mãe tinha plantado anos antes. Julia vinha atrás, bem pertinho, ávida pelo afeto de minha mãe, coisa que tínhamos veementemente desestimulado, por medo dos germes. De vez em quando, parava para arrancar uma erva-daninha antes de percorrer a entrada de concreto e nos retirávamos, vitoriosas, para dentro.

LA KIM chegou uma semana antes do casamento, com o cabelo bem cortado, as unhas todas enfeitadas com vários cristaizinhos. Ela e a minha mãe colocaram o assunto em dia no quarto dela enquanto Kye se avultava sobre elas feito uma freira cheia de desaprovação. LA KIM era calorosa e animada na mesma medida em que Kye era fria e distante. Sempre tinha gostado dela e estava ávida para ter alguém ao meu lado, uma coreana que pudesse fazer frente a Kye e oferecer uma perspectiva diferente. Além disso, minha mãe sempre tinha elogiado os dotes culinários dela.

LA KIM acordou cedo na manhã seguinte para preparar *nurungji* para minha mãe, do mesmo jeito que Kye fazia. Apertou o arroz no fundo da panela, deixou dourar, então adicionou água quente para criar um mingau leve. Adicionou um pedaço pequeno de frango cozido, um pouco de proteína extra para a refeição de minha mãe.

"Ah, o gosto está forte demais", minha mãe disse.

"Por que fez isso?", Kye explodiu. Ela revirou os olhos e levou a tigela.

Chutada para fora da cozinha, LA KIM concentrou a energia em outros afazeres. Deu uma geral em todos os armários da cozinha e encheu sacos de lixo com latas com a data de validade vencida que minha mãe tinha acumulado nas despensas e se ofereceu para preparar o *galbi*, meu prato de comemoração coreano preferido, para o casamento.

Uma vez, quando estava na faculdade, minha mãe me explicou a receita pelo telefone. Ela foi passando os ingredientes fora de ordem, listando a marca de *mulyeot*, ou xarope de malte de cevada doce, e descrevendo a lata de óleo de gergelim que ela tinha em casa enquanto eu disparava pelo H Mart, me esforçando para acompanhar. Quando cheguei em casa, liguei novamente para ela me explicar o preparo, frustrada pelo fato de as instruções dela serem tão confusas, até para explicar como fazer arroz.

"Como assim, colocar a mão em cima do arroz e adicionar água até cobrir?"

"Coloca água até a água cobrir sua mão!"

"Cobrir minha mão? Cobrir minha mão até onde?"

"Até cobrir o alto da sua mão!"

Segurei o telefone com o ombro, com a mão esquerda submersa na água, aberta sobre o arroz branco.

"Quantas xícaras dá isso?"

"Querida, não sei, a mamãe não usa xícara!"

Observei LA KIM com atenção enquanto preparava a receita dela. Em vez de picar os ingredientes, ela bateu pera asiática com alho e cebola no liquidificador, formando um molho espesso para marinar a costeleta. A receita dela dependia da fruta como adoçante natural, ao passo que minha mãe sempre tinha usado *mulyeot* e uma lata de 7Up. Levei o molho para minha mãe experimentar. Ela enfiou o indicador no líquido e lambeu. "Acho que precisa de mais óleo de gergelim", ela disse.

Peter e os pais, Fran e Joe, e o irmão mais novo dele, Steven, chegaram dois dias antes do casamento. Estava preocupada que eles pudessem estar aborrecidos comigo por ter pressionado o filho deles a um casamento apressado, mas, assim que entraram pela porta, minha preocupação se dissipou.

Fran era o exemplo mais perfeito de mãe-mamãe, do tipo que pegava Peter no colo quando ele se machucava e que lhe dizia "Que coisa linda!" quando ele lhe dava uma porcaria qualquer de Natal. Montou uma creche em casa quando os filhos eram pequenos e se fantasiava de palhaço Frumpet nas festas de aniversário. Ela fazia granola em casa, além de um doce chamado *muddy buddies* e caldo de galinha do zero e dava às visitas levarem para casa o que tinha sobrado da refeição em potes de ricota reaproveitados. Exalava um carinho de mãe que fazia a gente se sentir como se não estivesse incomodando de jeito nenhum.

"Como você está, querida?", ela disse e me envolveu em um abraço apertado. Quase deu para sentir no abraço que as minhas preocupações tinham sido as preocupações dela, que a minha dor tinha sido a dela.

"É um prazer conhecer você, Pran", minha mãe disse, transformando o F em P com seu sotaque.

"É tão bom finalmente conhecer você! Que casa linda!", Fran disse. Abraçaram-se, e foi como se Peter e eu estivéssemos assistindo aos nossos mundos se fundirem. Iríamos mesmo nos casar.

As flores chegaram no dia seguinte; para minha mãe, eram a peça essencial. Havia rosas champanhe e hortênsias brancas para decorar as mesas, botões de lírio cor de creme e amarelo-esverdeado para espalhar pela estrutura de madeira cobrindo o caminho até o altar. Em um antigo caixote de leite, havia flores de lapela para os homens, rosas envolvidas em folhas que pareciam de sálvia e buquês amarrados com uma fita cinza-claro para mim e as madrinhas.

À noite, um caminhão estacionou à entrada e um grupo de homens montou uma extensa tenda branca no pátio dos fundos, que encheram com as mesas e as cadeiras que tínhamos escolhido. Observei meus pais caminhando ao lado dela, depois parados juntos por alguns momentos, olhando para além da encosta íngreme. O sol estava baixando e o céu era de um tom laranja rosado.

Estavam observando o terreno deles, refletindo sobre os vários verões que tinham passado trabalhando ali, da vida toda de economias para chegar aos anos em que deveriam poder se recostar e começar a aproveitar tudo aquilo juntos de verdade. Lembrei de quando os observei do banco de trás quando eu era pequena, em uma viagem a Portland, as mãos dadas por cima do console do meio, só conversando sobre nada durante duas horas. Eu tinha imaginado que era assim que um casamento devia ser.

Meu pai não fazia segredo do fato de que raramente tinham momentos íntimos. Apesar de saber disso, sempre acreditei que ele amava minha mãe de verdade. E que a vida simplesmente era assim de vez em quando.

Quando o meu pai voltou para dentro, parecia um menininho, todo agitado.

"Sobre o que vocês estavam conversando?", perguntei.

"Sua mãe acabou de pegar no meu pênis", ele disse com uma risada. "Acabou de dizer que ainda estou com tudo."

Na manhã do casamento, eu estava inquieta. Ao meio-dia, minhas amigas chegaram e ajudaram a me preparar no andar de cima. Taylor fez uma trança em meu cabelo, ajeitou-a em uma coroa e prendeu meio frouxa. Carly passou pó no meu rosto. Corey e Nicole, minhas melhores amigas e madrinhas, me ajudaram a entrar no vestido.

"Não dá para acreditar que você vai realmente se casar", Corey disse, olhando para mim com os olhos marejados, como se outro dia mesmo tivéssemos doze anos, pensando em nomes para dar às nossas bolas de tênis.

No andar de baixo, Kye e LA KIM ajudavam minha mãe a se aprontar no banheiro de meus pais. Parecia errado estarmos separadas, e me peguei insegura sem a supervisão de minha mãe. Quando eu estava pronta, desci, ansiosa pela aprovação dela.

Ela estava sentada no sofá de vime no pé de sua cama, usando o *hanbok* chamativo que Nami tinha mandado na semana anterior. O *jeogori* dela era feito de seda vermelha forte, a gola debruada de azul-escuro e dourado, com um *goreum* azul brilhante, que Kye tinha amarrado da maneira apropriada. O punho das mangas era branco e bordado com uma flor vermelha; a saia longa era de um amarelo cor de mel. Usava uma peruca de cabelo comprido e castanho com franja e um rabo de cavalo baixo simples. Mal parecia doente, e foi bom, apenas por um momento, fingir que ela não estava. Fingir que não havia nada de errado, que era só um dia lindo para um casamento lindo.

"O que você acha?", perguntei, nervosa, parada na frente dela.

Ficou em silêncio por um momento, absorvendo meu visual.

"Linda", ela disse, radiante, no fim, com lágrimas enchendo seus olhos. Ajoelhei-me ao lado dela e coloquei os braços sobre a saia.

"Mas e o meu cabelo?", perguntei, preocupada por não ter dito nada.

"Está muito bonito."

"E a minha maquiagem? Não acha que está demais? Minhas sobrancelhas... não estão desenhadas pesado demais?"

"Não, não acho que esteja demais. Melhor para as fotos."

Não havia ninguém no mundo que fosse tão crítica ou que pudesse fazer com que eu me sentisse mais horrorosa do que a minha mãe, mas não existia ninguém, nem mesmo Peter, que pudesse fazer com que eu me sentisse mais linda. No fundo, eu sempre acreditei nela. Que ninguém iria me dizer a verdade se meu cabelo parecesse desleixado ou se minha maquiagem estivesse pesada demais. Fiquei esperando que ela consertasse aquilo que eu não era capaz de enxergar, mas ela não apresentou nenhuma crítica. Apenas sorriu, entre a consciência e a ausência dela, talvez medicada demais no momento para perceber a diferença. Ou talvez, no fundo, ela soubesse o que era melhor, que pequenas críticas já não valiam mais a pena.

No total, éramos cem pessoas. Uma mesa estava repleta com os colegas de trabalho de meu pai. Outra era para as amigas coreanas de minha mãe. Em outra só os nossos amigos da Filadélfia. Mais perto de nosso altar improvisado, nossas mães e nossos pais estavam sentados com Kye e LA KIM e a irmã de meu pai, Gayle, e o marido dela, Dick, que tinham vindo da Flórida. Do outro lado estavam as madrinhas da noiva, Corey e Nicole, e o namorado de cada uma delas, além do irmão de Peter e o melhor amigo dele, Sean. Heidi, a única amiga de minha mãe dos anos solitários na Alemanha, veio do Arizona. Duas moças coreanas de quem ela tinha ficado próxima nos últimos anos na aula de arte vieram com a família, ansiosas para estar com a amiga que não viam havia meses. Minha mãe tinha sido reservada em relação a sua doença, e assim o casamento também fez as vezes de celebração da vida dela sem a pressão adicional de dizer isso de forma literal. Funcionou exatamente como planejado, com todas aquelas pessoas de várias fases da vida dela juntas em um lugar só.

Peter entrou primeiro com a mãe e eu vim atrás, de braços dados com meu pai. Eu usava sapatos de salto brancos simples, que afundavam na grama e tornavam difícil caminhar com graça, já que submergiam a cada passo.

Peter tinha preparado algo que parecia ser dez páginas de juras. "Prometo amar você com plenitude, e é isso que eu quero dizer", ele começou. Segurava o microfone do mesmo jeito da noite em que a gente se conheceu, elegante, com três dedos. Era difícil decifrar o que ele lia em voz alta. Pelo que pude apreender, era uma lista de dez compromissos, mas havia tantas palavras que eu nunca tinha ouvido que não pude deixar de soltar uma gargalhada quando, antes do fim, ele entoou: "Existe alguma espetacularidade procelosa que não sobeje em você?". Os convidados aproveitaram a ocasião para soltar algumas risadas também. Quando ele terminou, eu li as juras que tinha escrito.

"Nunca achei que fosse me casar", eu disse. "Mas, por ter testemunhado nos últimos seis meses o que representa manter a promessa de estar presente para alguém na saúde e na doença, eu me vejo aqui, entendendo."

Falei sobre como o amor era uma ação, um instinto, uma reação suscitada por momentos não planejados e pequenos gestos, uma inconveniência a favor de outra pessoa. Como eu senti com mais intensidade quando ele pegou o carro e foi até Nova York depois do trabalho às três da manhã só para me abraçar em um galpão no Brooklyn depois de descobrir que minha mãe estava doente. As várias vezes naqueles meses que ele tinha voado quase cinco mil quilômetros sempre que eu precisava dele. Como me ouvia pacientemente durante as cinco ligações diárias que eu fazia desde junho. E, apesar de eu desejar que nosso casamento pudesse começar em circunstâncias mais ideais, tinham sido exatamente essas provações que haviam garantido que ele era tudo de que eu precisava para enfrentar o futuro que viria pela frente. Não sobrou um olho seco naquela tenda.

Comemos *galbi ssam*, carne curada, queijo macio, pão crocante, camarão gordo, *kimchi* azedo e ovos recheados cremosos. Bebemos margaritas e negronis, champanhe e vinho tinto e cerveja em garrafa, tomamos doses de gim Crater Lake, de cuja proveniência local meu pai se orgulhava mais a cada copo que virava. Peter e eu fizemos nossa primeira dança ao som de "Rainy Days and Mondays", dos Carpenters, uma música que tínhamos ouvido sem parar em uma viagem de carro a Nashville. Meu pai estava tão nervoso em relação à nossa dança que só me apanhou quinze segundos depois que a música começou. Peter pegou a cintura de minha mãe e a segurou enquanto balançavam devagar para a frente e para trás. Estava lindo com o terno novo, dançando com ela. Quase pareciam um casal. Percebi que Peter seria o último homem que ela iria aprovar.

Depois da dança, minha mãe subiu para o quarto. Vi que estava chorando quando se afastou com Kye e meu pai. Não tinha certeza se era de tanta felicidade ou porque ela estivesse aborrecida, frustrada por não poder aproveitar a noite até o fim. Virei mais uma taça de champanhe. Estava tão aliviada pelo fato de o casamento ter acontecido. Aliviada por ela não ter tido uma recaída, aliviada por não ter sido necessário cancelar tudo. Permiti-me deixar a preocupação de lado. Tirei os sapatos e saí andando descalça pela grama, com dez centímetros da barra de meu vestido empapados de lama. Julia comeu pedaços de bolo em minha mão, e cantei karaokê com meus amigos e me pendurei nas barras da tenda, aproveitando ao máximo o luxo de ninguém poder me expulsar de meu próprio casamento. Uma limusine devia nos levar a um hotel para passar a noite, mas atolou quando tentou fazer a volta na entrada de cascalho de casa. Então, em dez pessoas, nos apertamos com o trompetista da And And And e fomos na van da banda para a cidade. Quinze minutos depois de nossa chegada, hóspedes do hotel chamaram a polícia e fomos forçados a mudar de local; invadimos os bares do centro, onde metade de nós foi barrada na entrada enquanto a outra metade engolia salsichas empanadas no salão, derramando mostarda nos vestidos e nos ternos. Quando o bar fechou, Peter e eu voltamos para nossa cama no hotel, bêbados demais para nos tocarmos, e caímos no sono lado a lado, como marido e mulher.

Law & Order

Os dias que se seguiram foram tranquilos. Antes, parecia que ou o casamento fosse curar a doença de minha mãe por milagre ou então que ela fosse simplesmente desaparecer por completo no ar, como um balão. Mas, depois da comemoração, lá estávamos todos nós mais uma vez: a mesma doença, os mesmos sintomas, os mesmos remédios, a mesma casa silenciosa.

Meu pai começou a planejar uma viagem para fazermos uma degustação de vinhos em Napa, um pretexto mal disfarçado para não deixar a peteca cair. Se sempre tivéssemos algo por que ansiar, poderíamos enganar a doença. Agora não, câncer, tem um casamento! E depois uma degustação em Napa! Depois um aniversário e mais um outro. Volte quando não estivermos tão ocupados.

Tais subterfúgios começaram a parecer irrealistas. Eu passava a maior parte do tempo deitada ao lado de minha mãe, só assistindo à televisão, de mãos dadas. Não havia mais caminhadas ao redor da casa. Ela tinha cada vez menos energia e não conseguia mais fazer muita coisa. Dormia com mais frequência, começou a falar menos. O serviço de cuidados paliativos disponibilizou uma cama de hospital que foi colocada no quarto de meus pais, mas nunca a transferimos para lá. É que parecia triste demais.

Uma semana depois do casamento, Kye finalmente fez uma pausa e pegou emprestado o carro de minha mãe para ir ao Highlands fazer apostas em jogos. Meu pai estava no computador na cozinha. Na cama, minha mãe e eu assistíamos a *Inside the Actors Studio*. A entrevistada era Mariska Hargitay, de *Law & Order*. James Lipton perguntou a ela sobre a morte prematura de sua mãe. Vimos essa mulher adulta, linda e estoica imediatamente se desmanchar em lágrimas. Quase quarenta anos depois do acontecido, a simples menção da mãe ainda provocava essa reação nela. Eu me imaginei dali a muitos anos, confrontada com as mesmas emoções. Pelo resto de minha vida, haveria uma farpa no meu ser. Doendo desde o momento da morte de minha mãe até que fosse enterrada comigo. Lágrimas escorriam pelo meu rosto e, quando olhei pra ela, a minha mãe também estava chorando. Nos abraçamos e soluçamos intensamente na camiseta uma da outra. Nunca tínhamos assistido a *Law & Order* nem sabíamos quem era aquela atriz, mas era como se estivéssemos assistindo a meu futuro, a dor que eu guardaria comigo a vida toda.

"Quando você era criança, vivia agarrada em mim. Em todo lugar aonde a gente ia", minha mãe sussurrou, fazendo força para colocar as palavras para fora. "E agora que você é mais velha, aqui está... ainda agarrada a mim."

Então choramos o que pudemos, agarradas uma à outra com amabilidade, como tínhamos feito durante vinte e cinco anos, com nossas lágrimas ensopando a camiseta uma da outra. Por cima dos aplausos na televisão, escutei um carro passando sobre o cascalho da entrada de casa, seguido pelo ronco barulhento da porta da garagem, Kye entrando em casa, as chaves do carro jogadas no balcão da cozinha.

Minha mãe e eu nos soltamos e estávamos enxugando as lágrimas quando Kye entrou no quarto, jubilosa. Meu pai vinha atrás dela e se deteve ao batente da porta.

"Ganhei uma TV!", ela disse e se acomodou ao lado de minha mãe na cama. Ela tinha bebido.

"Kye, talvez você devesse ir para a cama", meu pai disse. "Deve estar cansada."

Ignorou, pegou as mãos de minha mãe e se inclinou em direção ao travesseiro dela. Só via o topo da cabeça delas, os cabelos grisalhos de Kye já com um dedo de comprimento, enquanto a cabeça careca de minha mãe estava de costas para mim, obstruía a visão do rosto das duas. Minha mãe sussurrou algo para Kye em coreano.

"O que ela disse?", meu pai perguntou.

Kye continuou sobre minha mãe. Sentei-me ereta para poder vê-las. A expressão de Kye estava estática naquele mesmo sorriso austero, inacabado. Ela estava sorrindo para minha mãe, que correspondia.

"O que ela disse?", meu pai perguntou mais uma vez.

Kye fechou os olhos e se contorceu de irritação.

"Vocês dois são tão egoístas!", ela explodiu e saiu do quarto de supetão. Meu pai foi atrás dela até a cozinha. Fiquei ao lado de minha mãe, que continuava sorrindo, os olhos fechados em uma atmosfera pacífica.

"Não faça isso", ele disse. "Ela vai morrer a qualquer momento, e você sabe disso."

Ouvi os dois subindo a escada com passos pesados até o quarto de Kye, ela determinada a ir embora, meu pai tentando convencê-la a ficar. Escutei em silêncio os rangidos no andar de cima enquanto eles percorriam o corredor, os passos pesados de meu pai de um lado para o outro, incapaz de conseguir fazer com que tudo corresse do jeito que ele queria. A voz dele grave e rouca, abafada através do teto, a dela frágil e firme, depois meu pai descendo a escada novamente, de dois em dois degraus.

Meu pai voltou para o quarto sem fôlego, com o rosto frio de pânico, como se tivesse acabado de cometer um erro terrível. Pediu-me para subir e falar com ela. Relutei, mas fui, com o coração disparado. A última coisa que eu queria era implorar para que ficasse. Queria que ela fosse embora.

Quando cheguei ao quarto de hóspedes, a mala dela estava aberta sobre a cama e ela arrumava seus pertences com rapidez e determinação.

"Kye, por que está fazendo isso?"

"Está na hora de ir embora", ela disse. Não parecia furiosa, mas inflexível e intratável. Fechou o zíper da mala, pegou-a e levou para baixo.

"Por favor, não vá embora desse jeito", eu disse, caminhando atrás dela. "Pelo menos não vá embora com raiva. Deixe para amanhã. Meu pai leva você ao aeroporto."

"Sinto muito, querida, mas preciso ir embora agora."

Sentou-se do lado de fora, no terraço, com a mala dela, pelo visto aguardando um táxi. Estava começando a esfriar, e eu escutava os sinos de vento pendurados ao lado do caramanchão sob o qual eu tinha passado durante a cerimônia de casamento, e naquele momento me perguntei o que Kye sabia sobre minha mãe que eu não sabia. E para onde o motorista iria levá-la. Já passava da meia-noite, e ela só poderia pegar um avião para a Geórgia na manhã seguinte.

Voltei para o quarto de meus pais, e o meu pai saiu mais uma vez para continuar tentando.

"Mãe, a Kye vai embora", eu disse, voltando para a cama, ao lado dela. Estava com medo de que ela não soubesse o que estava acontecendo, que estivesse aborrecida por deixar Kye brava, que ela fosse me pedir para sair correndo atrás de Kye e convencê-la a ficar. Mas, em vez disso, ela só ergueu o olhar em minha direção com um enorme sorriso sonhador.

"Acho que ela se divertiu", ela disse.

Pegou pesado

Dois dias depois de Kye ir embora, minha mãe se ergueu de supetão, sentindo dor em um nível assombroso. Fazia dias que ela não se sentava, mas a coisa que se manifestava agora era totalmente diferente. Algo em sua barriga inchada devia ter crescido e mudado de lugar, empurrando os órgãos e induzindo a uma sensação tão excruciante que perfurou o teto espumoso dos narcóticos feito uma bala. Seu olhar era de pavor, distante, como se não pudesse nos enxergar. Segurou a barriga e gritou: "*AH PEO*! *AH PEO*!".

Dor.

Meu pai e eu, afoitos, ministramos hidrocodona líquida embaixo da língua dela. Minutos pareceram horas enquanto a abraçávamos, reconfortando-a, vez após outra, dizendo que aquilo iria passar. Finalmente, caiu em um sono profundo. A imprensamos entre nós, e fui tomada por uma tristeza insuperável. O médico tinha mentido para nós. Ele tinha dito que não sentiria dor; tinha dito que o trabalho dele era garantir que fosse assim. Ele olhou nos olhos dela e fez uma promessa, e ele quebrou a promessa, caralho. As últimas palavras de minha mãe foram *dor*.

Ficamos tão apavorados de que aquilo voltasse a acontecer que resolvemos deixá-la totalmente sedada. Em intervalos de mais ou menos uma hora, enfiávamos o conta-gotas entre os lábios dela e ministrávamos uma quantidade de opioides que parecia suficiente para derrubar um cavalo. Enfermeiros especializados em cuidados paliativos iam lá duas vezes por dia para conferir e entregar mais remédios, conforme necessário. Disseram que estávamos fazendo o certo e deixaram panfletos que listavam números a telefonar quando acontecesse e o que esperar depois. Não havia muito a fazer além de virá-la de vez em quando, apoiar o corpo dela sobre os travesseiros a cada hora para evitar escarras, dar batidinhas leves nos lábios dela com uma esponja umidificada para a pele não rachar. Era só o que nos restava oferecer.

Dias se passaram, e minha mãe nunca mais se mexeu. Sem controle sobre o corpo, ela fazia xixi na cama. Duas vezes por dia, meu pai e eu tínhamos de trocar o lençol e tirar a calça de pijama e a calcinha. Pensamos em transferi-la para a cama de hospital, mas simplesmente fomos incapazes de fazer isso.

Com minha mãe incapacitada, meu pai e eu de repente nos vimos compelidos a começar a limpar a casa. Abríamos gavetas que nunca tínhamos aberto e, frenéticos, as esvaziávamos, jogando tudo em sacos de lixo pretos. Parecia que estávamos tentando nos adiantar ao inevitável, como se soubéssemos que o processo ganharia peso e corpo depois que ela estivesse tecnicamente morta.

A casa estava em silêncio a não ser pela sua respiração, um ruído de sucção horrível, como as últimas gotas sugadas em uma cafeteira. Às vezes parava completamente, e ficávamos em silêncio durante quatro segundos inteiros, imaginando se tinha acabado. Então ela arfava mais uma vez. O panfleto deixado pelos enfermeiros informava que os intervalos aumentariam gradativamente, até que a respiração parasse por completo.

Estávamos esperando pela morte dela. Os últimos dias se arrastaram de modo excruciante. Durante todo aquele tempo, eu tinha temido uma morte repentina, mas agora me perguntava como era possível o coração de minha mãe ainda estar batendo. Fazia dias que ela não comia nem tomava água. Sentia-me dilacerada em pensar que simplesmente pudesse estar morrendo de fome.

Meu pai e eu passávamos a maior parte do tempo deitados em silêncio, com o corpo dela entre nós, observando seu peito se erguer na luta para respirar, contando os segundos entre cada fôlego.

"Às vezes eu penso em tapar o nariz dela", ele disse.

Entre soluços, baixou o rosto até o peito dela. Era algo que devia ter sido chocante de ouvir, mas não foi. Não o culpava. Fazia dias que não saíamos de casa, de tanto medo do que podíamos perder. Perguntava-me como é que ele conseguia dormir à noite.

"Sei que você preferia que fosse eu. Preferia que fosse eu também."

Coloquei a mão nas costas dele. "Não", eu disse baixinho, embora, na feiura íntima de meu coração, eu preferisse que fosse.

Devia ter sido ele. Nunca tínhamos nos planejado para essa circunstância em que ela morria antes dele. Minha mãe e eu até tínhamos discutido o assunto, se ela iria voltar para a Coreia ou se iria se casar outra vez, se iríamos morar juntas. Mas eu nunca tinha conversado com meu pai a respeito do que faríamos se ela morresse primeiro, porque isso parecia estar completamente fora de questão. Ele era o ex-viciado que tinha dividido seringas em New Hope no auge da crise da aids, que fumava um maço de cigarros por dia desde que tinha nove anos, que durante muito tempo praticamente mergulhou em pesticidas proibidos quando trabalhava com dedetização, que bebia duas garrafas de vinho toda noite, dirigia bêbado e tinha colesterol alto. Não minha mãe, que abria espacates e ainda tinha de mostrar o documento para comprar bebida.

Minha mãe saberia o que fazer, e, quando tudo chegasse ao fim, sairíamos enroscadas uma à outra, mais próximas do que nunca. Mas o meu pai estava nitidamente em pânico, sentindo um medo tão à flor da pele que eu gostaria que ele pudesse manter esse sentimento longe de mim. Estava desesperado para fugir dessa dor insuportável de qualquer jeito, e podia me deixar para trás.

Quando ele saiu para começar a tomar as providências para o enterro, preferi ficar em casa. Eu tinha esperança de ouvir suas últimas palavras, alguma outra coisa. O pessoal dos cuidados paliativos disse que podia acontecer. Que os moribundos podem nos escutar. Que havia uma possibilidade de ela retomar a consciência por um último momento, me olhar nos olhos e dizer algo conclusivo, uma palavra de despedida. Precisava estar presente caso acontecesse.

"*Umma*, você está aí?", sussurrei. "Está me escutando?"

Lágrimas começaram a escorrer pelo meu rosto e pingar no pijama dela.

"*Umma*, por favor, acorde", eu berrei, como se estivesse tentando acordá-la. "Eu não estou pronta. Por favor, *Umma*. Não estou pronta. *Umma*! *Umma*!"

Berrei com ela em sua própria língua, a minha língua-mãe. Minha primeira palavra. Na esperança de que ela ouvisse sua filhinha chamando, e como a mãe quintessencial que de repente se enche de força sobrenatural para erguer o carro e salvar o filho preso, ela voltaria por mim. Despertaria por apenas um momento. Abriria os olhos e iria se despedir de mim. Iria transmitir algo para me ajudar a seguir em frente, para que eu soubesse que tudo iria dar certo. Acima de tudo, queria, com enorme desespero, que as últimas palavras dela não fossem *dor*. Qualquer coisa, qualquer coisa mesmo, menos isso.

Umma! Umma!

As mesmas palavras que minha mãe repetiu quando a mãe dela morreu. Aquele soluço coreano, gutural e profundo e primal. O mesmo som que tinha ouvido em filmes e novelas coreanos, o som que minha mãe soltou ao chorar pela mãe e pela irmã. Uma vibração dolorosa que se despedaça em semínimas em staccato, descendente como se estivéssemos despencando de diversos pequenos patamares.

Mas seus olhos não se abriram. Não fez nenhum movimento. Só continuou a respirar, os fôlegos diminuindo a cada hora, o som das inspirações cada vez mais espaçado.

Peter chegou no fim daquela semana. Fui buscá-lo no aeroporto e fomos jantar em um pequeno restaurante japonês. Dividimos uma garrafa de saquê e caí no choro, incapaz de comer. Voltamos para casa às nove e ficamos parados à porta do quarto de meus pais, onde meu pai estava deitado ao lado dela.

"Mãe, o Peter está aqui", eu disse por algum motivo. "Vou dormir lá em cima. Eu te amo."

Caímos no sono em minha cama de infância. Ainda não tínhamos transado desde o casamento e, enquanto eu caía no sono, fiquei imaginando como aquilo um dia voltaria a acontecer. Eu não era mais capaz de imaginar alegria ou prazer nem de me deixar levar por um bom momento. Talvez porque parecesse errado, como se fosse uma traição. Se eu realmente a amava, eu não tinha direito de voltar a sentir essas coisas.

Acordei com a voz de meu pai me chamando ao pé da escada. "Michelle, aconteceu", ele disse, chorando. "Ela se foi."

Desci a escada e entrei no quarto, com o coração disparado. A aparência dela era a mesma dos últimos dias, deitada de costas e imóvel. Meu pai estava deitado do lado dele da cama, de costas viradas para a porta, de frente para ela. Dei a volta na cama e me deitei do outro lado dela. Era uma manhã bonita, e eu escutava passarinhos começando a cantar na mata, o dia prestes a começar.

"Vamos ficar aqui durante trinta minutos antes de chamarmos alguém", ele disse.

O corpo de minha mãe já estava frio e rígido e fiquei imaginando há quanto tempo ela já estava assim, quando meu pai percebeu. Será que ele tinha dormido? Será que ela tinha feito algum barulho? Ele estava chorando agora, com o rosto enterrado na camiseta macia cinzenta dela, sacudindo o colchão. Dava para sentir que Peter estava no corredor sem ter certeza do que fazer.

"Pode entrar", eu disse.

Peter se apertou ao meu lado à beira da cama; estávamos todos em silêncio. Fiquei mal por ele. Eu nunca tinha visto um cadáver, e fiquei me perguntando se aquela também era a primeira vez dele. Pensei em como era cíclico estar imprensada entre meu novo marido e minha mãe morta. Imaginei nossos quatro corpos em vista aérea. Do lado direito, dois recém-casados começando o primeiro capítulo, do esquerdo, um viúvo e um cadáver, fechando o livro de mais de trinta anos de casamento. De certa maneira, já parecia que esse era o meu ponto de vista. Como se eu estivesse observando tudo aquilo e não estivesse, absolutamente, presente. Fiquei imaginando quanto tempo seria apropriado ficar lá deitada, o que eu deveria descobrir nesse intervalo. Já fazia um tempo que o corpo dela na verdade não era mais dela, mas a ideia de removê-lo da casa era apavorante.

"Tudo bem", acabei dizendo, para ninguém em especial. Nos sentamos devagar e Peter saiu do quarto.

"Espera", meu pai disse para mim, e fiz uma pausa ao lado dele quando pegou a mão esquerda de minha mãe e removeu sua aliança lentamente. "Toma."

A mão dele tremia quando ele colocou o anel em meu dedo anular direito. Eu tinha esquecido isso completamente. Parecia tão errado tirar dela, apesar de obviamente ser ilógico pensar em enterrá-la com o anel. Estendi a mão e examinei a peça. A aliança era de prata, encrustada de diamantes. Um suporte solitário envolvia o diamante principal que se destacava. Ela mesma tinha escolhido, provavelmente uns quinze anos depois de eles se casarem, para substituir a aliança de ouro desbotada e seu minúsculo pontinho de diamante que ele tinha comprado para ela quando os dois tinham nossa idade.

Ainda estava me acostumando com a aliança na mão esquerda, não tanto o que ela significava, mas sua ocupação física, a sensação transmitida. Presa ao redor de meu dedo, era como se acostumar com um aparelho ou algum artigo sofisticado que eu ainda não tinha absorvido. Com o anel de minha mãe na mão direita, eu me sentia igual a uma menininha de cinco anos com o rosto cheio de maquiagem. Fiquei girando a peça de um lado para o outro, tentando fazer com que ficasse confortável; as facetas reluziam à luz do alvorecer, superdimensionadas e deslocadas em meu dedo sem discernimento. Parecia pesado. Um peso emblemático da perda, um puxão que eu notaria sempre que levantasse a mão.

Por não querer que ela fosse tirada de casa de pijama, o meu pai pediu que eu escolhesse a roupa com a qual ela seria cremada. Sozinha diante do armário dela, foi difícil para mim encarar os cabides, duas fileiras de cada lado de um pequeno closet, carregados com o peso de vários cardigans e coletes, calças de sarja e calças sociais, capas, casacos de inverno, anáguas e jaquetas militares de minha mãe. Escolhi uma saia preta simples com detalhes de renda até os joelhos, e *leggings* pretas para cobrir as pernas que tinham ficado tão finas e que, eu sabia, ela ia querer esconder, mas esconder de quem agora não era uma verdadeira questão. Uma boina cinza macia para cobrir a cabeça dela, uma blusa solta e um blazer preto justo.

Por causa do rigor mortis, foi extremamente difícil vesti-la. Os braços estavam tão duros que fiquei com medo de quebrá-los ao fazer passarem pelas mangas. O corpo dela era pesado e, quando o pousei, sua cabeça bateu no travesseiro e os olhos se abriram. Soltei um uivo tão cheio de angústia que nem Peter nem meu pai tiveram coragem de entrar. Prossegui com a função, empurrando os braços e as pernas mortas, sentindo meu corpo colapsar ao lado dela, desejando me contorcer e chorar e berrar no colchão. Assolada pela tristeza, precisei fazer uma pausa para deixar assentar. Não estava preparada. Ninguém tinha me preparado para isso. Por que eu tinha que sentir isso? Por que eu tinha que ficar com essa lembrança? Só iam colocar minha mãe em um saco, feito lixo, para ser levado embora. Só seria cremada.

Quando terminei, nós três ficamos esperando juntos à mesa da cozinha. Três homens chegaram, cobertos da cabeça aos pés com aventais de papel. Tentei não olhar quando a tiraram do quarto, mas tive um vislumbre quando a levaram na maca com rodinhas, fechada em um saco de cadáver. Um meio segundo que até hoje me assombra.

"Que tal vocês dois saírem um pouco?", meu pai disse.

Aonde a gente vai depois de presenciar a morte, eu fiquei imaginando. Peter deu a ré para tirar o carro de minha mãe da garagem e, por alguma razão, falei para ele ir a Detering Orchards, um sítio nos arredores da cidade, aonde meu pai costumava me levar todo mês de outubro quando eu era criança. Havia pomares, campos com vários tipos de frutas. Meu pai e eu passávamos o dia colhendo maçãs e, quando terminávamos, voltávamos ao mercado para pesar e escolher três abóboras da horta. Certa vez, quando eu tinha uns sete anos, meu pai atirou um tomate podre em mim, e todos os anos depois disso fazíamos uma batalha de tomate no fim do passeio.

Era dia 18 de outubro, e era para lá que eu queria ir. Olhando para trás, fico pensando se fui atraída àquele lugar porque minha mãe especialmente não estava vinculada a ele. Era um dos raros lugares que pertenciam a mim e a meu pai, onde, se as poucas árvores dessem frutos, colheríamos uma pera asiática para ela antes de voltar. Talvez eu quisesse ir até lá porque era um lugar onde eu podia fingir que minha mãe ainda estava viva, à minha espera em casa.

Estava cheio quando chegamos ao estacionamento. Repleto de famílias puxando os filhos em carrinhos vermelhos enquanto as crianças chupavam canudos de plástico cheios de mel local com sabor e bebiam cidra de maçã em copos descartáveis. O tempo estava bom e ensolarado; o frio do outono ainda por chegar. Não parecia um dia em que alguém tinha morrido.

Apertei os olhos quando a luz atingiu o meu rosto. Parecia que eu estava drogada. Nenhuma daquelas pessoas podia saber o que tinha acabado de acontecer, mas, mesmo assim, eu me perguntava se elas eram capazes de ver em meu rosto. Quando percebi que obviamente não podiam, aquilo de algum modo também pareceu errado. Parecia errado falar com qualquer pessoa, sorrir ou dar risada ou voltar a comer sabendo que ela estava morta.

Caminhamos em meio às pilhas de fardos de feno. Perto da entrada, havia painéis com rostos vazados para tirar foto, tudo com tema de Dia das Bruxas, além de alguns jogos de jardim. Mais para a frente havia um cercado com cabritos e uma maquininha que soltava ração por vinte e cinco centavos, e você podia alimentar os animais em sua mão. Inseri umas moedas e estendi a mão para recolher um montinho de bolinhas. Peter me acompanhou até a cerca e ficou parado atrás de mim, com as mãos em meus ombros. Dois cabritos se aproximaram apressados e eu estendi o braço sobre a cerca. Senti a boca deles mordiscando a ração, a língua úmida passando no anel em minha mão, as pupilas em forma de fenda, enormes, olhando em várias direções.

Adorável

Apesar de meu pai ter tomado a maioria das providências para o funeral, deixou que eu escolhesse o crematório, a lápide e o epitáfio. Minha mãe tinha deixado claro que ela queria ser cremada, mas, nunca mencionou nada a respeito do funeral, e é claro que nunca tivemos coragem de perguntar. Eu não acreditava em vida após a morte, mas não podia deixar de fazer o melhor para ela, com seu espírito bem vivo em suas broncas que eu imaginava em relação à roupa que eu tinha vestido nela, à lápide que eu tinha escolhido. Escolhi a que me pareceu de mais bom gosto, uma lápide de bronze com trepadeiras entalhadas nas bordas. Providenciamos a gravação de seu nome, a data de nascimento e de morte e ADORÁVEL MÃE, ESPOSA E MELHOR AMIGA.

Adorável era um adjetivo que minha mãe amava. Disse-me, uma vez, que se tivesse que me descrever em uma única palavra, escolheria adorável. Achava que a palavra abrangia uma beleza e um entusiasmo ideais. Achei que foi um epitáfio adequado. Ser uma mãe cheia de amor era ser conhecida pelo seu trabalho, mas ser uma mãe adorável era possuir um encanto todo especial.

Escolhi um cemitério entre nossa casa e a cidade, no meio da colina, cercado por um muro extenso e um portão de ferro. Meu pai confessou que tinha um certo receio de enterros, por acreditar que os insetos iriam extrair sua vingança cármica pelos anos que passou trabalhando com dedetização, mas era importante para mim que suas cinzas fossem de fato enterradas. Queria poder levar flores e ter algum lugar onde colocá-las. Queria um lugar em que eu pudesse cair na terra, desabar no chão, e chorar sobre a grama e a terra nas várias estações, não ficar parada em frente às prateleiras de exibição como se estivesse visitando um banco ou uma biblioteca.

Meu pai comprou dois túmulos, lado a lado. Ele se encontrou com um padre para planejar um funeral cristão, que não me dei ao trabalho de contestar, apesar de parecer um tanto hipócrita. Sabia que era o mais fácil e deixaria os outros contentes, e isso é o que ela ia querer no fim das contas.

Na escrivaninha de canto azul, em meu quarto de infância, onde fiz todos os meus trabalhos do ensino médio, onde apenas duas semanas antes eu tinha escrito meus votos matrimoniais, tive dificuldade de escrever a homenagem póstuma a ela, de encontrar as palavras para representá-la em uma única página.

Era difícil escrever sobre alguém que eu achava que conhecia tão bem. As palavras eram rebuscadas, infladas de pretensão. Eu queria descobrir algo especial a respeito dela que só eu pudesse revelar. Que ela era muito mais do que uma dona de casa, do que uma mãe. Que ela era um indivíduo único e espetacular. Talvez eu ainda estivesse diminuindo com hipocrisia os dois papéis de que ela tinha mais orgulho, incapaz de aceitar que o mesmo grau de realização pode estar à disposição tanto daqueles que desejam cuidar e amar quanto daqueles que buscam ganhar e criar. Sua arte era o amor que pulsava nas pessoas que ela amava, uma contribuição ao mundo capaz de ser tão monumental quanto uma música ou um livro. Não dava para um existir sem o outro. Talvez eu só estivesse apavorada por ser a coisa mais próxima que ela tinha deixado: um pedaço dela que ficou para trás.

No dia anterior ao enterro, o meu pai pegou Nami e Seong Young no aeroporto. Quando entraram em casa, Nami se movia como um passarinho irrequieto, seus gestos instáveis e caóticos. Ela soltou um gemido gutural e selvagem, um som que eu passara a conhecer muito bem.

Nunca a tinha visto assim. Nami Emo exibia sempre uma compostura extraordinária. O interior da nossa casa, tão profundamente a cara de minha mãe e tão assombrado por sua ausência, fez com que ela ficasse histérica. Tentei imaginar como ela devia estar se sentindo, sendo a mais velha e tendo visto as duas irmãs mais novas morrerem da mesma doença em um intervalo de poucos anos. Parecia que o mundo tinha se dividido em dois tipos diferentes de pessoas, as que haviam sentido dor e as que ainda iriam sentir. Minha tia estava em nosso time. Ela conhecia esse tipo de dor bem demais.

Seong Young deu apoio à mãe como se fosse um alicerce. Ele agia com estoicismo, apesar de ter passado um ano nesta casa quando veio aos Estados Unidos para estudar inglês. Ele tinha o próprio luto para confrontar, mas por ora engoliu. Quando uma pessoa desaba, a outra segura o tranco por instinto.

Coloquei para o enterro um vestido preto que minha mãe tinha adquirido em uma das compras que ela fazia para "atualizar meu visual" e combinei com um blazer preto para cobrir as tatuagens que ela detestava. Usei o colar prateado que ela me deu depois que Eunmi morreu e levei o outro par lá para baixo.

"Isto... de Eunmi... minha mãe me..." Fiz o que pude para explicar em coreano.

Desesperada, olhei para Seong Young em busca de ajuda.

"Minha mãe comprou para mim depois que Eunmi morreu, para nós duas termos o mesmo colar. Mas agora que ela não está mais aqui, quero que Nami fique com o outro."

Seong Young traduziu e Nami pegou o colar e fechou os dedos sobre ele. Baixou os olhos estremecendo e colocou o colar sobre o coração.

"Ah, Michelle-ah", ela disse e colocou no pescoço. "Obrigada."

O funeral foi estranho, sobretudo porque fazia mais de dez anos que eu não ia à igreja e eu não tinha ideia de como a prática religiosa pode parecer bizarra para uma ateia. Uma senhora de idade vestida com um roupão sofisticado apareceu com uma vara gigante que terminava em uma cruz grande no alto, que ela meio que erguia e baixava ao redor do pastor enquanto ele conduzia a liturgia. Então veio a Grande Oração de Ação de Graças, que parecia mais um VHS de um especial do Charlie Brown do que uma leitura apropriada para uma cerimônia fúnebre.

Olhei para Nami, que estava com as mãos unidas. Ela chorava, balançando a cabeça com ar solene para acompanhar as palavras que ela não entendia, mas sempre participando de cada "amém". O cristianismo era a linguagem que ela entendia. A religião era um conforto e, naquele momento, me senti grata por aquilo estar à disposição dela.

Chamaram meu nome para ler a homenagem póstuma. Peter estava por perto para o caso de desmoronar. Minha voz tremia e eu estava nervosa, mas li tudo que tinha escrito. Quase fiquei assustada pelo fato de ter sido capaz de ler a coisa toda sem me desfazer em lágrimas. Não chorei muito durante o funeral.

Organizaram uma pequena recepção. Alguém tinha servido tigelinhas cheias de *pretzels* e granola, e senti um pouco de remorso por simplesmente não ter me envolvido mais no planejamento. Senti-me sem jeito, do mesmo modo que minha mãe tinha se sentido no funeral de Eunmi, sem saber bem como se comportar. A pressão para me portar bem e servir aos outros era como segurar um espirro.

Quando terminou, recolhi todos os buquês; não queria deixar nenhuma flor para trás. Senti um desejo egoísta e desesperado de que o túmulo dela ficasse tão abarrotado de botões e bulbos que daria para enxergar da rua. Queria anunciar o quão profundamente minha mãe tinha sido amada. Queria que todas as pessoas que passassem por ali se perguntassem se tinham um amor assim.

Levamos os restos mortais dela até o túmulo. A procissão era fechada, só dois carros cheios dos familiares que estavam hospedados conosco. O túmulo dela ficava embaixo de uma árvore no alto da encosta da colina do cemitério. Olhei para a lápide.

"Pai, está escrito 'amável'...", sussurrei.

"Isso é bobagem", ele disse.

Depois do enterro, convidei Corey e Nicole para jantar com minha família em um restaurante francês que meu pai disse ser caro demais. Pedi a coisa mais cara do cardápio. Um pequeno círculo perfeito de filé mignon malpassado, dourado com caldo de tutano, empoleirado sobre um laguinho de purê de alcachofra-de-Jerusalém. Cortei fatia após fatia da carne saborosa, devorando-a, com montinhos de purê amanteigado. Parecia que eu não comia havia anos.

Enquanto meu pai pagava a conta, fiquei lá sentada em silêncio, cheia de comida e vinho, e finalmente permiti que todas as minhas emoções tomassem conta de mim. Eu tinha segurado tanta coisa. Tinha me privado de comida, mas não só: de reconhecimento também. Tinha tentado ser estoica. Eu tinha tentado esconder minhas lágrimas de minha família, e agora elas finalmente se liberavam. Senti o restaurante inteiro olhando para mim enquanto eu soluçava e tremia, mas nem ligava. Foi tão bom colocar aquilo tudo para fora.

Nos levantamos para ir embora e, em direção ao carro, senti minhas pernas cederem. Deixei-me cair nos braços de minhas melhores amigas quando elas se apressaram para me amparar. Chorei durante todo o caminho até em casa, lágrimas enormes, gordas, cômicas, então chorei outras pequenas e quentes em meu quarto até cair no sono.

Acordei cedo pela manhã, sentindo como se meu rosto tivesse absorvido meia piscina. Meus olhos estavam bem inchados. Estava exausta, mas agitada. Pensei em Nami e Seong Young dormindo no quarto de hóspedes a duas portas da minha. Fiquei com inveja deles juntos, unidos, enquanto meu pai e eu tínhamos dificuldade de nos conectar. Queria fazer algo por eles, fazer com que se sentissem confortáveis, como minha mãe teria feito. Era a mulher da casa agora.

Quebrei a cabeça até definir algo para preparar para eles no café da manhã, e me decidi por *doenjang jjigae*, o conforto máximo em termos de comida coreana. Minha mãe costumava servir com nossas refeições coreanas, um ensopado encorpado e saboroso, cheio de legumes, verduras e tofu. Nunca tinha preparado esse prato sozinha, mas conhecia os componentes básicos e o sabor que devia ter. Ainda na cama, me virei para o lado e procurei no Google como preparar sopa de soja fermentada coreana.

O primeiro link me levou a um site de uma mulher chamada Maangchi. Tinha uma janelinha do YouTube no alto da página e uma receita abaixo. O vídeo era tremido e pixelado. Uma mulher coreana que aparentava ter mais ou menos a idade da minha mãe estava parada diante da pia de uma cozinha mal iluminada. Usava uma regata verde com uma aplicação de lantejoulas ao redor da gola e estava com o cabelo preso em um rabo de cavalo frouxo, amarrado com um lenço laranja e amarelo que revelava brincos longos nas orelhas. "Esta é a comida caseira do dia a dia dos coreanos. Nós comemos com outros acompanhamentos e arroz", falava para a câmera. O sotaque dela era reconfortante; suas palavras, tranquilizadoras. Meus instintos estavam corretos.

Examinei a lista de ingredientes. Uma batata média, uma xícara de abobrinha picada, cinco dentes de alho, uma pimenta verde, sete anchovas secas com a cabeça e sem intestinos, duas xícaras e meia de água, um ramo de cebolinha, tofu, cinco colheres de sopa de pasta de soja fermentada, quatro camarões grandes. Nada assustador demais.

Arrumei-me e fui até a lavanderia olhar dentro da geladeira de *kimchi* de minha mãe, um eletrodoméstico feito especialmente para manter alimentos fermentados na temperatura ideal. Supostamente, simulava as condições do solo no inverno coreano, onde as mulheres enterravam os potes de barro para guardar o *kimchi* até a primavera. Lá, já havia um pote grande com pasta de soja. Os outros ingredientes eu poderia comprar no Sunrise Market.

Calcei um par de sandálias de minha mãe, vesti uma jaqueta leve e peguei o carro para ir à cidade. O mercado estava abrindo bem quando cheguei. Comprei os ingredientes de que precisava, incluindo um bloco de tofu firme. Resolvi pular o peixe e, em vez disso, comprei costeletas temperadas ao lembrar que minha mãe usava carne na receita dela.

Voltei para casa e preparei o arroz na panela elétrica Cuckoo de minha mãe. Descasquei uma batata e piquei com a abobrinha e a cebola, esmaguei um pouco de alho e cortei a costeleta temperada em pequenos pedaços, então revirei os armários de minha mãe em busca da panela *ttukbaegi*.

Em fogo médio, coloquei a *ttukbaegi* direto no fogo, esquentei um pouco de óleo e juntei os ingredientes. Adicionei uma colher de pasta *doenjang* e *gochugaru*, então despejei água. Conferia o caldo em intervalos de minutos, adicionando mais pasta e óleo de gergelim até ficar com um gosto o mais próximo possível da lembrança do cozido de minha mãe. Quando fiquei satisfeita, adicionei cubinhos de tofu e deixei esquentar um minuto antes de finalizar com cebolinha picada. Em pratinhos de cerâmica, coloquei um pouco de *banchan* que encontrei na geladeira de *kimchi*: *kimchi baechu* fatiado, grãos de soja preta grelhados e brotos de soja crocantes marinados com óleo de gergelim, alho e cebolinha. Arrumei a mesa com colheres e hashis e abri pacotinhos de alga, incorporando os movimentos de minha mãe enquanto eu corria de um lado para o outro na cozinha, onde a tinha visto preparar tantos dos meus pratos preferidos.

Seong Young e Nami acordaram às dez, e preparei duas cumbuquinhas de arroz branco macio assim que desceram. Fiz os dois se sentarem à mesa e coloquei o *jjigae* em uma placa aquecida à frente deles.

"Você que fez?", Nami perguntou, descrente.

"Não sei se está bom", eu disse.

Sentei-me ao lado deles e observei enquanto serviam o caldo sobre o arroz, quebrando o tofu com a colher, soltando vapor pela boca. Por um momento, me senti útil, feliz por, depois de todos os anos que os dois tinham cuidado de mim, eu poder fazer algo pequeno por eles.

Naquela noite, meu pai levou Seong Young e Nami de volta ao aeroporto. Sozinha na cozinha, ouvi alguém bater à porta de entrada, mas, quando abri, não havia ninguém. Em cima do capacho, havia uma sacolinha de papel. Dentro dela, embalado com cuidado em papel de seda, havia um bule de cerâmica cor de jade, com duas garças voando pintadas. Reconheci a peça vagamente, um presente que alguém tinha dado para minha mãe e que ficava na prateleira mais alta da cristaleira, sem uso. Havia também uma carta, escrita em inglês e impressa em duas folhas de papel. Coloquei o bule de volta na sacola e levei para dentro, me sentei no balcão da cozinha e li.

À minha adorável amiga e aluna Chongmi.
Ainda escuto sua risada me envolvendo quando estou pintando no meu ateliê. Um dia, você entrou no meu ateliê para assistir sua primeira aula de arte trajando um vestido estiloso e óculos escuros chiques. Na ocasião, pensei comigo mesma: "Ah, essa senhora rica vai ficar na aula uns dois meses no máximo". Mas você me surpreendeu e nunca faltou a nenhuma aula durante um ano. Dava para ver que, além de se engajar com a pintura, você estava realmente gostando daquilo.

Você, duas senhoras e eu passávamos um período tão agradável quando tínhamos uma aula. Parecia mais um clube da meia-idade do que uma aula de arte. Nós tínhamos muitas coisas em comum porque estávamos todas na mesma faixa etária. Tomávamos café com uma fatia de pão doce que você sempre trazia para a aula. Dávamos risada com tantas histórias engraçadas que todas nós contávamos.

Isso se estendeu durante um ano, até você faltar à aula. Disse que era só um problema digestivo, nada sério. Eu disse: "Pegue leve, irmã".

Ainda não consigo acreditar que aquela seria a última vez que você colocaria um pincel na tinta. Eu orei por você, guardei seu bule coreano que você tinha começado a desenhar logo antes de ficar doente.

Eu tinha começado a acreditar em um milagre. Eu podia ter devolvido o bule logo depois que você parou de vir à aula, mas achei que, se eu ficasse com ele, você iria melhorar e ser a senhora feliz que sempre tinha sido.

Mas chegou a hora em que eu não podia mais ficar com ele. Eu sei que você não está mais sofrendo com a dor e que está em paz no céu. Está caminhando até o meu ateliê com uma risada alta e alegre na minha imaginação quando eu estou lá. Mas tenho que ver que você não está mais sentada, pintando no seu lugar preferido.

Chongmi, você é uma senhora linda, gentil e adorável, e eu amo tanto você.

Da sua amiga Yunie.
Novembro de 2014.

Por que ela não tinha esperado até eu abrir a porta? Era óbvio que a professora de arte de minha mãe sabia que ela tinha morrido, mas, mesmo assim, deixou a carta endereçada a ela. E, se era para minha mãe, fiquei pensando, por que ela não tinha escrito em coreano? Será que tinha traduzido especialmente para mim? Havia uma parte de mim que sentia, ou talvez esperasse, que, depois que minha mãe morresse, eu a absorveria de alguma maneira, que ela agora fazia parte de mim. Fiquei imaginando se a professora de arte dela também sentia a mesma coisa, que eu era o mais perto que ela podia chegar de ser escutada.

Remexi na sacola em que minha mãe guardava o material de arte, uma bolsa de lona com alça preta e estampa de pequeninas torres Eiffel. Folheei os blocos de rascunho dela. O menor continha os primeiros desenhos que ela fez. Na segunda página, havia um esboço de Julia. Aquele em que ela parecia uma salsicha tubular com um rosto. Lembrei de ela me mandar uma foto do desenho por mensagem de celular quando começaram as aulas, de como tinha ficado orgulhosa dela, apesar da semelhança rudimentar, por estar tentando fazer algo novo.

Observei seu progresso página a página. O livro menor estava cheio de desenhos a lápis de diversos objetos espalhados pela casa, artefatos do mundo dela. Uma pinha colhida no terreno da casa. Um tamanco de madeira decorativo em miniatura que Eunmi tinha mandado de lembrança do tempo em que passou na Holanda, trabalhando para a KLM. Um dos copos de haste curta com o motivo de margaridas texturizadas que ela usava para beber vinho branco. Bailarinas de porcelana, uma na quinta posição, uma na terceira, minha mutilação acidental deixada de fora. Um dos bules Mary Engelbreit que, mesmo sem cor, reconheci como o primeiro da coleção dela, a base amarela e a tampa roxa com estampa *paisley* evocando instantaneamente o design que conhecia tão bem. Nas últimas páginas, havia três ovos com sombras perfeitas. Lembrei de uma conversa que tivemos ao telefone a respeito deles, anos antes de esse pesadelo todo começar, quando a maior preocupação dela era dominar a curvatura.

No caderno maior, a arte foi ficando mais impressionante quando minha mãe começou a trabalhar com aquarelas. O uso que ela fazia das cores era vibrante e bonito. Ela sempre tinha sido bem-sucedida em deixar as coisas bonitas. Os temas retratados progrediram de objetos da casa a matérias mais tradicionais como flores e frutas. Começou a assinar e a datar suas obras, testando assinaturas diversas, como se cada uma delas fosse o próprio pseudônimo. Em uma série de três desenhos a carvão retratando pães e limões sicilianos, feitos em maio e junho de 2013, ela assinou apenas o primeiro nome, Chongmi. Em agosto de 2013, em uma pintura com três peras verdes abertas ao lado de um vaso de crisântemos cor de coral, ela abreviou para Chong. Em fevereiro de 2014, em um desenho a lápis de um cacho de bananas, ela assinou o nome em coreano, mas adicionou um z ao final. Em março de 2014, apenas dois meses antes de descobrir o câncer, em uma aquarela de um pimentão verde inteiro e outro cor de laranja cortado na metade, ela assinou Chong Z com caneta esferográfica azul.

Apesar de eu saber que minha mãe tinha feito aulas de arte no último ano, e de até ter visto fotografias de alguns esboços enviadas por mensagem de celular, eu nunca tinha visto o grosso do trabalho dela. As diversas assinaturas revelavam algo tão adoravelmente diletante. Agora que ela não estava mais aqui, comecei a estudá-la como se fosse uma desconhecida, desencavando os pertences dela na tentativa de redescobri-la, tentando trazê-la de volta à vida de qualquer maneira possível. No meu luto, eu estava desesperada para interpretar qualquer coisinha como se fosse um sinal.

Era reconfortante segurar o trabalho dela nas mãos, visualizar a minha mãe antes da dor e do sofrimento, relaxando com um pincel na mão, rodeada de amigas próximas. Perguntei-me se produzir arte tinha sido terapêutico para ela, se a tinha ajudado a navegar o pavor existencial que veio com a morte de Eunmi. Perguntei-me se o desabrochar tardio dos interesses criativos dela tinham lançado luz sobre meus próprios impulsos artísticos. Se minha criatividade tinha vindo dela, para começo de conversa. Se, em outra vida, se as circunstâncias tivessem sido diferentes, ela também poderia ter sido artista.

“Não é legal ver que agora a gente realmente goste de conversar uma com a outra?”, eu disse a ela em uma viagem que fiz para casa, nas férias da faculdade, depois que a maior parte dos danos causados nos meus anos de adolescência tinha se dissipado.

"É, sim", ela disse. "Sabe o que eu percebi? Que eu simplesmente nunca conheci ninguém igual a você."

Eu simplesmente nunca conheci ninguém igual a você, como se eu fosse uma desconhecida de outra cidade ou uma convidada excêntrica que tivesse acompanhado um amigo em comum a um jantar. Foi um pensamento estranho de ouvir da boca da mulher que tinha me parido e me criado, com quem eu tinha dividido a casa durante dezoito anos, alguém que era metade eu. Minha mãe tinha tido dificuldade de me entender na mesma medida em que eu tinha tido dificuldade de entendê-la. Tínhamos sido lançadas dos lados opostos de uma falha geológica — geracional, cultural, linguística — e vagávamos perdidas, sem ponto de referência, cada uma ininteligível para as expectativas da outra, até esses últimos anos, quando tínhamos apenas começado a desvendar o mistério, entalhar o espaço físico para acomodar uma à outra, apreciar as diferenças entre nós, nos demorar em nossos pontos comuns refratários. Então, aqueles que seriam os anos mais frutíferos de nossa compreensão foram interrompidos com brutalidade, e fiquei sozinha para decifrar os segredos de minha herança sem ter a chave.

“My Heart Will Go On”

Depois do enterro de minha mãe, parecia que a casa havia se transformado e se voltado contra nós. O lugar que antes era um reflexo reconfortante do estilo individual dela agora era um símbolo do nosso fracasso coletivo. Cada peça de mobília e objeto de decoração parecia zombar da gente. Tudo nos lembrava das histórias que emitiam enquanto ela estava viva: de pacientes com câncer que tinham sobrevivido apesar de todos os prognósticos. Como a vizinha de alguém tinha vencido sua própria sentença de morte por meio da meditação e do pensamento positivo. Como o câncer de fulano tinha se espalhado por diversos nódulos linfáticos, mas, com a mentalização de uma bexiga imaculada, um milagre ocorreu, e agora estava curado. Qualquer coisa parecia possível se você simplesmente tivesse uma atitude positiva. Talvez nós não tivéssemos nos esforçado o suficiente, não tivéssemos acreditado o bastante, não a tivéssemos forçado a comer alga azul esverdeada o suficiente. Talvez deus nos detestasse. Havia outras famílias que tinham lutado e vencido. Havíamos lutado e perdido — e, entre todas as emoções naturais e dolorosas que esperávamos sentir, aquilo também parecia estranhamente embaraçoso.

Coloquei as roupas dela em sacos para lixo, joguei fora cremes meio usados do canal QVC, doei o equipamento médico de cuidados paliativos e os shakes de proteína que tinham sobrado. Na cozinha, meu pai se sentou curvado à mesa com tampo de vidro, com um copo plástico cheio de vinho tinto, e começou a ligar para as empresas de cartão de crédito para cancelar os cartões dela, repetindo a cada representante de serviço ao consumidor que a mulher dele tinha acabado de morrer e não precisaríamos mais dos serviços.

Viajar para algum lugar distante pareceu uma boa ideia na época. Um respiro mental de uma casa que parecia estar nos sufocando. Então, um dia, durante o café da manhã, enquanto bebia seu café, meu pai pesquisou na internet alguns lugares em potencial onde poderíamos passar as férias. Talvez uma ilha, ele sugeriu, onde poderíamos relaxar e nos estirar em uma praia, mas a ideia de passar dias inteiros olhando para uma água linda sem fazer nada me apavorava. Parecia algo estagnado demais, tempo demais para ficar presa a pensamentos obscuros. A Europa o lembrava demais de férias que tinham passado juntos. No final, fechamos no Sudeste Asiático, uma região do mundo que sempre tinha nos atraído. A gente ainda não tinha visitado o Vietnã e era relativamente barato graças à forte moeda norte-americana. Imaginamos que, talvez, se nos ocupássemos absorvendo um lugar em que jamais havíamos estado, poderíamos conseguir esquecer, só por um momento, o quanto nossa vida tinha desmoronado.

Reservamos os voos duas semanas depois do enterro. Meu pai teve a prudência de reservar quartos separados para que pudéssemos ter nossa privacidade. Nos hospedamos em hotéis luxuosos com chuveiros tipo cachoeira e bufês de café da manhã grandiosos. Bandejas abarrotadas de frutas exóticas e queijos importados, omeletes feitos na hora e versões de iguarias vietnamitas feitas para turistas. Em Hanói, ficamos em silêncio durante um passeio de barco deslizando pela baía de Ha Long. Passamos pelas lindas ilhas de pedra calcária que despontavam na água, chorando cada um para o seu lado, sem uma palavra de conforto para dividir. Reservamos um trem noturno para o norte, para Sapa, em um serviço chamado Fanxipan, e fomos parar na estação errada, com meu pai correndo de um lado para o outro, perguntando aos locais, frenético: "Onde fica *fancy pants*?", enquanto eu comprava *bánh mì* para a gente em um carrinho próximo. Comemos os sanduíches na nossa cabine e arrematamos com cinco miligramas do Xanax de meu pai. Acabamos com uma sacola plástica cheia de garrafas de cerveja 333 até estarmos nocauteados para dormir enquanto o trem sacudia com violência ao longo do trilho que mal tinha meio metro de largura. Em Sapa, alugamos motocicletas e rodamos pelas estradas enevoadas e cheias de curvas que dão vista para as plantações de arroz em terraços que nunca pareciam terminar. Mas cada momento de deslumbramento era rapidamente seguido por um frio intenso na barriga, um lembrete constante de por que estávamos ali.

Cada vez que um atendente da recepção perguntava se ele precisava de uma chave extra para a "amiga" dele, meu pai corava: "Não, não, esta é minha filha". "Este é o meu pai!", berrei para a guia *hmong* que nos levou para comer larvas fritas onde ela morava. "Então, cadê sua mãe?", ela perguntou, enquanto eu mordia um bulbo escamoso crocante. "Ela está em casa", meu pai respondeu, com os lábios apertados e os olhos marejados, sem saber muito bem como seguir em frente. Ainda era o tempo em que parecia melhor mentir para não ter de se aprofundar no assunto, quando ainda tínhamos medo demais para dizer em voz alta. "É só uma viagem de pai e filha", eu completei.

Na maioria das noites, depois de jantarmos cedo, voltávamos para o quarto do hotel e eu me encolhia na cama e dormia de catorze a quinze horas. O luto, assim como a depressão, fazia com que fosse difícil cumprir até a menor das tarefas. O país parecia um desperdício para a gente. Estávamos alheios a qualquer espetáculo ou sentimento, arrasados em silêncio e totalmente sem noção do que fazer para ajudar um ao outro. Quando chegamos a Huê, tínhamos chegado ao meio de nossa viagem de duas semanas, que estava começando a parecer ambiciosa demais, até insuportavelmente longa. Só queria ir para casa. Ansiava por me esconder em meu quarto e desligar de tudo com o conforto de meu PlayStation e seus tranquilos jogos de simulação de fazendinha, não acordar às seis da manhã para fazer um passeio de van a mais um Pagode e mais uma feira enquanto meu pai passava meia hora pechinchando por causa do equivalente a uns meros dólares.

Mas, naquele dia em Huê, as coisas começaram a melhorar. Estávamos contentes porque o tempo estava melhor do que estivera em Sapa, porque a atmosfera era mais tranquila do que em Hanói. As buzinas constantes de lambretas a que tínhamos acostumado como a segunda língua nacional do Vietnã não era um idioma falado com tanta fluência. A vida se movia em um ritmo mais lento.

Dividimos o almoço, *bánh khoái* — um crepe amarelo gorduroso e crocante com recheio de camarão e brotos de feijão —, e o comemos com cerveja Huda gelada. Nadamos em uma gigantesca e linda piscina em frente a nosso gigantesco e lindo hotel. Observamos a esposa do piloto de nosso barco oferecer camisetas de souvenir e mostrar globos de neve e abridores de garrafa de madeira, enquanto sacudíamos a cabeça, cheios de culpa, repetindo "Não, obrigada" a cada produto oferecido à medida que deslizávamos pelo rio Perfume.

À noite, tomamos um táxi até Les Jardins de la Carambole, um restaurante *fusion* de comida francesa e vietnamita muito bem recomendado e próximo à Cidadela Imperial. O restaurante parecia uma mansão enorme tirada do French Quarter em Nova Orleans. A fachada era pintada de amarelo intenso. Três arcos grandes, cada um com a própria sacada, se enfileiravam no andar superior, e um terraço com mesas se estendia com elegância na frente.

Pedimos drinques para começar e nos decidimos por uma garrafa de Bordeaux para tomar durante o jantar. Nosso pedido foi voraz. Sopa de abóbora, carne na folha de bananeira, rolinhos primavera fritos, lula crocante, uma porção de *bún bò Huế* e uma salada de manga e frutos do mar que a garçonete recomendou. Pedir comida de modo a maximizar a quantidade de pratos a serem divididos e o entusiasmo causado pelo álcool são duas coisas que eu e meu pai sempre tivemos em comum.

"Você sabia?", meu pai disse para a garçonete como se estivéssemos contando um segredo para ela. Apontou em minha direção algumas vezes. "Ela antes fazia... o que você faz!"

"Perdão?"

A garçonete era uma vietnamita bonita que parecia ter mais ou menos a minha idade. Ela tinha cabelo preto comprido e usava um *áo dài* vermelho, um vestido na altura dos joelhos com fendas até em cima e calça preta solta por baixo. Ela falava inglês com um sotaque quase indetectável. Sempre que as mãos dela estavam vazias, as unia na frente do corpo, uma por cima da outra, feito um buda sereno.

"Minha filha... antes trabalhava como garçonete. Muitos anos!", o meu pai disse.

Depois de anos de comunicação com a família de minha mãe, o meu pai tinha desenvolvido esse jeito de falar com pessoas que não tinham o inglês como a primeira língua, eliminando os artigos e gesticulando loucamente como se estivesse falando com uma criancinha de três anos.

"E eu", ele apontou para si mesmo. "Muito tempo atrás." Abriu bem os braços. "Ajudante de garçom!" Então bateu a mão grande na mesa, levando os talheres e os copos a balançar, e soltou uma risada.

"Ah!", a garçonete disse, milagrosamente inabalada por um norte-americano que quase tinha virado a mesa.

"Minha filha e eu adoramos comida", ele disse. "Somos os chamados gourmets."

Não sei se foi o passeio de barco que tínhamos acabado de fazer ou o uso que meu pai fez da palavra gourmets e o cuidado que ele teve em pronunciar GUR-MÊS que estava me deixando enjoada, mas de repente a salada de manga e frutos do mar que eu tinha pedido não estava mais parecendo tão apetitosa assim. Há poucas coisas que eu deteste mais neste mundo do que um homem adulto se proclamando um gourmet, muito menos meu próprio pai me arrastando para dividir o título, sendo que apenas alguns momentos antes ele havia me perguntado se eu já tinha ouvido falar de ceviche.

"Ah, é mesmo?", a garçonete disse com um entusiasmo que até pareceu genuíno. Ela realmente era uma garçonete excepcional. No lugar dela, eu teria fingido estar lustrando colheres meia hora atrás.

Eu não tinha necessariamente orgulho de meu trabalho de garçonete, mas sentia que havia uma noção de honra nele. Eu adorava a camaradagem, o desdém comum pelo cliente — os usuários de Groupon, os que tinham frescura com a comida, as pessoas que pediam carne bem passada e as que diziam que o peixe estava com "gosto de peixe". Havia um certo prazer em trocar tempo por dinheiro, em gastar tudo antes de o bar fechar, um deleite com a glória de pedir uma bebida depois de passar o dia todo servindo. O lado negativo era que a experiência tinha me transformado em uma cliente de restaurante neurótica. Desenvolvi uma necessidade compulsória de empilhar todos os meus pratos bem direitinho depois de terminar, de dar gorjeta de 25 por cento mesmo que o serviço tivesse sido horrendo e nunca, a menos que estivesse ruim pra caralho, mandar um prato de volta só porque não estava do meu gosto. Então, quando meu pai perguntou por que eu não tinha comido a salada, eu teria preferido esconder a comida no guardanapo a causar confusão.

"Acho que estou me sentindo um pouco enjoada por causa do barco", eu disse. "Não é nada de mais."

"Por favor", meu pai chamou a garçonete do outro lado do salão. "Ela não gosta", meu pai disse, apontando para a salada de frutos do mar. Ele apertou o nariz e soltou uma baforada, tentando, creio eu, imitar o cheiro forte de um cais de porto. "Está com muito gosto de peixe."

"Não, não, está tudo bem", eu disse. "De verdade, por favor, está tudo bem. Caramba, pai, eu disse para você que estava tudo bem."

"Michelle, se você não gosta de algo, precisa dizer."

A salada estava com gosto de peixe. Afinal de contas, era uma salada de frutos do mar regada a *nước mắm*, em um país em que molho de peixe é um ingrediente básico. Mas o fato de eu ter desistido de comer não era culpa da garçonete. Além disso, meu pai ainda tinha de usar a tão temida expressão, nos exibindo como aqueles críticos de gastronomia que sabem tudo e desprezando os pratos locais.

"Não tenho nenhum problema em devolver comida", disse e me ajeitei na cadeira. "Sou adulta. Não preciso de alguém para colocar palavras na porra da minha boca."

"Não precisa falar assim", ele disse, olhando de soslaio para a garçonete. "Não levante a voz."

"Quer que eu leve embora?", a garçonete perguntou.

"Sim, por favor", ele disse. Ela pareceu inabalada de modo geral, mas eu não consegui deixar de imaginar o momento em que ela teria de explicar para o gerente que não era culpa dela dois "gur-mês" norte-americanos terem ficado surpresos pelo fato de a salada de frutos do mar realmente ter gosto de peixe, enquanto repetia o gesto de meu pai. Fiquei imaginando quais seriam as palavras em vietnamita para *turistas idiotas*.

"Caramba, eu não estou acreditando", eu disse. "Agora ela está se sentindo péssima. E se ela tiver de pagar pelo prato com a gorjeta dela ou algo assim?"

"Não gosto de levar bronca de minha filha na frente de desconhecidos", ele disse. Falou devagar, medindo as palavras enquanto olhava fixo para a taça de vinho. Segurava a haste com o punho fechado. "Ninguém fala comigo desse jeito."

"Você passou a viagem inteira pechinchando com todo mundo. Os taxistas, os guias... agora, parece que está tentando comer de graça. É uma vergonha."

"A sua mãe me alertou para não permitir que você se aproveitasse de mim."

Pronto. Ele tinha cometido o imperdoável. Ele tinha colocado palavras na boca de uma mulher morta e usado contra mim. Pude sentir o sangue subindo para meu rosto.

"Ah, bom, também tem um monte de coisa que a mamãe falou de você, pode acreditar", eu disse. "Tem muita coisa que eu podia dizer agora, mas prefiro não falar."

Ela nem gostava de você, era o que eu tinha vontade de dizer. Ela comparava você a um prato quebrado. Quando é que minha mãe teria dito aquilo para ele? E a que será que ela estava se referindo? As palavras ficaram em minha cabeça. Claro, eu nunca tinha dado muito valor à maneira como eu fora criada, eu tinha me irritado com as pessoas que mais me amavam, tinha me permitido afundar em uma depressão a que eu talvez realmente não tivesse direito. Eu tinha sido péssima naquela época... mas, agora? Eu tinha me esforçado tanto nos últimos seis meses para tentar ser a filha perfeita, para compensar os problemas que eu causara quando adolescente. Mas, do jeito que ele falou, parecia que tinha sido o último conselho sábio que ela havia lhe dado antes de passar para o outro lado: cuidado com essa menina, ela vai se aproveitar de você. Será que ela não sabia que fui eu quem dormiu no sofá do hospital durante três semanas enquanto meu pai estava em uma cama no apartamento? Será que ela não sabia que era eu que trocava a comadre porque ele não conseguia fazer isso sem sentir ânsia de vômito? Será que ela não sabia que eu tinha engolido os meus sentimentos enquanto ele se desmanchava?

"Meu deus, você era tão difícil", ele disse. "Nós sempre conversávamos sobre isso. Você era capaz de nos tratar com tanta crueldade."

"Eu preferia que a gente nunca tivesse vindo aqui!", eu disse. E, como não havia mais nada a ser dito, empurrei a cadeira e saí antes que ele pudesse me deter.

Os chamados frenéticos de meu pai foram se distanciando, tomando distância conforme eu avançava, deixando-o para trás para pagar a conta, apressado, da nossa refeição tensa, que nem havíamos terminado de comer. Dobrei a esquina sozinha e avancei rapidamente na escuridão. A nossa proximidade em relação à cidadela fazia com que fosse mais fácil se orientar pela cidade. Eu lembrava vagamente a direção de onde tínhamos vindo e fui capaz de seguir o rio Perfume de volta até o hotel. Era bem longe, mas eu achava que não tinha dinheiro suficiente para pagar uma corrida de táxi.

De todo modo, preferi caminhar para esfriar a cabeça e passar aquele tempo tramando o retorno para Hanói sozinha. Eu podia pegar um trem e me hospedar em um hotel barato e evitar meu pai durante o resto da semana em vez de pegar um avião até Ho Chi Minh como tínhamos planejado. Mas daí eu ainda ia ter de encontrá-lo no avião de volta para os Estados Unidos. Fiquei imaginando quanto um voo antecipado para a Filadélfia poderia custar, quanto eu pagaria para nunca mais ter de falar com ele.

Quando consegui encontrar meu caminho de volta para o hotel, meu pai já estava esperando no alto da escadaria larga que levava à recepção. Eu achava que ele estaria irritado — andando de um lado para o outro, esperando para me dar a maior bronca por eu ter saído como fiz —, mas fiquei surpresa ao ver como ele tinha um ar triste. Ele estava com o queixo apoiado na mão, com os cotovelos sobre o corrimão de mármore, olhando para a noite úmida com uma expressão que só podia pertencer a uma pessoa que estivesse pensando: "Como é que eu cheguei aqui?".

Eu me escondi atrás de um prédio para que ele não me visse. Observei enquanto ele alisava o cabelo ralo para trás, e, em vez de me sentir irritada ou vitoriosa, eu me senti muito, muito mal mesmo. Meu pai foi o último dos irmãos a conservar o cabelo. Agora, tinha diminuído a quase um terço do que era antes de minha mãe ficar doente. Parecia só mais uma coisa que tiraram dele, e fiquei pensando que tinham tirado coisas dele a vida toda de um jeito como eu nunca havia experimentado e talvez nunca fosse capaz de compreender. Tinham lhe tirado a infância, um pai e agora, mais uma vez, tinha sido afastado da mulher que amava apenas alguns anos antes do último capítulo deles.

Mesmo assim, eu ainda não estava pronta para perdoá-lo e, agora que tinha me recomposto, resolvi procurar um lugar para tomar uma bebida. Achei que talvez pudesse encontrar uns australianos de férias que me pagassem uma rodada quando eu ficasse sem dinheiro, mas não havia lugares de turista por perto e eu estava preocupada de me perder se me afastasse e se bebesse demais. Voltei até um bar na mesma rua chamado Cafe L'ami.

Eu me acomodei em uma mesa no terraço e pedi uma cerveja. Mais ou menos no meio da garrafa, um garçom magricelo informou que a música ia começar e perguntou se eu queria entrar. O bar era escuro, iluminado por uma luz roxa e um globo de espelho que girava devagar. Havia mesinhas de café redondas decoradas com rosas falsas de plástico. Estava praticamente vazio. Não havia nenhum estrangeiro, apenas locais no fundo e um casal sentado a algumas mesas de distância.

No palco, havia um teclado Casio, um violão e um pequeno monitor de televisão no canto, conectado a um laptop. Uma hostess pegou o microfone e fez um tipo de anúncio. Dois rapazes subiram ao palco. O de óculos se acomodou atrás do Casio e o outro pegou o violão e começou a tocar. A hostess cantou uma música em vietnamita, e eu no começo não tive certeza se os músicos só estavam fingindo tocar um playback ou se era um acompanhamento pré-programado no teclado. A hostess era, surpreendentemente, uma cantora fantástica, e a música era uma balada charmosa e emotiva que eu queria saber o nome para procurar depois.

Pedi mais uma cerveja, e, do nada, uma moça vietnamita se sentou ao meu lado.

"Com licença. O que você está fazendo aqui?", ela perguntou. Ela tinha um sotaque carregado e era difícil de entender, ainda mais por cima da música. Começou a dar risada. "Sinto muito. Eu nunca vejo turista aqui. Venho aqui todos os dias."

Quando a hostess terminou, um dos homens ao fundo do bar se aproximou do palco, e olhou para os amigos em busca de incentivo ao pegar o microfone. Um garçom veio até a nossa mesa com um bule de cerâmica e uma xícara de chá e colocou à frente de minha nova companheira.

"Eu me chamo Quing", ela disse. Serviu-se de um pouco de chá e segurou a xícara com as duas mãos. Apoiou os cotovelos sobre a mesa e se inclinou para mais perto de mim para que eu escutasse melhor. "Significa *flor*."

"Michelle", eu disse. "Só estou aqui de férias. Estou hospedada em um hotel aqui perto."

"Michelle", ela repetiu. "O que significa?"

"Ah, não significa nada", eu disse. O homem no palco tinha começado a cantar e eu fiquei impressionada, mais uma vez, com a linda voz dele. Fiquei me perguntando por um momento se os vietnamitas nasciam com afinação perfeita.

"Eu venho aqui porque estou triste", ela disse. "Eu adoro cantar. Eu venho aqui todos os dias."

"Eu também estou triste", eu disse, com a segunda cerveja começando a me soltar um pouco. "Por que você está triste?"

"Quero ser cantora!", ela disse. "Mas meus pais acham que tenho de estudar. O que deixou você triste?"

Dei um gole na cerveja. "Minha mãe morreu", eu acabei dizendo. Percebi que aquela talvez fosse a primeira vez que eu deixava as palavras saírem de minha boca.

Quing pousou a xícara e colocou a mão sobre a minha. "Você devia cantar algo."

Inclinou-se mais perto e me olhou bem nos olhos, como se tivesse certeza de que isso resolveria todos os meus problemas. Era assim que eu me sentia em relação à música no passado, antes de tudo acontecer. Uma crença pura, infantil, de que as canções eram capazes de curar. Eu tinha acreditado naquilo com muita convicção antes de enfrentar uma perda tão avassaladora que tinha abalado minhas paixões mais claras, fazendo minhas ambições parecerem frívolas e egomaníacas. Tomei mais um gole de cerveja, levantei-me e fui até o palco.

"Vocês têm 'Rainy Days and Mondays'?", perguntei à hostess, que digitou na barra de busca do YouTube, clicou em um vídeo de karaokê em MIDI e me entregou o microfone. Quing se posicionou perto do palco e soltou um grito de incentivo. Quando a música começou, ela fechou os olhos e sorriu, balançando de um lado para o outro.

"*Talking to myself and feeling old... Sometimes I'd like to quit, nothing ever seems to fit...*",* comecei, e percebi que o microfone estava carregado de *reverb*. Minha voz soou fantástica. Literalmente, não tinha como soar mal com essa coisa. Fechei os olhos, entrei no clima, canalizei minha melhor Karen Carpenter: aquela figura pequenina, dramática. Aquela mulher voraz de vestido amarelo, despedaçando-se devagar sob a mira da câmera para parecer feliz, definhando lentamente ao vivo na televisão, lutando pela perfeição.

O bar aplaudiu. Quing pegou a rosa de plástico de nossa mesa e ofereceu para mim, cheia de cerimônia. Quando chegou a vez dela, claro, ela escolheu "My Heart Will Go On", um hino que reina como clássico irrefreável na Ásia quase duas décadas depois do lançamento. Pensei na imitação de Celine Dion de minha mãe, do lábio trêmulo dela. O *reverb* pesado espalhou a voz de Quing pelo bar enquanto ela mandava ver, "*Near! Far! Wherever you are!*",** e eu recolhi mais rosas das mesas ao redor e joguei aos pés dela.

"Quing! Foi ótimo!"

Enquanto os outros clientes se revezavam ao microfone,

* Em tradução livre, "Falando sozinha e me sentindo velha... Às vezes tenho vontade de largar tudo, nada parece se encaixar...". (N.T.)

** Em tradução livre, "Perto! Longe! Onde quer que você esteja!". (N.T.)

continuamos a recolher rosas das mesas e a jogá-las no palco. Dançamos todas as músicas, aplaudindo mais alto cada vez que uma terminava. Ela me falou a respeito de cantores vietnamitas famosos. Conversamos sobre nossos sonhos. Terminei minha última cerveja e nos abraçamos para nos despedir, anotamos o e-mail uma da outra e prometemos manter contato, apesar de nunca termos nos conectado.

De manhã, meu pai e eu nos encontramos para o café da manhã no bufê do hotel. Não falamos sobre nossa briga e continuamos a viagem como se nada tivesse acontecido. Pegamos o trem para Hội An e passamos dois dias. Passeamos pela Cidade Antiga, o bairro histórico, e tiramos fotos ao longo do canal. Nas ruas, enfileiravam-se barraquinhas que vendiam lanternas de todas as cores e cartões tridimensionais. Da famosa Ponte Japonesa coberta, fizemos uma pausa para observar os moradores colocarem barquinhos de papel acesos com velas na água, completamente alheios ao fato de que "Hội An" significa *local pacífico de encontro*.

Jatjuk

Tínhamos ido ao Vietnã em busca de cura, para ficarmos mais próximos um do outro em nosso luto, mas voltamos tão destruídos e separados como nunca. Depois de um voo de vinte horas, chegamos em casa às oito e eu caí direto no sono, exausta com a viagem e com a diferença de fuso horário. Por volta da meia-noite, acordei com um telefonema de meu pai.

"Sofri um acidente", ele disse. Ele parecia calmo. "Estou a cerca de 1 quilômetro de casa. Preciso que você venha me buscar. Michelle, traga enxaguante bucal."

Em pânico, o interrompia com perguntas, às quais ele simplesmente respondia com firmeza repetindo o meu nome, até desligar. Vesti um casaco por cima do pijama, procurei as chaves do carro de minha mãe, enlouquecida, peguei um frasco de Listerine do armarinho do banheiro e entrei no carro.

Quando cheguei lá, uma ambulância já estava no local. Ao olhar a cena do acidente, tive a certeza de que meu pai estava morto. O carro tinha rolado e caído de lado entre dois postes de telefone. Todas as janelas estavam estilhaçadas.

Estacionei o carro de minha mãe atrás dos destroços e corri até o lugar e o encontrei sentado ao lado da ambulância, inspirando e expirando como os paramédicos instruíam. Ele estava sem camisa, e um enorme hematoma já se formava ao longo da clavícula. Havia pequenos cortes espalhados pelos braços e pelo peito, como se tivessem sido acertados várias vezes por um ralador de queijo. Policiais se aglomeravam a nosso redor, tão surpresos quanto eu pelo fato de ele ter sobrevivido. Era impossível entregar o enxaguante bucal para ele com discrição.

"Eu saí para dar uma olhada no escritório", ele disse. "Devo ter caído no sono ao volante."

O escritório de meu pai ficava ao lado do Highlands, o bar preferido dele. "Querem que eu vá para o hospital", ele disse. "Mas acho que não precisa."

"Você vai", eu disse.

"Michelle, está tudo bem, de verdade."

"Olha para a porra do seu carro", eu disse, apontando para os destroços. "Quando eu parei aqui, achei que estivesse órfã! Nós vamos."

Segui a ambulância até o hospital Riverbend, o mesmo em que minha mãe tinha sido internada quando a primeira químio a derrubou, o mesmo para onde havíamos retornado depois de nossa viagem à Coreia. Algumas partes do prédio me lembravam *O iluminado*. Havia um pórtico de madeira sobre a entrada e uma lareira de pedra na recepção que faziam com que parecesse um albergue assombrado. O edifício era grande e iluminado por uma luz amarela que o fazia brilhar na noite. Era uma imagem difícil de voltar a confrontar. Quando achei lugar para estacionar e subi para o quarto, já havia dois policiais interrogando meu pai.

"Por que está falando arrastado?"

"Não estou falando arrrrast..." Meu pai fez uma pausa. "Bom, agora estou, porque fiquei pensando nisso", ele disse rindo. O enxaguante bucal pesava no bolso de meu casaco.

"Por favor", eu disse. "Minha mãe acabou de morrer."

Eu não sabia bem se estava chorando por medo de meu pai levar uma multa por dirigir bêbado e eu ficar presa a Eugene para ser sua motorista particular ou se estava simplesmente atordoada pela sensação de que o destino estava a fim de nos destruir.

"Vou dizer então que você caiu no sono à direção", o policial disse, olhando para meu pai, todo desconfiado. Senti meu pai colocar a mão em minhas costas para tornar a história mais convincente.

Recebeu alta depois de umas duas horas e eu fui dirigindo de volta para casa. Recusei-me a falar com ele. Agora que eu sabia que estava tudo bem, o medo pela segurança dele tinha cedido lugar a uma raiva que pulsava pelo meu corpo.

"Estou dizendo, eu simplesmente caí no sono", ele ficava repetindo.

Foi um milagre ele não ter quebrado nenhum osso, mas, mesmo assim, estava sentindo uma dor terrível. Ele estava tomando remédios controlados, alguns dos mesmos que a minha mãe tinha tomado. Deixavam-no ainda mais deprimido. Meu pai passava a maior parte do dia dormindo. Durante três dias, mal saiu do quarto. Parte de mim ficava se perguntando se ele tinha saído da estrada de propósito, e isso só me deixava mais aborrecida. Fiz pouco esforço para ver se ele estava bem. Eu queria ser egoísta. Não queria cuidar de mais ninguém.

Em vez disso, comecei a cozinhar. Principalmente o tipo de comida para o qual você podia se arrastar e que exigia dormir para digerir. Do tipo que se pede no corredor da morte. Fiz torta de frango do zero, abrindo a massa amanteigada feita em casa, enchendo até a beirada com molho grosso e frango assado, ervilhas e cenouras, cobrindo com a massa crocante. Fiz bifes na churrasqueira e servi com purê de batata sedoso ou com *gratin dauphinois* ou com batatas assadas com um dedo de manteiga e montes de creme azedo. Assei lasanhas enormes, recheadas com bolonhesa feita em casa e punhados de mozarela ralada.

Para o Dia de Ação de Graças, passei uma semana pesquisando e coletando receitas online. Recheei e assei uma ave de cinco quilos comprada no Costco e fiz nevasca de *cranberry* — sorvete com chantili e geleia de *cranberry* — que minha tia Margo tinha ensinado minha mãe. Servi batatas-doces com marshmallow e molho, tudo feito do zero.

Em outra noite, comprei lagostas, depois de me demorar observando os crustáceos no tanque do mercado, escolhendo as mais animadas da turma. Instruí o peixeiro a erguê-las com seu ancinho de plástico e cutucar o rabo delas, como meu pai me ensinou, selecionando as que balançavam com violência e gosto. Fervi-as em uma panela grande e preparei as mesmas tigelinhas que minha mãe usaria para a manteiga derretida. Quando estavam bem cozidas, meu pai fez dois talhos no meio das pinças dela e talhos grandes nas costas.

Quando comíamos lagosta, minha mãe costumava cozinhar uma para cada um de nós e se contentar com um acompanhamento de milho ou uma batata assada ou uma tigelinha de arroz com *banchan* e uma lata de *saury*, um peixe oleoso que ela grelhava com molho de soja. Mas, se tivéssemos a sorte de encontrar, ela comia as ovas, colocando as bolinhas cor de laranja com apetite no prato.

Nos sentamos para comer e torcemos a cauda para separar do corpo. Viramos do outro lado e quebramos a casca ao meio.

"Nada de ovas", ele disse com um suspiro e continuou desmembrando o resto da carcaça, chupando a meleca cinzenta da parte de dentro.

"Aqui também não", eu disse ao abrir uma das pinças com um quebra-nozes.

✷

Quando chegou o Natal, as aulas de Peter finalmente terminaram e ele veio morar conosco. Nós dois escolhemos uma árvore de Natal na loja de plantas perto de casa. Sem minha mãe, parecia que estávamos brincando de casinha. Peter assumiu o papel de meu pai, deitou-se embaixo da árvore e girou os parafusos no suporte, enquanto eu tentava enxergar através dos olhos de minha mãe e pedir que parasse quando parecesse mais frondosa. Minha mãe guardava os enfeites de Natal no andar de cima, em um armário no corredor, protegidos por jornal e divididos em três caixas de chapéu iguais. As luzinhas estavam presas em volta de exemplares antigos da revista *Time*, enrolados em cilindros.

Aquele armário era apenas um dos vários depósitos que minha mãe tinha pela casa, que viriam a conter, no decurso da vida dela em Eugene, uma quantidade inimaginável de porcarias de alta qualidade. Uma gaiola de passarinho decorativa de madeira, cumbucas cheias de cilindros e bulbos de vidro colorido, uma coleção de velas ainda embaladas em celofane. Cada reentrância ou cubículo estava cheio até a borda com produtos do canal QVC, dúzias de cremes para os olhos e de potinhos de sérum sem usar, descansos para hashi e argolas de guardanapo.

Será que a morte de Eunmi não tinha ensinado nada a ela? Era o que eu ficava pensando. Por que ela tinha guardado a garantia de todos os eletrodomésticos da casa? Recibos de revisões de rotina do carro de mais de vinte anos atrás?

No nicho do armário do corredor, fui confrontada com o relicário abundante de minhas lembranças de infância. Os boletins que eu tinha recebido na vida estavam em um envelope de papel pardo. Ela guardou o pôster de cartolina que eu tinha feito na feira de ciências do terceiro ano. Havia diários que ela tinha me obrigado a escrever quando eu estava sendo alfabetizada. "Hoje, a mamãe e eu fomos ao parque dar comida aos passarinhos."

Eu estava começando a me sentir ressentida com ela por ter deixado tanta coisa acumulada para eu organizar quando encontrei dois pares de sapatinhos de bebê. Tinham sido conservados com perfeição, um par de sandálias feitas com três laços de couro branco apertados que se afivelavam na canela, e um par de tênis de lona cor-de-rosa sem cadarço com interior xadrez colorido. Eram tão pequenininhos que cabiam na palma de minha mão. Segurei uma das sandálias e comecei a chorar. Pensei na visão que uma mãe devia ter para guardar esse tipo de coisa, os sapatinhos do bebê dela, para o bebê do bebê dela algum dia. Um bebê que ela nunca conheceria.

Minha mãe guardou muitas e muitas coisas para o meu futuro filho. Organizar aquilo me pareceu estranhamente terapêutico. Passei pelo menos uma semana separando minha coleção de Playmobil em conjuntos completos. No escritório de meu pai, praticamente sem uso, esvaziei os kits desconjuntados e separei em pilhas. Contei oito xícaras de chá azuis do tamanho de grãos de milho e as reuni com os outros elementos da barraquinha de cachorro-quente. Encontrei dois círculos de fogo e os devolvi ao circo. Espalhei os artigos da mansão vitoriana no carpete bege e passei as mãos por cima dos pedacinhos de plástico, em busca do boné azul em miniatura que pertencia ao menino loirinho que morava ali com a menina de cabelo curto castanho, vestida com blusa rosa e calça branca.

Minha mãe teria me matado se visse as coisas que eu estava jogando fora. Redações da escola e cartões de seguro antigos, fitas VHS de minha breve participação em um programa infantil na Coreia e os desenhos animados que a minha tia tinha dublado. Vendi os Beanie Babies que tínhamos sido convencidas a comprar, o urso da princesa Diana ainda embalado na caixa de plástico com a etiqueta protetora. Samantha, a boneca American Girl com cabelo castanho que eu tinha implorado para ganhar, anunciei no site Craigslist junto com as roupas originais e outras que minha mãe tinha encomendado por uma pechincha. Parecia que eu estava sendo possuída, me livrando freneticamente daquilo tudo como se a casa estivesse pegando fogo. Domar essa montanha de bens em uma coleção razoável de itens tomou a proporção de trabalho forçado, o iminente término pairando no ar como se fosse a saída merecida, o fim da sentença.

Todos esses objetos pareciam ter sido transformados em órfãos pela ausência dela, ou simplesmente tinham voltado a ser objetos, matéria, apetrechos. Aquilo que antes fora uma razão de ser tinha se transformado em um empecilho. As cumbuquinhas antes reservadas para refeições especiais agora não passavam de louça a ser separada, obstáculos no caminho. A caixa de velas que eu usava para fingir que era uma urna mágica quando criança, um ponto-chave nas minhas narrativas imaginárias, agora era só mais uma coisa a ser jogada fora.

Enchi um rolo inteiro de sacos de entulho com as roupas dela, ajeitando tudo em pilhas no andar de cima, para que meu pai não precisasse confrontar o processo que durou a semana toda. Uma pilha para doações, uma para coisas que eu talvez guardaria, uma para coisas que eu sabia que queria. As roupas espalhadas no chão, davam a impressão de que várias versões dela tinham murchado e desaparecido.

Experimentei todos os casacos dela, jaquetas de couro lindas, todas infelizmente um pouco grandes demais nos ombros. Fiquei com os sapatos de que eu gostava, apesar de ter me livrado prontamente dos tênis de plataforma. Enfileirei as bolsas dela à mesa. Couro alaranjado macio, pele de cobra vermelha reluzente, bolsinhas de mão preciosas que mal tinham lugar para um celular. Um círculo perfeito de pelúcia preta macia com fecho prateado fino e interior de cetim preto. Todas pareciam imaculadas, como se nunca tivessem sido usadas. Havia uma cópia de bolsa Chanel de alta qualidade, com o matelassê preto clássico, além de uma original, ainda na caixa.

Convidei Nicole e Corey para darem uma olhada no resto. Levei-as até o quarto, falei para experimentarem algumas das coisas e levarem o que quisessem. No começo foi estranho, mas, após muita insistência, elas finalmente cederam. Depois, convidei algumas amigas de minha mãe para fazerem a mesma coisa, então dividi o que sobrou em carregamentos no carro e levei para os centros de doação na cidade.

Podia sentir meu coração endurecendo: formando uma crosta, desenvolvendo uma casca, uma calosidade. Deletei as fotos de minha mãe e eu na cama do hospital com pijamas combinando. Deletei a foto que ela me mandou no dia em que cortou o cabelo igual ao da Mia Farrow, posando acanhada, como se a parte mais difícil tivesse ficado para trás. Ao organizar os armários próximos do telefone da cozinha, juntando pilhas soltas, jogando fora fotografias de paisagens sem foco, colocando de lado rolos de filme velhos sem revelar, deparei com o caderno verde espiral em que eu tinha anotado os remédios e calorias consumidas dela. Aquelas contas desesperadas, aquele inventário cheio de esperança, marcando cada gole e cada mordida forçada em algum tipo de esforço triste de fazer com que ela continuasse avançando. Arranquei as folhas e despedacei o espiral de metal, berrando enquanto rasgava meus cálculos idiotas e inúteis em pedacinhos minúsculos.

Talvez eu estivesse sendo assombrada por tantas anotações de *jatjuk*, mas depois me peguei com uma vontade inexplicável de comer aquele mingau. Era a refeição que Kye preparava com mais frequência para minha mãe, uma das poucas coisas que ela conseguia segurar no estômago.

Procurei no Google para ver se Maangchi, a mulher cujo site eu havia consultado por causa da receita de ensopado de soja, tinha uma de mingau de pinoli. Tinha minhas dúvidas, porque era um prato bem menos conhecido do que *doenjang jjigae*, mas, é claro, lá estava ele.

A descrição dizia: "Posso dizer que o mingau de pinoli é o rei de todos os mingaus! [...] Parece uma sopa, mas recomendo comer com colher em vez de beber, porque quero que você aprecie o gostinho que fica na boca. Depois de uma colherada, faça uma pausa! E feche os olhos igualzinho eu fiz no vídeo, para saborear o gosto. Nham-nham, nham-nham, depois parta para outra colherada! Hahahaha"

O jeito como ela escrevia me fazia lembrar as mensagens de texto de minha mãe, até na maneira como ela fazia questão de dar ordens em relação a cada experiência com a comida.

Posicionei o laptop na pia da cozinha e coloquei o vídeo para rodar. Maangchi vestia uma blusa marrom com manga três quartos e uma estampa de renda na gola. O cabelo dela estava bem arrumado e liso, caindo abaixo dos ombros. Estava diante da tábua de corte dela ao lado de um liquidificador. O vídeo era mais recente do que o último, e a qualidade de produção tinha melhorado. A cozinha dela estava diferente, mais moderna e bem iluminada.

"Oi, pessoal!", ela disse animada. "Hoje vamos aprender a fazer *jatjuk*!"

A receita era simples: pinoli, arroz, sal e água, todos ingredientes que eu já tinha a mão. Seguindo as instruções de Maangchi, coloquei de molho um terço de xícara de arroz e deixei descansando por duas horas. Medi duas colheres de sopa de pinolis e comecei a remover as pontinhas, então coloquei os grãos no liquidificador. Quando o arroz já tinha ficado de molho o tempo suficiente, lavei na água corrente e juntei aos pinolis com duas xícaras de água. Fechei a tampa e liguei o liquidificador na potência máxima, então despejei o líquido em uma panelinha no fogão.

"São poucos ingredientes, mas, como pode ver, demora. É por isso que *jatjuk* é muito precioso. Por exemplo, se alguém em sua família está doente, não tem muita coisa que dá para fazer. Quando visitamos o hospital, costumamos fazer esse *jatjuk* porque os pacientes não podem comer alimentos normais. O pinoli tem proteína e gordura boa para o corpo, então é o alimento perfeito para pacientes que estão se recuperando de uma doença", Maangchi explicou.

A mistura tinha uma cor linda de branco leitoso. Em fogo médio, mexi com uma colher de pau. No começo, impaciente para que engrossasse, fiquei com receio de ter usado água demais. Depois, quando a consistência mudou da de leite desnatado à de manteiga de amendoim, tive medo de não ter adicionado o suficiente. Baixei o fogo e continuei a mexer, na esperança de que fosse afinar, como tinha acontecido com o de Maangchi. Quando a panela começou a chiar, tirei do fogo e adicionei sal, então despejei em uma tigelinha.

Cortei *chonggak kimchi* em discos pequenos e reguei os pedaços de nabo com um pouco da água salgada. A sopa era cremosa e com um gostinho de pinoli, e causou uma sensação suave e reconfortante quando eu engoli. Comi mais algumas colheradas antes de mastigar um pouco de *kimchi* para quebrar o sabor rico com algo picante e amargo. Não foi assim tão difícil, pensei com meus botões, feliz por ter conseguido fazer o prato que Kye tinha tentado esconder de mim.

Era só isso que eu queria, percebi depois de tantos dias de filés irresistíveis e crustáceos caros, batatas embebidas nas diversas transmutações preciosas que porções de manteiga, queijo e creme são capazes de produzir. Esse mingau simples foi a primeira comida que fez com que me sentisse satisfeita. Maangchi fornecera os segredos de sua composição passo a passo, como uma guardiã digital a quem eu sempre podia recorrer, entregando o conhecimento que me tinha sido privado, que era meu direito nato. Fechei os olhos e coloquei o restinho da sopa na boca, imaginando a mistura macia cobrindo a língua cheia de bolhas de minha mãe, o líquido quente viajando devagar até meu estômago enquanto eu tentava saborear o gostinho que ficava na boca.

Machadinha

"Só temos mais duas fatias de Espiral Vegano", uma das garçonetes anunciou ao passar apressada pela frente da estação de preparo de salada que servia como uma espécie de zona desmilitarizada entre o salão e a cozinha. Parou para sentir o cheiro do ar e fez uma careta. "Tem alguma coisa queimando?"

"Sai. Daqui. Porra!", eu rosnei com a cabeça ainda dentro do forno de pizza enquanto raspava a camada insistente de queijo que queimava. Equilibrada em um banquinho, apertando os olhos através da fumaça cinzenta que saía do centro aberto da pizza que eu tinha passado os últimos dez minutos excruciantes preparando, eu estava com dificuldade de manter a cabeça fria e lidar com tudo aquilo. Era o meu primeiro turno sozinha em uma cozinha movimentada, e de repente entendi por que todos os chefs com que trabalhei odiavam quem trabalhava no salão. Precisei de todas as minhas forças para não lançar um cortador de pizza pela cozinha como uma estrela ninja.

Depois das festas de fim de ano, tinha me oferecido para um emprego de cozinheira em uma pizzaria da moda, atraída pela ideia de trabalhar nos bastidores e não ter de lidar com atendimento ao cliente. Imaginei que trabalhar em uma pizzaria seria um alívio, que eu passaria as minhas horas escutando música, massageando a massa macia com os dedos: fisicamente em algum lugar entre o zen de uma Tartaruga Ninja e Julia Roberts vestindo uma camiseta da pizzaria Slice of Heaven.* Imaginei, como a maioria das pessoas, que trabalhar em uma pizzaria era coisa de maconheiro, uma boa maneira de voltar para casa com dinheiro no bolso às custas de um pouco de farinha na bochecha.

Mas a Sizzle Pie tinha outros planos para mim. Como que seguindo algum tipo de ritual de trote sádico, o restaurante me jogou no turno das noites do fim de semana para me amaciar. Começava às dez da noite e saía às seis da manhã. Às duas horas, quando todos os bares do centro fechavam, uma horda de universitários bêbados invadia o lugar em busca de fatias de pizza, e o turno todo era uma loucura de preparar pizzas e tirar e pôr enormes espátulas de madeira no forno até as quatro horas da manhã, quando o restaurante finalmente fechava. Duas horas mais tarde, quase ao amanhecer, depois de um dia inteiro removendo manchas de farinha de todos os cantinhos da cozinha, eu finalmente estava livre.

Depois, Peter ia me buscar. Nas noites em que eu trabalhava, ele ficava acordado em casa, traduzindo documentos do francês para o inglês, trabalho freelance que ele encontrava no Craigslist. Eu me arrastava para o banco do passageiro, com todos os ossos do corpo doloridos, queimaduras pelos braços, um centímetro de farinha grudado às minhas lentes de contato, e entre mordidas de uma fatia de calabresa que tinha sobrado ele implorou que pedisse demissão.

"O dinheiro não vale todo esse esforço", ele disse.

* Referência à comédia romântica *Três mulheres, três amores*, de 1988, na qual Julia Roberts interpreta uma garçonete que trabalha numa pizzaria. (N.T.)

Não tinha nada a ver com o dinheiro. Queria me manter o mais ocupada possível. Queria forçar o meu corpo o máximo possível para não sobrar tempo para eu ficar com pena de mim mesma, para me prender a uma rotina que me mantivesse enraizada nos meses que restavam antes de Peter e eu sairmos de Eugene para sempre. Talvez eu estivesse me castigando pelas minhas falhas enquanto cuidadora, ou talvez só estivesse com receio do que poderia acontecer se eu desacelerasse.

Quando não estava trabalhando, preparando refeições para a família ou arrumando a casa, ia à cabaninha nos limites do terreno para escrever músicas. Escrevia sobre Julia, a respeito de como estava confusa, fuçando e andando de um lado para o outro à frente do quarto de minha mãe, sobre correr na esteira e dormir em quartos de hospital, sobre usar o anel de casamento de minha mãe e o isolamento proporcionado pelo bosque. Eram coisas sobre as quais eu queria conversar com os outros, mas era incapaz. Eram tentativas de desempacotar os últimos seis meses, quando tudo que eu antes achava que sabia com certeza sobre minha vida tinha desmoronado.

Quando eu terminava as letras, perguntava a Nick, que vivia entre Eugene e Portland, se ele podia colocar a guitarra nelas. Tínhamos continuado a ser bons amigos depois da escola, e ele ficou entusiasmado de me ajudar com o álbum. Nick me apresentou a Colin, um transplantado pansexual do Alasca que tinha uma coleção de espingardas e tocava bateria e tinha um estúdio caseiro na cidade, onde poderíamos gravar. Com Peter no baixo, nós quatro gravamos um álbum de nove faixas em duas semanas. Eu chamei de *Psychopomp*.

No fim de fevereiro, a maior parte da casa estava empacotada. Março marcaria dez meses de cativeiro, e estava na hora de seguir em frente com a vida. Peter e eu estávamos de olho em Nova York, onde planejávamos nos estabelecer com algum emprego em período integral e, finalmente, assumirmos compromisso com a vida adulta normal. Mas, antes de nos entregarmos a dias contados de férias em troca de seguro-saúde corporativo, faríamos uma despedida digna. Com o dinheiro que ganhamos no casamento, Peter e eu planejamos uma lua de mel atrasada na Coreia. Visitaríamos Seul e Busan e compensaríamos minha viagem perdida em família à ilha Jeju antes de retornarmos à Costa Leste para começar a procurar emprego.

Pelo Kakao, com muita ajuda do Google Translate, fiz o que pude, usando frases curtas em inglês e trechos de coreano, para transmitir a Nami que Peter e eu estávamos planejando uma visita. Nami escrevia as respostas em coreano e mandava para Seong Young ou Esther, filha de Emo Boo, para traduzir para o inglês e copiava e colava de volta para mim, insistindo para que ficássemos no quarto de hóspedes do apartamento dela.

Hesitei em aceitar o convite. Tinha tido vontade de me conectar com Nami desde que ela havia partido de Eugene, mas navegar nosso abismo linguístico era uma provação extrema. As nuances dos sentimentos que eu estava tão desesperada para transmitir pareciam impossíveis de expressar. Mais do que tudo, eu não queria incomodar. Nos últimos quatro anos, o apartamento de Nami e Emo Boo tinha servido como porta giratória para hóspedes moribundos. Agora que minha mãe tinha morrido, a última coisa que eu queria era ser um lembrete de tempos difíceis, um fardo que Nami se sentia obrigada a carregar.

Sempre pensava nela quando examinava cartas e fotografias antigas entre as coisas da minha mãe e tinha dificuldade em decidir se deveria compartilhar com ela ou se seria melhor protegê-la daquilo. As fotografias faziam com que eu me sentisse mais próxima da minha mãe. As que ela tinha herdado depois da morte de Eunmi ainda eram novas para mim. Era emocionante vê-la quando criança, com o cabelo curto, usando tênis, em sépia, ver as três irmãs na infância, meus avós jovens e bonitos.

Mas me perguntava se não seria diferente para Nami. Uma fotografia colorida espontânea tirada em algum tipo de salão de banquete mostrava as três irmãs enfileiradas, da mais velha para a mais nova, dançando com os pais. Estavam vestidas como se fossem para um casamento. Ao fundo, aparecia um elegante papel de parede estampado e cortinas que combinavam. Meu avô encabeçava a fila com uma gravata branca e um terno bege na moda. *Halmoni*, vestida com um blazer cor-de-rosa, segurava na cintura dele, por trás. Nami estava no meio, os olhos fechados, dando uma risada, segurando a cintura da mãe. Estava de frente para a câmera, alheia a sua presença, usando brincos de pérola grandões e um vestido azul-turquesa intenso. Minha mãe estava atrás dela, o cabelo com permanente volumoso e franja, sempre cheia de estilo com um smoking preto. Eunmi, no fim da fila, estava vestida com modéstia, com um vestido azul-escuro estampado com flores. Estavam todos virados para a frente, capturados em perfil. Era a única foto em que tinha visto *halmoni* sorrir.

Agora, eram todos fantasmas. Só tinha sobrado a do meio. Tentei observar a fotografia do ponto de vista de Nami, imaginando aqueles corpos lentamente sumindo da moldura em uma dissolução de pós-produção. Como nos filmes quando um personagem volta no tempo e muda as circunstâncias de seu presente.

Minha mãe uma vez me contou que Nami tinha ido se consultar com uma vidente. Tinha lhe dito que ela era como uma árvore da fartura. O destino dela era abrigar e cuidar, permanecer calma e firme e oferecer sombra a qualquer um que se deitasse embaixo dela, mas, em sua base, sempre haveria uma machadinha, batendo devagar no tronco, desgastando-a devagar.

Agora, eu só conseguia pensar uma coisa: será que eu era a machadinha? Nami merecia espaço e privacidade e uma casa quieta e calma. Relutava em invadir aquilo, mas também sentia que ela era a única pessoa que tinha sobrado que era capaz de entender como eu me sentia de verdade.

No fim de março, apenas alguns dias antes de meu aniversário de vinte e seis anos, meu pai levou Peter e eu ao aeroporto. Nos abraçamos para nos despedir, cheios de emoções misturadas. Nossa partida foi o desfecho do primeiro capítulo de nosso luto, e, por mais que meu pai e eu nos preocupássemos um com o outro, com o fato de que deveríamos dar continuidade a nossa vida e tentar juntar os pedaços, ficamos igualmente aliviados de nos livrarmos um do outro.

Aquela seria a primeira vez de Peter na Ásia, e estava animada por ele vivenciar a peregrinação que eu sempre fazia durante a infância, ano sim, ano não. Minha mãe e eu sempre voávamos em um avião da Korean Air para Seul. Pegava um jornal coreano, bem dobradinho, das pilhas arranjadas na porta da aeronave e afivelava o cinto, contente de examinar o texto conhecido a que ela mal tinha acesso em casa. As comissárias de bordo, todas coreanas com cabelo preto comprido e pele perfeita, cor de leite, percorriam os corredores pela última vez, e, pouco a pouco, assim como na peregrinação ao mercado H Mart, o espaço transiente em que nos deslocávamos assumia contornos e cor, com a impressão de nosso destino marcada muito tempo antes da descida final, como se fosse produzida pela cabine pressurizada.

Já estávamos na Coreia, a cadência e o ritmo conhecidos da língua saltando de assentos vizinhos, as comissárias marchando com postura perfeita em suas jaquetas azul-claras bem passadas, combinando com o lenço no pescoço, a saia cor de cáqui e o salto alto preto. Minha mãe e eu sempre dividíamos *bibimbap* com *gochujang*, que saía de tubos em miniatura do tamanho de pasta de dente de viagem, e ouvíamos o chamado daqueles que ainda estavam com fome de macarrão instantâneo Shin Cup.

Quando Peter e eu tomamos nossos assentos, os primeiros sinais de ilusão voltaram a piscar, e, por cima do zumbido da turbina, os sons conhecidos da língua coreana me banharam. Diferentemente das segundas línguas que tentei aprender na escola, há palavras em coreano que compreendo de modo inerente, sem nunca ter aprendido sua definição. Não existe tradução momentânea que sirva de mediadora entre a transição de uma língua à outra. Partes de coreano simplesmente existem em algum lugar como parte de minha psique: palavras imbuídas de seu significado puro, não de seus substitutos em inglês.

No meu primeiro ano formativo, devo ter ouvido muito mais coreano do que inglês. Enquanto meu pai estava fora, trabalhando, uma casa cheia de mulheres cantava canções de ninar para mim e me colocava para dormir com "*jajang jajang*" e barulhinhos de comemoração em frases em hangul como "*Michelle-ah*" e "*aigo chakhae*". A televisão ficava ligada ao fundo: noticiário, desenhos animados e dramas coreanos enchiam os cômodos com mais linguagem. Acima de tudo, a voz trovejante da minha avó ribombava, pontuando cada vogal sustentada e cada ritmo cantarolado com o grunhido unicamente coreano que surgia do fundo da garganta para exagerar, assim como o som de um gato sibilando ou de alguém cuspindo.

A minha primeira palavra foi em coreano: *umma*. Mesmo criancinha, sentia a importância de minha mãe. Ela era quem eu mais via, e, na margem obscura da consciência que fui adquirindo, eu já sabia que ela era minha. Na verdade, ela foi tanto a minha primeira quanto a minha segunda palavra: *umma*, depois *mom*. Chamei por ela em duas línguas. Mesmo naquele tempo, eu já devia saber que ninguém jamais me amaria tanto quanto ela.

A viagem que antes costumava me encher de animação agora me enchia de medo, pois me dei conta de que seria a primeira vez que Nami e eu iríamos conversar sem ter minha mãe ou Seong Young por perto para traduzir. Teríamos que nos virar para nos comunicar sem intermediário.

Como eu poderia esperar sustentar uma relação com Nami usando um vocabulário de uma criancinha de três anos? Como eu poderia expressar de modo suficiente o conflito interno que sentia? Sem minha mãe, será que eu tinha qualquer direito à Coreia ou à família dela? E qual era a palavra em coreano para "machadinha"?

Quando eu era criança, minhas tias costumavam me provocar, perguntando se eu era um coelho ou uma raposa.

Eu respondia: "Sou um coelho! Tokki!".

E então elas diziam: *"Ah nee, Michelle yeou!"*. Não, Michelle é uma raposa!

Não, não, eu insistia, sou um coelho!

E continuávamos assim até que elas finalmente cediam. Eu era inteligente e obediente, como um coelho, não levada e malandra.

Será que Nami ainda me considerava a menininha mimada e cabisbaixa que a irmã dela levava para lá verão sim, verão não? Aquela que fazia caso por causa da fumaça em uma churrascaria chique, reclamando que os olhos e a garganta dela ardiam. Aquela que insistia para que seu filho corresse atrás dela nas escadas do prédio enquanto a camisa dele ficava empapada de suor, preocupado que ela fosse se perder sozinha. Afinal de contas, foi Nami que cunhou o termo "Famosa Menina Má".

*

“Tão cansada! Precisa!”, Nami gritava pedacinhos de inglês. “Bom, bom? Relaxa!” “Com fome? Que tal?”

Usava um vestido comprido e largo de ficar em casa. O cabelo dela tinha um corte curto bem penteado e tinha sido tingido de castanho-escuro com um toque avermelhado. Leon, o poodle-toy órfão de Eunmi, corria dando latidinhos ao redor de nós enquanto saíamos do elevador e entrávamos no apartamento. Nami nos conduziu até o quarto de hóspedes e mostrou onde guardar a bagagem. Levou Peter até uma das sacadas, onde tinha colocado um cinzeiro com um lenço de papel molhado no fundo, apesar de ela ter parado de fumar havia mais de vinte anos.

“Fuma aqui”, disse. “Sem problema!”

Colocou a mão sobre as costas de Peter em um gesto de boas-vindas e o conduziu até a cadeira de massagem robótica na sala. Parecia um Transformer. Era grande e toda tecnológica, feita de plástico bege brilhante com uma faixa de LED que mudava de cor na lateral. O assento era de couro marrom macio.

“Relaxa!”, ela disse, apertando os botões do controle remoto. A cadeira começou a reclinar e o apoio dos pés ergueu as pernas dele. Sons que pareciam espirrinhos suaves escapavam conforme a cadeira comprimia e soltava ar, apertando os braços e as pernas dele enquanto o mecanismo por baixo do couro apertava e massageava as costas e o pescoço dele.

“Muito bom!”, Peter exclamou com educação.

Emo Boo chegou em casa, vindo do hospital de medicina oriental vestido com um terno cinza. Parou brevemente para trocar um aperto de mão rápido com Peter.

“Prazer em conhecer... Peter!”, ele disse. Enunciou com firmeza, em voz alta, um pouco acelerada e com pausas marcadas.

Era como alguém trocasse rapidamente o acelerador pelo freio, enquanto ele demorava a encontrar as palavras e preparar as pronúncias. "Tem dor? Onde é... a dor? Sou... médico."

Ausentou-se e Nami espalhou cobertores para nós no chão. Peter e eu levantamos a camiseta e nos deitamos com a barriga para baixo. Depois de ter se trocado e vestido um pijama azul com raposas estampadas, Emo Boo voltou e colocou ventosas em nossas costas, apertando o gatilho de algo que parecia um pequeno revólver para remover o ar. Com destreza e agilidade, inseriu agulhas de acupuntura ao longo do nosso pescoço e ombros. Depois de vinte minutos, Nami deu assistência como se fosse uma enfermeira, recolhendo as ventosas e as agulhas enquanto ele as removia.

Grogue e sofrendo com o fuso horário, eu permaneci prostrada no chão da sala, caindo no sono e despertando. Minhas pálpebras estavam pesadas, e senti quando minha tia me cobriu com um cobertor leve. A ansiedade que tinha carregado se dissipou com a presença maternal dela. Foi gostoso ser cuidada.

Quando acordei no dia seguinte, Nami já estava de pé, preparando o café da manhã.

"*Jal jass-eo*?", eu disse, perguntando se ela tinha dormido bem. Ela estava de costas, debruçada sobre o fogão. Ela se virou, com os olhos vívidos, segurando um par de hashis engordurados em uma das mãos, e colocou a outra mão sobre o coração.

"*Kkamjjag nollasseo*! Você fala igualzinho a sua mãe", disse.

Nami preparou um café da manhã ocidental para Peter e um café da manhã coreano para mim. Para Peter, ovos fritos e torrada sem casca com manteiga e uma salada de tomates-cereja cortados ao meio, repolho roxo e alface-americana. Para mim, ela pegou Tupperwares e esquentou um pouco de *jeon* na frigideira. Fiquei observando por cima do ombro dela enquanto a gordura borbulhava abaixo das panquecas com massa de ovo. Ostras, filezinhos de peixe, linguiças, tudo empanado com farinha e ovo, depois frito e acompanhado de molho de soja. Ela serviu com uma panela fumegante de *kimchi jjigae*. Abriu um pacotinho com uma porção individual de alga e colocou ao lado de minha tigelinha de arroz, exatamente como minha mãe costumava fazer.

Meu aniversário chegou no quarto dia da viagem. Para a ocasião, Nami preparou *miyeokguk*, uma sopa de alga fortificante e cheia de nutrientes, que as mulheres são incentivadas a tomar depois do parto. Por tradição, é o que se come no aniversário para celebrar a mãe. Agora, parecia algo sagrado, imbuído de um novo significado. Tomei o caldo cheia de gratidão, mastigando os pedacinhos de alga macia e escorregadia, o gosto me trazendo a imagem de alguma antiga divindade marinha levada pelas ondas à praia, regozijando-se nua entre a espuma do mar. Aquilo me reconfortou, como se eu estivesse de volta ao útero, flutuando livremente.

Eu tinha um desejo voraz de conversar com Nami, mas as palavras me faltavam. Nos comunicávamos da melhor forma possível, e nossa conversa era interrompida por longas pausas enquanto examinávamos o telefone em busca de traduções.

"De verdade, muito obrigada, tia", disse em coreano certa noite, enquanto tomávamos cervejas e comíamos bolo à mesa da cozinha. Então digitei no Google Translate: "Não quero ser um fardo". Passei o telefone para ela, que sacudiu a cabeça.

"Não! Não!", ela disse em inglês. Então falou em coreano no aplicativo de tradução. Ergueu o telefone para eu ver. Em letras grandes, dizia: "São laços de sangue", com o texto em coreano logo acima. "São laços de sangue", o robô leu em voz alta. O ritmo da voz era todo errado, lento para pronunciar o verbo e acelerado entre "laços" e "sangue", pronunciando as sílabas desconectadas. Havia tanta coisa que eu queria dizer a Nami. Pensei nos anos em que minha mãe tinha me levado à aula de coreano, em como implorava toda semana para faltar e aproveitar a sexta-feira à noite com os amigos. Em todo o dinheiro e o tempo que tinha desperdiçado. Em todas as vezes que ela me disse que um dia eu me arrependeria por ter tratado as aulas como uma obrigação desagradável.

Estava certa a respeito de tudo. Sentada à frente de Nami, eu me sentia uma porra de uma idiota, tinha vontade de enfiar a cabeça na parede com tudo.

"*Uljima*, Michelle", ela disse quando as lágrimas começaram a escorrer pelas minhas faces. Não chore.

Enxuguei os olhos com as mãos.

"*Umma* sempre dizia: guarde suas lágrimas para quando sua mãe morrer", eu disse com uma risada.

"*Halmoni* também falava essa", ela disse. "Você e sua mãe bem iguais."

Fiquei estupefata. A vida toda, eu sempre tinha achado que aquele era um ditado especialmente cruel, nascido do estilo único de minha mãe na criação da filha, um adágio na manga para cada chilique que eu dava, fosse um joelho arranhado ou um tornozelo torcido, um fim de namoro difícil ou uma oportunidade perdida, o confronto com a mediocridade, minhas dificuldades, meus fracassos. Quando Ryan Walsh bateu em meu olho com um martelo de plástico. Quando um ex-namorado partiu para outra antes de mim. Quando a banda tocou supermal para um salão vazio. Deixa eu sentir isto, era o que eu tinha vontade de gritar. Me dá um abraço e me deixa curtir a tristeza.

Eu pensava comigo que, se algum dia tivesse filhos, nunca diria a eles para economizar as lágrimas. Que qualquer pessoa que tivesse crescido endurecida por aquelas palavras iria passar a odiá-las tanto quanto eu. E agora descobria que minha mãe rebelde também tinha sido repreendida com aquela frase.

"Quando eu era mais nova, ela me disse que jogou fora um bebê", eu disse, em coreano, sem saber qual era a palavra para aborto. "Ela tinha tantos segredos."

"Eu sei", Nami disse em inglês. "Eu acho... sua mãe acha... Vir para a Coreia muito difícil com dois bebê."

Nami fez o gesto de segurar dois bebês no colo, um de cada lado. Nunca tinha realmente acreditado que eu fosse a causa do aborto de minha mãe quando ela berrou aquilo para mim, cheia de raiva, anos antes, mas também nunca tinha encontrado uma explicação para o contrário. Eu era uma menininha, ocupada com meus passeios agradáveis, e nunca havia percebido a importância que essas viagens tinham para ela, o quanto esse país era parte dela.

Fiquei imaginando se os dez por cento que ela havia escondido da gente, as três pessoas que a conheciam melhor — o meu pai, Nami e eu —, tinham sido todos diferentes, um padrão de segredos que, juntos, poderíamos reconstruir. Fiquei imaginando se algum dia eu seria capaz de a conhecer por inteiro, que outros fios da meada ela tinha deixado para trás para serem puxados.

Em nossa última noite em Seul, Nami e Emo Boo nos levaram ao Samwon Garden, uma churrascaria chique em Apgujeong, um bairro que minha mãe uma vez descreveu como a Beverly Hills de Seul. Entramos pelo lindo jardim do pátio com suas duas cachoeiras artificiais correndo sob pontes de pedra rústica e caindo no laguinho de carpas. No salão, havia mesas com tampos pesados de pedra, cada uma delas equipada com uma grelha a carvão. Nami deu vinte mil won à garçonete, e nossa mesa se encheu rapidamente com os *banchan* mais extraordinários. Salada de abóbora doce, geleia de feijão-mungo com sementes de gergelim e cebolinha, creme de ovos no vapor, tigelinhas delicadas de *nabak kimchi*, acelga e nabo em conserva em água salgada cor-de-rosa. Terminamos a refeição com *naengmyeon*, macarrão frio que pode ser pedido ou como *bibim*, misturado com *gochujang*, ou como *mul*, servido em caldo de carne frio. Escolhi o segundo.

"Eu também! Gosto de *mul naengmyeon*", Nami disse. "Sua *umma* também. Este é o estilo de nossa família. Ele é *bibim*." Ela apontou para Emo Boo. Quando o macarrão chegou, ela bateu na tigela de metal com a colher. "Este é o estilo Pyongyang." Fez um gesto para a tigela de Emo Boo. "Este é Hamhung."

Naengmyeon é uma especialidade norte-coreana, onde o clima frio e o terreno montanhoso são mais adequados a sulcos de trigo sarraceno e tubérculos do que a plantações de arroz que se enfileiram ao longo dos vales rurais dos rios mais ao sul da península. Nami estava se referindo às duas maiores cidades da região, Pyongyang, a capital da Coreia do Norte, a cerca de 320 quilômetros de Seul, e Hamhung, mais longe, no litoral noroeste. Ambos os estilos de macarrão frio se tornaram populares na Coreia do Sul por causa dos coreanos do norte que fugiram para o sul durante a Guerra da Coreia, trazendo suas preferências regionais consigo. Os líderes das duas Coreias, Kim Jong-un e Moon Jae-in, mais tarde iriam compartilhar uma tigela de *mul naengmyeon* na cúpula intercoreana. Era a primeira vez que um líder norte-coreano atravessava o paralelo trinta e oito desde o fim da guerra, mais de sessenta anos antes, um acontecimento histórico que causou longas filas em restaurantes de *naengmyeon* por todo o país, suscitando um apetite coletivo por um prato considerado um símbolo promissor de paz.

Tentei explicar a Nami como era importante pra mim compartilhar comida com ela, ouvir essas histórias. Como eu estava tentando me reconectar com as lembranças de minha mãe por meio da comida. Como Kye tinha feito eu me sentir como se não fosse uma coreana autêntica. O que eu estava buscando quando preparei *doenjang jjigae* e *jatjuk*, desfazendo psicologicamente aquilo que eu sentia ter sido minhas falhas como cuidadora, preservando uma cultura que no passado tinha parecido tão embrenhada em mim, mas que agora parecia ameaçada. Mas eu não conseguia encontrar as palavras certas, e as frases eram longas e complicadas demais para qualquer aplicativo de tradução, então desisti no meio do caminho e simplesmente peguei a mão dela e nós duas continuamos comendo o macarrão frio do caldo de carne gelado e amargo.

Peter e eu prosseguimos com a nossa lua de mel. Visitamos o mercado de Gwangjang em um dos bairros mais antigos de Seul, nos apertando entre a multidão que circulava pelas alamedas cobertas, um labirinto natural que se uniu e se separou de modo espontâneo por mais de um século de acúmulo. Passamos por *ajummas* ocupadas, usando aventais e luvas de cozinha de borracha, jogando macarrão cortado a mão em panelas colossais, fervilhantes de *kalguksu*, pegando punhados de *namul* colorido de tigelas transbordando de *bibimbap*, paradas à frente de laguinhos de gordura quente chiante, armadas com espátulas de metal nas mãos, virando o lado crocante das panquecas de soja feitas com farinha moída na pedra. Recipientes de metal cheios de *jeotgal*, *banchan* de frutos do mar fermentados com sal, conhecidos de modo afetuoso como ladrões de arroz porque seu sabor intenso e salgado clama por um equilíbrio neutro e cheio de amido; caranguejos crus, grávidos, flutuando de barriga para cima em molho de soja para exibir a protuberância das ovas gordurosas por baixo do casco; milhões de minúsculos krill cor de pêssego usados para fazer *kimchi* ou para arrematar sopa quente com arroz; e o ingrediente preferido de minha família, sacas cor de carmim de ovas de *pollock* misturadas com *gochugaru*, *myeongnanjeot*.

O aroma pungente me fazia lembrar de idas com minha mãe e as irmãs dela a um mercado refinado no subsolo de uma loja de departamentos em Myeong-dong. Uma *ajumma* com um lenço amarrado à cabeça e avental combinando gritava "*Eoseo oseyo*" e estendia um palito espetado com vários tipos de *jeotgal* de amostra. As irmãs experimentavam cada um e debatiam, depois mandavam embrulhar o vencedor em cinquenta camadas de plástico, até que ficasse do tamanho de uma bola de futebol americano para carregarmos para casa. Às vezes, minha mãe comprava uma mala extra só para levar aquilo para Eugene, e cada vez que ela servia as ovas com acompanhamento de arroz em casa, um fio de óleo de gergelim despejado por cima, eu fechava os olhos e ouvia as minhas tias deliberando com todo o cuidado.

De Seul, Peter e eu pegamos um trem para o sul, para Busan, a segunda maior cidade da Coreia do Sul. Havia uma garrafa de champanhe sobre a cama do hotel com um bilhete que dizia: "Sr. e Sra. Michelle, parabéns pelo casamento". Choveu durante os três dias que passamos lá, mas, implacáveis, nos banhamos na piscina da cobertura do hotel luxuoso que Nami tinha reservado para nós como presente de casamento; a chuva fria criava ondinhas na água enquanto apreciávamos a vista para o Mar do Leste.

Visitamos o mercado de peixe Jagalchi, com a chuva castigando os guarda-sóis e os toldos de lona que formavam o telhado remendado, pingando em bacias de plástico vermelho e peneiras azul-turquesa cheias de frutos do mar, espirrando sobre pilhas de mexilhões e vieiras ainda fechados em suas conchas estriadas e peixes compridos e prateados pendurados molengas, feito gravatas, sobre um palete de madeira no piso molhado.

Compramos *hwe* no mercado e ajeitamos nossos recipientes para viagem sobre a colcha branca da cama do hotel. Comemos pedaços de sashimi de peixe branco ao estilo coreano, bem fresco, ainda pegajoso, envolvido em alface roxa e com molho *ssamjang* e *gochujang* com vinagre, ingerindo-os com grandes garrafas de Kloud e doses de Chamisul.

Pegamos um avião para a ilha Jeju e fizemos uma caminhada até a cachoeira Cheonjiyeon, onde observamos a água espumar em uma lagoa transparente com fundo de pedras. Caminhamos por estradas íngremes ao longo de encostas de basalto negro enquanto comíamos um saco de tangerinas frescas, depois por praias onde a água ainda estava fria demais para nadar. Comemos ainda mais frutos do mar frescos: *nakji bokkeum*, polvo refogado; *maeuntang*, ensopado de peixe apimentado; e a especialidade de Jeju, churrasco de porco preto enrolado em folhas de gergelim.

Faixas grossas de *samgyeopsal* chiavam acima do carvão quente, colando-se teimosas à grelha de arame quando uma *ajumma* chegava para cortar em pequenos pedaços com uma tesoura de cozinha. Pensei em minha mãe diante do pequeno fogão de butano dela, usando um vestidinho azul com tiras que se amarravam sobre os ombros, preparando *ssam* de barriga de porco ou grelhando bifes e milho no deque de madeira que dava vista para o terreno. Quando terminávamos, meu pai recolhia as espigas de milho, como era seu hábito, e as lançava todo alegre por cima da grade, para o gramado, enquanto minha mãe soltava resmungos bem audíveis, lamentando o tempo que seria forçada a passar vendo tudo aquilo se decompor lá embaixo. "É biodegradável!", meu pai berrava em defesa própria, examinando o horizonte, os ciprestes e os pinheiros que se erguiam do terreno amarronzado e queimado pelo sol.

Esses eram os lugares que minha mãe queria ter visitado antes de morrer, os lugares a que queria ter me levado antes de nossa última viagem à Coreia ter se transformado em uma quarentena em uma ala de hospital. As últimas lembranças que minha mãe quis compartilhar comigo, a origem das coisas que ela me criou para amar. Os sabores que queria que eu lembrasse. As sensações que queria que eu nunca esquecesse.

Maangchi e eu

Sempre que minha mãe sonhava com cocô, ela comprava uma raspadinha.

De manhã, no caminho para a escola, ela parava no estacionamento da loja de conveniência 7-Eleven sem falar nada e me dizia para esperar, sem nem desligar o carro.

"O que você vai fazer?"

"Não se preocupe com isso", ela dizia e pegava a bolsa do banco de trás.

"O que você vai comprar na 7-Eleven?"

"Conto mais tarde."

Daí, ela voltava com um punhado de raspadinhas. Percorríamos os últimos quarteirões até a escola, e ela raspava a película pegajosa com uma moeda sobre o painel do carro.

"Você sonhou com cocô, não foi?"

"*Umma* ganhou dez dólares!", ela dizia. "Não podia contar para você, se não, não funciona!"

Sonhos com porcos, o presidente ou apertar a mão de uma celebridade eram todos sonhos de boa sorte; mas era cocô, especialmente, sobretudo se você encostava na sujeira, que dava permissão para jogar.

Cada vez que eu sonhava com cocô, não aguentava de ansiedade até a minha mãe comprar uma raspadinha para mim. Eu acordava de um sonho de ter feito cocô na calça sem querer, ou de entrar em um banheiro público e encontrar um cocô extraordinário, comprido e enrolado, e quando chegava a hora de ir para a escola eu sentava quietinha no banco do passageiro, mal capaz de me segurar até estarmos a uma quadra da 7-Eleven na rua Willamette.

"Mãe, para", eu dizia. "Depois eu digo por quê."

Pouco depois de voltarmos aos Estados Unidos, comecei a ter sonhos recorrentes a respeito de minha mãe. Isso já tinha acontecido antes, quando eu era uma menina paranoica, com uma obsessão mórbida pela morte de meus pais. Meu pai está dirigindo o carro com a gente na ponte da rua Ferry e, para desviar do trânsito à frente, ele manobra o carro para o acostamento, virando em uma valeta de obras com a intenção de sair da ponte e pegar uma plataforma inferior. Com os olhos fixos nas faixas à frente, ele se debruça sobre a direção e acelera, mas cai vários metros fora da plataforma. O carro mergulha na forte corrente do rio Willamette e eu acordo ofegante.

Mais tarde, quando éramos adolescentes, Nicole me contou uma história que tinha ouvido da mãe sobre uma mulher que sofria com pesadelos recorrentes que giravam em torno do mesmo acidente de carro. Os sonhos eram tão vívidos e traumáticos que ela procurou um terapeuta para ajudá-la a superá-los. "E se, depois do acidente, você tentasse ir a algum lugar?", o terapeuta sugeriu. "Talvez, se você tentar chegar a um hospital ou a algum tipo de lugar seguro, o sonho vai chegar a uma conclusão natural." Então, a cada noite, a mulher começou a se forçar a sair do carro e se arrastar até cada vez mais longe pelo acostamento da estrada. Mas o sonho continuava voltando. Um dia, a mulher realmente sofreu um acidente de carro e supostamente foi encontrada se arrastando pelo asfalto, na tentativa de chegar a algum lugar nebuloso, incapaz de distinguir a realidade de seus sonhos lúcidos.

Os sonhos que eu tinha com minha mãe até variavam um pouco, mas, no fim das contas, eram sempre a mesma coisa. Minha mãe aparecia, ainda viva, mas incapacitada, deixada para trás em algum lugar em que ela tinha sido esquecida por nós.

Em um dos sonhos, estou sozinha, sentada em um gramado bem cuidado em um dia quente e ensolarado. À distância, enxergo uma casa de vidro escura e sinistra. Parece moderna, a parte externa feita inteiramente de janelas de vidro preto conectadas por molduras de aço prateado. A construção é ampla, feito uma mansão, e dividida em quadrados, como se fossem vários cubos mágicos monocromáticos empilhados lado a lado e um sobre o outro. Saio do lugar em que estou no gramado e vou até lá, curiosa. Abro a porta pesada. Do lado de dentro, a casa é escura e esparsa. Ando por lá e acabo me dirigindo ao porão. Passo a mão pela parede ao descer a escada. O lugar é limpo e silencioso. Encontro minha mãe deitada no meio do aposento. Os olhos dela estão fechados e ela repousa sobre algum tipo de plataforma que não é exatamente uma mesa, mas também não é uma cama, é um tipo de pedestal baixo, parecido com aquele em que a Branca de Neve dorme depois de ter sido envenenada com a maçã. Quando eu chego até ela, minha mãe abre os olhos e sorri, como se estivesse esperando que eu a encontrasse. Está frágil e careca, ainda doente, mas viva. No começo, eu me sinto culpada: por termos desistido dela cedo demais, por ela ter estado ali o tempo todo. Como tínhamos conseguido ficar tão confusos? Então sou invadida por uma sensação de alívio.

"Achamos que você estivesse morta!", eu digo.

"Eu estava aqui o tempo todo", ela me responde.

Deito a cabeça no peito dela e ela pousa a mão sobre minha cabeça. Sou capaz de sentir o cheiro dela, a presença, e tudo parece tão real. Apesar de eu saber que ela está doente e que vamos ter que perdê-la mais uma vez, simplesmente fico tão feliz de descobrir que ela está viva! Digo a ela que espere por mim. Preciso sair correndo para chamar meu pai! Então, logo que começo a subir a escada para procurá-lo, eu acordo.

Em outro sonho, ela chega para um jantar em uma cobertura e revela que esteve morando na casa vizinha o tempo todo. Em outro, estou caminhando pelo terreno da casa de meus pais. Desço um morro cambaleando, escorregando na lama grossa, na direção do laguinho artificial. No campo lá embaixo, encontro minha mãe deitada sozinha, vestida com um penhoar, rodeada por capim alto e flores silvestres. Alívio mais uma vez. Como fomos bobos de achar que você tinha ido embora! Como diabos pudemos cometer um erro tão monumental? Se você está aqui, você está aqui, você está aqui!

Sempre está careca, fraca e com os lábios ressecados e eu preciso carregá-la para levá-la de volta para dentro de casa e mostrá-la para meu pai, mas, assim que me inclino para pegá-la no colo, acordo arrasada. Fecho os olhos imediatamente e tento me arrastar de volta a ela. Quero voltar a cair no sono e retornar ao sonho para saborear só mais um pouquinho de tempo na presença dela. Mas ou fico acordada e não consigo mais dormir ou entro em outro sonho completamente diferente.

Será que esse era o jeito de minha mãe de me visitar? Será que ela estava tentando me dizer algo? Me sentia boba de me deixar levar pelo misticismo, então mantinha meus sonhos em segredo, analisando sozinha os possíveis significados. Se sonhos fossem desejos escondidos, por que eu não podia sonhar com minha mãe do jeito que eu queria? Por que ela sempre aparecia doente, como se eu não pudesse me lembrar dela do jeito que era antes? Fiquei me perguntando se minha memória não estava atrofiada, se meus sonhos não estavam confinados à época de trauma, à imagem de minha mãe confinada no ponto em que ela tinha acabado. Será que eu tinha me esquecido de quando ela era bonita?

Depois da lua de mel, Peter e eu nos instalamos na casa dos pais dele, no condado de Bucks, no estado da Pensilvânia. Durante o dia, atualizávamos nosso currículo, nos inscrevíamos em vagas de emprego e procurávamos apartamentos online. Me dediquei a essas tarefas com afinco. Essencialmente, eu tinha passado o último ano trabalhando como enfermeira e faxineira não remunerada, e os cinco anos anteriores àquilo tentando e não conseguindo ser música. Precisava me dedicar a algum tipo de carreira o mais rápido possível.

Inscrevia-me em vagas de emprego de maneira indiscriminada, aparentemente todos os empregos de escritório disponíveis em Nova York, e mandava mensagens para todas as pessoas que eu conhecia em busca de indicações. No fim da primeira semana, fui contratada como assistente de vendas em uma empresa de publicidade em Williamsburg. A empresa tinha alugado a longo prazo quase cem empenas pelo Brooklyn e por Manhattan e tinha um departamento interno que pintava murais de propaganda, como se fazia na década de 1950. O meu trabalho era auxiliar os dois principais representantes de contas, ajudando a vender paredes de propaganda para possíveis clientes. Se estivéssemos atrás de uma marca de roupa de ioga, eu criava mapas que mostravam cada estúdio de Vinyasa e cada mercado orgânico em um raio de cinco quarteirões de alguma parede. Se estivéssemos oferecendo nossos serviços para uma marca de calçados de skate, eu mapeava pistas de skate e casas de show para determinar quais das nossas paredes no Brooklyn tinham mais chance de ser vistas por homens com idade entre dezoito e trinta anos. Meu salário era quarenta e cinco mil dólares por ano com benefícios. Me sentia a maior milionária.

Alugamos um apartamento que mais parecia um corredor em Greenpoint, de uma senhora polonesa que tinha ficado com a metade dos imóveis do marido depois do divórcio. A cozinha era pequena, com uma bancada minúscula e piso de vinil adesivo quadriculado. Não tinha pia no banheiro, só uma pia enorme na cozinha, do tipo de casa de fazenda, que tinha função dupla.

Na maior parte do tempo, eu me sentia bem adaptada. Tudo era tão desconhecido: uma nova cidade grande em que morar, um emprego de adulto de verdade. Fazia tudo que podia para não ficar pensando nas coisas que não podiam ser mudadas e me jogava na produtividade, mas, de vez em quando, eu era tomada por flashbacks. Ciclos contínuos dolorosos apareciam do nada, inevitavelmente trazendo à tona todas as lembranças que eu tinha tentado sufocar. Imagens da língua leitosa e branca de minha mãe, as escaras roxas, a cabeça pesada escorregando das minhas mãos, os olhos dela se abrindo. Um grito interior que ricocheteava pelas paredes da cavidade de meu peito, rasgando meu corpo sem dó.

Tentei fazer terapia. Uma vez por semana, depois do trabalho, eu pegava a linha L do metrô até Union Square e tentava explicar o que eu estava sentindo, mas no geral eu não conseguia parar de pensar no relógio que tiquetaqueava até dar meia hora, quando o tempo já tinha acabado. Daí eu pegava o metrô de volta à avenida Bedford e fazia a caminhada de meia hora de volta a nosso apartamento. Aquilo não era nada terapêutico e parecia só me deixar mais exausta ainda. Nada que o terapeuta dizia era diferente das análises que eu já tinha feito por conta própria um milhão de vezes. Pagava cem dólares por sessão e comecei a achar que seria muito mais satisfatório sair e fazer um almoço de cinquenta dólares duas vezes por semana. Cancelei o resto das sessões e me comprometi a explorar maneiras alternativas de cuidar de mim mesma.

Resolvi recorrer a uma velha amiga: Maangchi, a *vlogger* do YouTube que tinha me ensinado a preparar *doenjang jjigae* e *jatjuk* quando mais precisei. Todos os dias, depois do trabalho, preparava uma receita do catálogo dela. Às vezes, eu seguia as instruções passo a passo, medindo com cuidado, pausando e voltando para fazer do mesmo jeito que ela fazia. Outras vezes, eu escolhia um prato, voltava a me familiarizar com os ingredientes e deixava o vídeo passando ao fundo enquanto minhas mãos e papilas gustativas assumiam o trabalho de memória.

Cada prato que eu preparava desenterrava uma lembrança. Cada cheiro e cada sabor me levava de volta por alguns instantes a um lar inalterado. Macarrão cortado na faca com caldo de frango me levava de volta a um almoço em Myeongdong Gyoja depois de uma tarde de compras, com a fila tão longa que ocupava todo um lance de escada, se estendia porta afora e dava a volta no quarteirão. O *kalguksu* do saboroso caldo de carne e do macarrão cheio de amido era tão denso, quase gelatinoso. Minha mãe pedia mais e mais porções de seu famoso *kimchi* carregado no alho. Minha tia dava bronca nela por assoar o nariz em público.

Frango frito coreano crocante trazia lembranças das noites de solteira com Eunmi, lambendo o óleo dos dedos enquanto mastigávamos a pele crocante, limpando o paladar com chope e cubos de nabo branco enquanto ela me ajudava com a minha lição de coreano. Macarrão de feijão preto suscitava a lembrança de *halmoni* chupando *jjajangmyeon* comprado em um restaurante, apertada em volta da mesa baixa da sala com o resto de minha família coreana.

Despejei um frasco inteiro de óleo em uma panela alta e fritei costeletas de porco empanadas com farinha de trigo, ovo e farinha panko para fazer *tonkatsu*, um prato japonês que minha mãe costumava mandar para meu almoço na escola. Passava horas escorrendo a água de brotos de feijão e de tofu cozidos, depois usava-os para rechear uma massa de bolinho macia e fina, apertando as pontas para fechar, cada um deles um pouquinho mais próximos dos *mandu* perfeitamente uniformes de Maangchi.

Maangchi descascava uma pera asiática com uma faca enorme, com a lâmina voltada para si, exatamente do mesmo jeito que minha mãe fazia para mim quando eu voltava da escola. Ela cortava maçãs fuji em uma tabuinha vermelha, e depois comia o que tinha sobrado da fruta no talo. Igualzinho a minha mãe, com os hashis em uma mão, a tesoura na outra, cortando *galbi* e macarrão frio *naengmyeon* com precisão ambidestra especialmente coreana. Esticando habilmente a carne com a mão direita e cortando em pequenos pedaços com a esquerda, usando uma tesoura de cozinha do mesmo jeito que uma guerreira brande sua arma.

Logo eu estava indo ao bairro Flushing para fazer estoque de camarão salgado, pimentão vermelho em flocos e pasta de soja. Depois de uma hora no trânsito, encontrava cinco H Marts para escolher. Foi no auge do verão que descobri a unidade que ficava na Union Street. Havia uma grande área externa instalada no estacionamento, com várias plantas e jarros pesados de barro à mostra. Reconheci os *onggi*, os recipientes tradicionais para guardar *kimchi* e pastas fermentadas, apesar de minha mãe nunca ter tido um desses em casa. Nami me contou que, antigamente, cada família tinha pelo menos três no quintal. Levantei um dos jarros médios. Era pesado e eu precisava de ambos os braços para carregar. Parecia um objeto forte e antigo. Resolvi comprar e tentar fazer o teste final e a receita mais famosa de Maangchi: *kimchi*.

Decidi fazer dois tipos, *chonggak* e *tongbaechu*. Uma acelga enorme custava apenas um dólar e era praticamente do tamanho do *onggi*. Três nabos *chonggak*, presos a um elástico azul, custavam setenta e cinco centavos de dólar o maço. Comprei seis, o ramo verde deles despontando para fora de minha sacola de compras. Peguei o resto dos ingredientes — farinha doce de arroz, *gochugaru*, molho de peixe, cebola, gengibre, cebolinha, camarão salgado fermentado e um pote enorme de alho — e voltei para casa.

Acomodei o computador na mesa da cozinha e apertei o play. Cortei a acelga ao meio. Fez um barulhinho gostoso quando a faca cortou até a base, lisa e firme. Separei as duas metades, "com gentileza e educação", como Maangchi instruiu, e as folhas se separaram com facilidade, como se fossem folhas de lenço de papel amassadas. A acelga cortada ao meio revelou um lindo *ton-sur-ton*. O centro e a parte externa brilhavam com um branco imaculado, com folhas verde-claras que iam amarelando em direção ao centro. A maior tigela que eu tinha era uma assadeira de peru que Fran tinha me dado de presente de casamento. Enchi de água fria e coloquei as folhas lá dentro para limpar. Esvaziei a assadeira e espalhei um quarto de xícara de sal entre as folhas, coloquei a assadeira com a acelga salgada sobre a mesa da cozinha e marquei meia hora no cronômetro para lembrar de virar.

O único ingrediente que eu não conhecia era a farinha doce de arroz. De acordo com a receita, ela seria transformada em um mingau, que então seria usado para dar liga. Misturei duas colheres de sopa de farinha com duas xícaras de água em uma panelinha e adicionei duas colheres de açúcar quando a mistura começou a borbulhar e a endurecer. Minha mistura parecia mais grossa do que a de Maangchi. Era de um branco leitoso e gelatinoso, parecido com a consistência de sêmen.

Talvez tenha sido ambicioso demais querer fazer logo dois tipos de *kimchi*, mas achei que pudesse usar a mesma marinada para os dois. Antes de o cronômetro marcar o tempo certo de virar a acelga, comecei a limpar os nabos na outra metade da assadeira. Escovei com força um nabo branco sujo, mas não consegui limpar bem. Resolvi descascar os nabos, perdendo um bom centímetro da circunferência no processo, mas revelando um branco vibrante. Quando o alarme tocou, virei as metades da acelga para deixar o outro lado de molho no líquido salgado no fundo da assadeira. As folhas já estavam começando a murchar.

Usei o liquidificador para picar a cebola, o alho e o gengibre, do mesmo jeito que LA KIM tinha feito para a marinada de *galbi* dela, e transferi meus nabos para a maior panela que tinha. Enxaguei a outra metade da assadeira e combinei os temperos batidos no liquidificador com molho de peixe, camarão salgado, pimentão vermelho em flocos, cebolinha picada e o mingau *jizz* que tinha preparado antes e que finalmente tinha esfriado. A mistura era de uma cor vermelha intensa e aromática, e minha boca começou a salivar imediatamente. Quando o último alarme tocou, lavei a acelga com cuidado, contente com minha pia enorme, apesar de solitária.

Fazia calor no apartamento, e as janelas estavam abertas. Eu suava e resolvi ficar só de sutiã, algo conveniente para garantir que não ia sujar a blusa com *kimchi*. Sem espaço na bancada, coloquei todas as travessas no chão da cozinha. Coloquei no colo a assadeira com a pasta vermelha para adicionar a acelga recém-lavada na mistura. Apliquei a pasta com um pincel entre as folhas, do jeito que Maangchi instruiu, inalando fundo para absorver a experiência. Com o queixo pausei o vídeo, já que minhas mãos estavam cobertas com a pasta vermelha. Fiz uma trouxinha bem arrumada com o *kimchi*, coloquei no fundo do meu *onggi* e adicionei os nabos por cima.

Como não tínhamos máquina de lavar louça, passei a meia hora seguinte lavando a assadeira e o liquidificador na mão, depois limpando as manchas teimosas da pasta de *kimchi* do chão. O processo todo levou um pouco mais de três horas, mas o trabalho foi reconfortante e mais simples do que eu achava que seria.

Depois de duas semanas de fermentação, ficou perfeito. O complemento ideal para todas as refeições e um lembrete diário de minha competência e afinco. Todo o processo me fez apreciar *kimchi* muito mais. Quando eu era criança, se alguns pedaços de *kimchi* tivessem sobrado no prato depois de uma refeição, jogava fora cheia de preguiça, mas agora, que tinha feito tudo do zero, devolvia os pedaços que não tinham sido comidos de modo bem consciente para meu *onggi*.

Comecei a fazer *kimchi* uma vez por mês, minha nova terapia. Reservava as porções mais velhas para preparar ensopados, panquecas e arroz frito, e as mais novas para acompanhamentos. Depois de fazer mais do que o suficiente para comer, comecei a distribuir entre os amigos. Minha cozinha começou a se encher de potes de vidro: cada um deles cheio até a borda de vários tipos de *kimchi* em diversos estágios de fermentação.

Na bancada, havia nabo novo, no quarto dia, e já azedando. Na geladeira, outro tipo de nabo nos primeiros estágios, soltando água. Em cima da tábua de corte, uma acelga enorme com as folhas separadas pela parte de baixo, pronta para o banho de sal. O cheiro dos vegetais fermentando em um buquê fragrante de molho de peixe, alho, gengibre e *gochugaru* irradiava por toda a minha cozinha pequena em Greenpoint, e pensava em como minha mãe sempre costumava me dizer para nunca me apaixonar por alguém que não gostasse de *kimchi*. Sempre vão sentir o cheiro em você, exalando pelos poros. Era o jeito dela de dizer: "Você é o que come".

Geladeira de *kimchi*

Em outubro, um ano depois da morte de minha mãe, meu pai colocou nossa casa à venda. Ele me mandou o anúncio. No canto superior, havia uma fotografia dos corretores imobiliários, um homem e uma mulher, parados à frente de uma tela verde que tinha sido substituída por uma foto de catálogo do vale do rio Willamette. A foto era do tamanho de um selo, de modo que os dentinhos deles pareciam de desenho animado, como se calçassem luvas brancas com um compartimento para o dedão e outro para o resto dos dedos. O homem usava uma camisa cor-de-rosa com gravata vermelha, e a mulher, uma blusa roxa com gola canoa, com o enquadramento cortado de maneira graciosa logo acima do decote dela. Eram essas pessoas que estavam vendendo a casa em que cresci.

As fotografias que acompanhavam o anúncio eram perturbadoras, tão familiares e, no entanto, tão estranhas no novo contexto. Os agentes tinham aconselhado meu pai a ficar com a maior parte da mobília até a casa ser vendida, e eles tinham rearranjado nossos pertences para tentar agradar aos novos compradores.

As paredes cor de laranja e verdes de meu quarto tinham sido devolvidas a uma cor de casca de ovo imaculada. A legenda dizia: "Quarto nº 3". A mesinha de cabeceira que pertencia ao quarto de hóspedes tinha sido transportada para o quarto parecer menos vazio. Sobre ela, havia um relógio pequeno e um Beanie Baby solitário que devia ter escapado das doações.

Os travesseiros nas camas ainda estavam com as fronhas de algodão de minha mãe. A tolha de mesa colocada por baixo do tampo de vidro da mesa da cozinha era a que ela tinha escolhido; a quina da mesa era a que tinha atingido meu crânio quando eu tinha cinco anos. A banheira de meus pais, onde minha mãe tinha perdido o cabelo, ainda estava lá, mas o espelho de corpo inteiro diante do qual ela havia passado tantas horas posando, onde vira refletida sua cabeça pelada pela primeira vez, não estava mais lá. As pias estavam todas livres dos protetores solares e hidratantes, substituídos por um único frasco simples de sabonete líquido Dial. A cama em que ela tinha morrido ainda estava em exibição no quarto principal. A fotografia de nosso quintal, onde Peter e eu tínhamos nos casado, fora editada com tanto alto contraste que o gramado parecia praticamente néon. "More aqui", dizia o anúncio, convidando alguma família nova e anônima.

Eu tinha dez anos quando nos mudamos para aquela casa. Lembro, no começo, como me escandalizava quando era confrontada com os vestígios da família que morara ali antes de nós. No armário do quarto de hóspedes, uma estante sem verniz com nomes de times esportivos escritos nas prateleiras com caneta esferográfica azul. Uma miniatura de freira de madeira colocada ao pé de uma árvore grande no fundo do terreno que minha mãe se recusou a jogar fora quando as minhas amigas e eu imploramos, afirmando com todo o entusiasmo da juventude que era assombrada.

Fiquei imaginando o que os novos moradores iriam encontrar de nós. O que ficaria para trás sem querer. Se os corretores evitariam mencionar que minha mãe tinha morrido em um dos quartos. Se alguma parte do fantasma de minha mãe ainda morava lá. Se a nova família iria se sentir assombrada.

Meu pai havia passado os últimos meses na Tailândia e tinha planos de mudar definitivamente para lá quando a casa fosse vendida. Como estava fora do país, um amigo dele, Jim Bailey, providenciou o envio de alguns móveis de Eugene para a Filadélfia. Havia três peças grandes: uma cama de casal, um piano vertical Yamaha e a geladeira de *kimchi* de minha mãe, que não cabiam em nosso apartamento e iriam para a casa dos pais de Peter nos subúrbios, por enquanto.

Semanas se passaram antes de eu ver a geladeira ao vivo. Era o Dia de Ação de Graças, o segundo sem minha mãe. Fiz tempurá de batata-doce, que a minha mãe sempre levava para o Dia de Ação de Graças na casa do tio Ron. Lembro do trajeto de carro, segurando a pesada travessa no colo, lotada de batata-doce empanada, coberta com filme plástico. Quando voltávamos para casa, a travessa estava vazia, e minha mãe se gabava de quanto meus primos norte-americanos adoravam o tempurá dela.

Comprei farinha de tempurá, um frasco de óleo de canola e seis batatas-doces japonesas, bem roxas por fora e brancas por dentro, mais finas e mais compridas do que as batatas-doces vendidas na maior parte dos mercados. Lavei bem e cortei em rodelas de meio dedo de espessura. Juntei a farinha com água gelada e preparei uma massa rala de empanar. Empanei cada uma das rodelas e fritei no óleo quente, em porções, tomando cuidado para não encher demais a panela que espirrava gordura. Usei hashis para tirá-las do óleo quando estavam crocantes e douradas e coloquei em uma toalha de papel para absorver a gordura. Mordi uma batata-doce quente e lambi o óleo dos lábios. Recolhi as migalhas de tempurá que se soltaram das pontas com o indicador. De algum modo, as de minha mãe sempre saíam perfeitamente crocantes por inteiro. As minhas pareciam desiguais, mas estavam bem próximas, e fiquei feliz de manter a pequena tradição de nossa família.

No condado de Bucks, meu tempurá ficou quase intocado e lentamente se transformou em um monte de círculos frios e molengas. Tentei dar meu toque pessoal, apresentando o tempurá em pequenos cones que fiz com papel vegetal para que parecesse mais acessível, mas a família de Peter preferia as próprias tradições, enchendo o prato com recheio de peru e vagem. Só Peter e a mãe fizeram questão de adicionar minha oferenda.

"Experimentem, é batata-doce frita!", Peter incentivou os parentes para meu horror.

"É biscoito?", o tio de Peter perguntou.

Depois do jantar, desci para o quarto extra para guardar algumas assadeiras. No canto da cozinha, parecendo comicamente deslocada ao lado de miniaturas de veleiros e relíquias da região do carvão da Pensilvânia, estava a geladeira de *kimchi* de minha mãe. Quase tinha esquecido que os pais de Peter estavam guardando a geladeira ali.

Parecia uma geladeira normal na horizontal, grande e cinza, com o exterior de plástico. Batia um pouco acima do quadril, com portas que se abriam para cima, para poder olhar dentro do alto. Em Eugene, ficava ao lado da máquina de lavar, e minha mãe tinha de se contorcer a seu redor toda vez que precisava ligar a lavadora.

Em cada compartimento, havia recipientes de plástico marrom para armazenar tipos diferentes de *kimchi*. Inalei fundo, meio esperando sentir o cheiro do *banchan* que minha mãe guardara ali durante tantos anos, meio esperando que não houvesse nada ali para invadir com pungência o apartamento da avó de Peter. Podia jurar que tinha detectado um pouco de cheiro de pimentão vermelho e cebola, apesar de o cheiro predominante ser de plástico limpo. Olhei lá dentro. Os recipientes estavam cheios de algo, mas não tinha como ser resto de *kimchi*. Fazia meses que a geladeira estava guardada, e estaria totalmente fedido e podre. Peguei um dos recipientes, erguendo pela alça marrom, surpresa com o peso. Coloquei à mesa da cozinha e soltei a tampa pelos lados.

No lugar do *chonggak* e do *tongbaechu*, do *dong-chimi* efervescente e do *namul* terroso e vívido, no recipiente que tinha abrigado todo o *banchan* e as pastas fermentadas que minha mãe guardava e adorava, havia centenas de fotografias de família.

Não havia ordem, nenhum período nem paisagem específica. Fotos de meus pais antes de eu nascer: o meu pai à frente de uma escultura de neve, todo encolhido no frio, com as mãos enfiadas no bolso. Ele está magro, com os cabelos pretos vastos e um bigode fino, usando jeans e um casaco acolchoado bege. O filme é Fujicolor HR, e as cores têm uma qualidade mágica, nostálgica.

Fotografias minhas quando criança, e em muitas delas estou pelada: montada em um triciclo vermelho no jardim, empoleirada em uma banqueta na ilha da cozinha, apoiada no batente da porta com uma caixa de lápis de cor e uma baqueta de xilofone espalhados a minha frente, no tapete. Agachada sobre a grama com a mão enfiada em um pote de salgadinhos de queijo, olhando para a câmera feito um cachorro selvagem.

Sabia que era minha mãe por trás da lente. Me capturando e me preservando. Minhas simples alegrias. Minhas palavras interiores. Em uma fotografia, estou deitada sobre uma manta pequena, aberta no chão da sala, banhada pela luz que entra pela janela que dá para o norte. Lembro de fingir que flutuava na água, com os artigos espalhados pela manta, meus únicos pertences na minha balsa improvisada. Há outra foto tirada de longe, e embora ela mostre apenas uma criancinha solitária na entrada de casa, sentada em cima de uma toalha que eu só posso imaginar ser um tapete mágico levado por uma corrente de ar, eu também enxergo a minha mãe. Eu a vejo, apesar de ela estar fora do enquadramento, no alto da escada, com a câmera descartável apertada contra um dos olhos, me observando o tempo todo da porta. Sou capaz de ouvi-la quando me instrui a fazer uma mesura diante de uma cadeira de balanço infantil, usando o vestido amarelo que colocou em mim, falando "*Man seh*" enquanto eu passava a cabeça pela gola, os braços pelas mangas, as meias de Mickey na altura do joelho que ela amarfanhava nas mãos antes de colocar em meus pés. Procuro por ela nos ambientes, nas casinhas holandesas pintadas e nas bailarinas de porcelana e nos bichinhos de cristal. E vejo que, em todas as minhas expressões, eu a observo: quando estou buscando a aprovação dela, quando sou pega no pulo, quando estou toda contente e ocupada com um presente que ela me deu.

Chamei Peter para ver, com os olhos cheios de lágrimas enquanto examinava a pilha. Passei as fotografias de bebê para a avó e a mãe dele.

"Que coreaninha mais adorável", a avó dele disse, apertando os olhos ao aproximar a foto do rosto.

"E, meu deus, esse vestido", Fran soltou um gritinho, separando uma fotografia da pequena pilha amontoada no colo dela. "Dá para ver que sua mãe adorava vestir você."

*

No antigo quarto de brincar, onde passamos a noite na casa dos pais de Peter, peguei as fotografias e repassei todas mais uma vez enquanto Peter dormia. Minhas preferidas eram as que deram errado, aquelas de minha mãe que eram objetivamente ruins. Ela aparecia com os olhos fechados, piscando sem querer e distraída. Uma sessão de fotos improvisada na farmácia Rite Aid local para terminar o rolo de filme. Sorrindo e posando na frente da decoração feita de papelão para o Dia dos Namorados, parada ao lado de um brinquedo de criança operado por moedas, o corredor de garrafas de vinho, o mostruário de cadeiras de praia. Uma foto-surpresa na porta da garagem, fechando o porta-malas do Isuzu Trooper branco dela. É como se eu estivesse presente, observando enquanto ela se espremia pelo lado do motorista para dar a volta no carro e levar as compras para dentro de casa, usando óculos escuros grandes, como sempre, a boca meio aberta como se estivesse no meio de uma frase, dá até para ouvir quando ela me diz para abaixar a câmera.

Fotos espontâneas em que ela está desajeitada. Em que está sentada no sofá e eu consigo enxergar o afeto dela irradiando em minha direção, enquanto estou alheia, de costas abrindo um presente de Eunmi. Recostada em uma cadeira, prestes a tomar um gole de cerveja. Sentada no tapete da sala de nossa antiga casa, olhando para algo fora do enquadramento, com o penhoar caindo de um ombro. Vejo a cicatriz da vacina no braço dela, aquela que parecia uma queimadura de acendedor de cigarro de carro, como aquilo dava medo nela, a possibilidade de que um dia também tivesse cicatrizes. De que era obrigação dela me proteger de tudo que eu podia vir a me arrepender.

Ela era minha defensora, era meu arquivo. Tinha tomado o maior cuidado em preservar a evidência de minha existência e crescimento, me capturando em imagens, guardando todos os meus documentos e pertences. Tinha todo o conhecimento do meu ser memorializado. Quando eu nasci, os desejos que ela teve na gravidez, o primeiro livro que eu li. A formação de cada característica. Cada doença e cada pequena vitória. Observou-me com um interesse sem paralelo, com uma dedicação inesgotável.

Agora que ela não estava mais aqui, não havia mais ninguém para quem perguntar sobre essas coisas. O conhecimento que não foi registrado morreu com ela. Só sobraram documentos e minhas lembranças, e agora cabia a mim entender a mim mesma, auxiliada pelos sinais que ela deixou para trás. Como era cíclico e estranho para uma filha retraçar a imagem da mãe. Ter que dar meia-volta e documentar a arquivista.

Antes, eu pensava em fermentação como se fosse morte controlada. Se uma acelga é deixada de lado, mofa e se decompõe. Fica podre, impossível de comer. Mas, quando colocada no sal e guardada, o curso do apodrecimento se altera. Açúcares são quebrados para produzir ácido lático, que protege de estragar. O dióxido de carbono é liberado e a água salgada se acidifica. A acelga envelhece. A cor e a textura transmutam. O sabor fica mais amargo, mais pungente. A acelga passa a existir no tempo e se transforma. Então, não é exatamente morte controlada, porque passa a gozar de uma vida completamente nova.

As lembranças que eu tinha guardado, não podia deixar apodrecer. Não podia permitir que o trauma se infiltrasse e se espalhasse, que as estragasse e fizesse com que fossem inúteis. Eram momentos a serem cultivados. A cultura que dividíamos estava ativa, efervescente em minhas entranhas e genes, e eu tinha de assumi-la, alimentá-la para que não morresse em mim. Para que pudesse passá-la adiante algum dia. As lições que ela compartilhou, a prova de que a vida dela continuava, agora dentro de mim, em cada movimento e em cada ato meu. Eu era o que tinha sobrado. Se eu não podia estar com a minha mãe, eu seria ela.

Antes de voltarmos para Nova York, fui até Elkins Park. Queria fazer uma esfoliação na casa de banhos coreana a que tinha levado meus pais e Peter quando eles se conheceram. Guardei os sapatos em uma sapateira antes de entrar no vestiário feminino. Encontrei meu armário e me despi. Tentei não me apressar e ser bem arrumadinha: dobrei as roupas em uma pilha compacta; curvei naturalmente meu corpo para esconder minha nudez.

Quando eu era pequena, havia um *jjimjilbang* perto do apartamento de *halmoni*, onde coreanas de todas as gerações iam se banhar nuas em banheiras de temperaturas diferentes e suar em saunas secas e úmidas comunais. Todos os anos, minha mãe e eu pagávamos extra para fazer uma esfoliação de corpo todo e, depois de nos banharmos por meia hora, nós duas deitávamos lado a lado em camas de massagem com cobertura de vinil enquanto duas *ajummas* da casa de banhos, vestidas com sutiã com armação e calcinha larga, nos esfregavam de maneira metódica, equipadas apenas com um sabonete e um par de buchas ásperas, até estarmos tão rosadas quanto ratos recém-nascidos. O processo leva um pouco menos de uma hora, e o ponto alto é quando você confronta a sua própria imundice na forma de um monte de fios cinzentos enrolados que ficam grudados nas laterais das camas. Então a *ajumma* joga um balde gigantesco de água quente para limpar, manda você virar do outro lado e começa tudo novamente. Quando você completa a rotação, se sente como se tivesse perdido um quilo de pele morta.

No estabelecimento, havia algumas mulheres mais velhas cheias de pelanca, a barriga mole. Tentei desviar o olhar com educação, apesar de às vezes as espiar de soslaio, curiosa com o envelhecimento do corpo, pensando que eu nunca veria como a minha mãe iria ficar cheia de pelancas ou rugas.

Depois de me banhar durante meia hora, uma *ajumma* usando sutiã branco com calcinha combinando me chamou para me deitar à cama de vinil dela. Olhou-me de um jeito estranho, como se não soubesse muito bem como eu tinha ido parar ali. Ficou em silêncio enquanto esfregava; só falava em intervalos de poucos minutos para dizer:

"Vire."

"De lado."

"Rosto para baixo."

Dei uma olhada nos fios cinzentos que se soltavam de meu corpo e se acumulavam na cama, curiosa para saber se havia mais ou menos detrito do que no caso das outras clientes. Enquanto estava deitada de lado, logo antes da rotação final, ela fez uma pausa, como se tivesse acabado de reparar.

"Você é coreana?"

"*Ne, Seul-eseo taeeonasseoyo*", eu disse, o mais rápido e de maneira mais fluente possível. Sim, eu nasci em Seul. Ficava com os lábios soltos e à vontade com as palavras que eu conhecia, e eu as proferi como se estivesse tentando impressioná-la, ou, para ser mais realista, tentando mascarar minhas deficiências linguísticas. A paisagem sonora coreana de minha infância e todos os meus anos de *Hangul Hakkyo* tinham gerado uma mímica alfabetizada, e as palavras que conhecia se lançavam com a entonação de mulheres que me rodeavam quando eu era bebê, mas a boa pronúncia não me levava muito longe, porque logo eu emudecia, embaraçada, escarafunchando o cérebro em busca de um infinitivo básico.

Encarou-me como se estivesse em busca de alguma coisa. Eu sabia o que ela estava procurando. Era o mesmo jeito que os colegas da escola olhavam para mim antes de perguntar o que eu era, mas do ângulo oposto. Ela estava tentando encontrar alguma característica coreana em meu rosto que não era bem capaz de distinguir. Algo que se assemelhasse a ela.

"*Uri umma hanguk saram, appa miguk saram*", eu disse. Minha mãe é coreana, meu pai, norte-americano. Ela fechou os olhos e abriu a boca com um "ahhh" e assentiu. Olhou fixamente para mim mais uma vez, examinando com atenção, como se para peneirar as partes coreanas.

Era irônico que logo eu, antes ansiosa para me assemelhar aos colegas brancos e desesperada para que meu lado coreano passasse despercebido, agora estivesse absolutamente apavorada com a ideia de que essa desconhecida na casa de banhos não fosse capaz de perceber a semelhança.

"Sua mãe é coreana e seu pai, norte-americano", ela repetiu em coreano. Começou a falar rápido, e não consegui mais acompanhar. Reproduzi os balbucios coreanos de compreensão, querendo muito manter as aparências, fingindo entender tempo suficiente para pescar uma palavra que eu reconhecia, mas no fim fez uma pergunta que eu não consegui entender, e então ela também percebeu que não tinha sobrado nada com o que se identificar. Nada mais que pudéssemos dividir.

"*Yeppeuda*", ela disse. Bonita. Rosto pequeno.

Era a mesma palavra que tinha ouvido quando mais nova, mas agora era diferente. Pela primeira vez, me ocorreu que aquilo que ela buscava em meu rosto podia estar desaparecendo. Já não tinha mais uma pessoa inteira do meu lado para dar sentido a mim mesma. Temia que qualquer traço ou cor que fosse, que significasse aquela metade preciosa, estivesse começando a extinguir, como se, sem minha mãe, eu já não tivesse mais direito àquelas partes de meu rosto.

A *ajumma* pegou uma bacia grande, ergueu até a altura do peito e jogou água quente sobre meu corpo. Lavou meu cabelo e massageou o couro cabeludo, então enrolou uma toalha com cuidado em minha cabeça, do jeito que tinha tentado fazer antes, sem conseguir, num esforço de imitar as mulheres mais velhas no vestiário. Sentou-me, bateu nas minhas costas com os punhos fechados e me deu mais um tapa para concluir. "*Jah*! Acabou!"

Enxaguei-me em uma banqueta de plástico, me sequei com uma toalha e voltei para o vestiário. Vesti a roupa larga do spa, uma camiseta enorme em tom de néon e short largo cor-de-rosa com elástico na cintura. Passei para uma sala quente, cor de jade, que trazia algum obscuro benefício para a saúde.

Não tinha ninguém lá, só dois travesseiros de madeira que pareciam um pelourinho medieval em miniatura sem a parte de cima. Deitei-me perto de uma das paredes e pousei o pescoço na reentrância. A luz era tênue, com um leve brilho alaranjado. Senti-me relaxada, limpa e nova, como se tivesse me desfeito de camadas inúteis, como se tivesse sido batizada. O piso era aquecido e a temperatura da sala era perfeitamente quente, como o interior de um corpo humano saudável, como um útero. Fechei os olhos e as lágrimas começaram a escorrer, mas não fiz nenhum ruído.

"Coffee Hanjan"

Mais ou menos um ano depois que Peter e eu nos mudamos para o Brooklyn, o pequeno álbum que eu tinha composto na casinha dos fundos do terreno dos meus pais começou a receber uma quantidade de atenção surpreendente. É engraçado, eu havia lançado o álbum com o pseudônimo de Japanese Breakfast, que eu tinha inventado anos antes, quando estava acordada tarde da noite, olhando fotografias de bandejas de madeira bem arrumadas com filés de salmão grelhados à perfeição, missô e arroz branco. Uma pequena gravadora de Frostburg, no estado de Maryland, fez uma oferta para lançar o álbum em vinil. A imagem de minha mãe agraciava a capa, uma fotografia antiga de quando ela estava perto de vinte anos, em Seul, usando um blazer branco e uma blusa de babados, posando com uma velha amiga. Coloquei a reprodução de duas das aquarelas dela no círculo de papel do disco de vinil, e as músicas que eu tinha composto ao me lembrar dela giravam ao redor dele.

O lançamento foi em abril e, naquele verão, me ofereceram uma turnê de cinco semanas abrindo para Mitski por todos os Estados Unidos. Ao mesmo tempo, um ensaio que tinha escrito ao longo de algumas semanas, à noite, depois do trabalho, intitulado "Amor, perda e *kimchi*", foi selecionado como ensaio do ano da revista *Glamour*. Os prêmios incluíam publicação na revista, uma reunião com um agente literário e cinco mil dólares. Tinha me mudado para Nova York para deixar minhas ambições criativas de lado e concentrar minhas energias em galgar os degraus da carreira corporativa, mas todos os sinais pareciam indicar que ainda não estava na hora de jogar a toalha.

Larguei meu emprego na empresa de publicidade, e os rumores em torno de *Psychopomp* continuaram a crescer, e isso permitiu que me dedicasse à música em tempo integral pela primeira vez em minha vida adulta. Montei uma banda e viajamos de carro pela rodovia I-95, percorrendo a Costa Oeste, pela longa extensão da I-10, dos pântanos da Louisiana até os desertos vazios da área oeste do Texas e o Arizona, subindo a I-5 ao longo dos majestosos penhascos da costa do Pacífico e de volta pelos vales nebulosos do Oregon, onde levei flores ao túmulo de minha mãe, com a lápide corrigida e finalmente dizendo ADORÁVEL. Tocamos para a casa cheia no WOW Hall e, mais tarde naquele ano, no lendário Crystal Ballroom, onde meninas de dezesseis anos olhavam com adoração para mim do mesmo jeito que tinha olhado com adoração para as cantoras que eu idolatrava. Abrimos para bandas maiores e depois começamos a ser a atração principal, passando longos períodos do ano na estrada, atravessando o país de um lado a outro.

Depois dos shows, vendia camisetas e exemplares do disco, com frequência para uma garotada mestiça e norte-americanos asiáticos que, como eu, tinham dificuldade de encontrar artistas que se assemelhassem a eles, ou uma garotada que tinha perdido o pai ou a mãe e me dizia como as músicas tinham ajudado de algum jeito e como minha história significava muito.

Quando a banda já tinha ganhado fôlego suficiente para ser financeiramente viável, Peter entrou como guitarrista principal, arredondando o grupo com Craig na bateria e Deven de volta ao baixo. Tocamos no festival Coachella, na Califórnia. Tocamos no festival Bonnaroo, no Tennessee. Viajamos para Londres, Paris, Berlim e Glasgow. Nosso contrato permitia que fizéssemos exigências especiais e ficávamos em hotéis Holiday Inns. Depois de um ano de shows na América do Norte e três turnês pela Europa, nosso gerente de agendamento me ligou com a oferta de uma turnê de duas semanas pela Ásia. Naturalmente, terminaríamos em Seul.

Mandei uma mensagem para Nami pelo Kakao para avisar que faríamos uma visita no fim de dezembro.

Tínhamos mantido contato ao longo do último ano, mas a barreira da linguagem fazia com que fosse difícil ser específica. Na maior parte das vezes, só escrevíamos "te amo" e "estou com saudade", acompanhado de vários emojis e fotos das minhas incursões na culinária coreana. Tentava explicar que as coisas estavam indo bem, que a banda estava fazendo um pouco de sucesso, mas acho que ela só entendeu realmente e acreditou em mim quando informei que tínhamos um show marcado em Seul na segunda semana de dezembro.

Um momento depois, recebi um telefonema.

"Olá, Michelle, como vai? Aqui é a Esther."

Esther era filha de Emo Boo, do primeiro casamento. Era cinco anos mais velha e tinha estudado Direito na NYU. Estava fazendo uma visita, vinda da China, onde agora morava com o marido e a filha de um ano.

"Nami acabou de me dizer que você vai fazer um show aqui dentro de algumas semanas. É verdade?"

"É verdade! Vamos fazer uma turnê de duas semanas pela Ásia toda, e nosso último show será em Seul. O Peter e eu estamos pensando em alugar um apartamento durante algumas semanas depois. Em Hongdae, talvez."

"Ah, Hongdae é divertido. Tem muitos artistas jovens lá, igual ao Brooklyn." Fez uma pausa, e escutei Nami dizer algo no fundo. "É que... estamos confusos. Tem algum tipo de escritório?"

"Escritório?"

"Bem... acho que a gente só está se perguntando, quem está pagando você?"

Dei risada. Com certeza não era a primeira vez que me pediam para explicar, e depois de anos de turnês organizadas por conta própria em que praticamente pagava para tocar, eu mesma às vezes tinha dificuldade de acreditar. "Bom, tem um produtor que agenda os shows, e daí somos pagos pelas pessoas que compram os ingressos."

"Ah... entendi", ela disse, apesar de eu ter ficado com a sensação de que ela não tinha entendido, não. "Bom, queria muito ver o seu show, mas vou voltar para China antes. Nami disse que ela e o meu pai estão muito animados."

A turnê começou em Hong Kong e passaria por Taipei, Bangcoc, Pequim, Xangai, Tóquio e Osaka, antes de terminar em Seul. A cada noite, tocávamos para um público de trezentas a quinhentas pessoas. Os produtores nos pegavam no aeroporto e nos guiavam pelas cidades deles, indicando os cartões-postais a caminho da casa de shows, traduzindo as listas de equipamento para a equipe de palco local. E o mais importante: mostravam para nós as melhores coisas para comer.

Era um contraste gritante em relação ao que costumávamos comer nas turnês pela América do Norte, em que passávamos os longos trechos de carro à base de lanches de posto de gasolina e cadeias de fast-food. Em Taipei, comemos omeletes de ostra e tofu fedido no mercado noturno Shilin e descobrimos aquela que é provavelmente a melhor sopa de macarrão do mundo, a sopa de carne com macarrão de Taiwan, com massa de farinha servida com pedações de pernil ensopado e um caldo de carne tão nutritivo que é praticamente um molho. Em Pequim, caminhamos mais de um quilômetro e meio em quinze centímetros de neve para tomar sopa apimentada, mergulhando fatias finas de cordeiro, fatias circulares porosas de raiz de lótus crocante e caules terrosos de agrião no caldo borbulhante cheio de picância e pimenta Sichuan. Em Xangai, devoramos torres de bolinhos de sopa armazenados em cestas de bambu no vapor, viciados no sabor do caldo salgado que esguichava da massa macia e gelatinosa. No Japão, tomamos lámen *tonkotsu* irresistível, apreciamos com atenção *takoyaki* fumegante coberto com flocos de bonito e nos acabamos com *highballs* de uísque.

A turnê estava chegando ao fim. Pousamos em Incheon e recolhemos nossas guitarras na esteira dos itens volumosos. No saguão de desembarque, fomos recebidos pelo nosso produtor local, Jon. Tinha marcado o show em Seul em um clube em Hongdae, o mesmo bairro em que ele tinha uma pequena loja de discos chamada Gimbab Records. Tinha esse nome por causa do gato dele, que por sua vez tinha o nome dos rolinhos de arroz coreanos que minha mãe fazia quando era a vez dela de oferecer o lanche ao *Hangul Hakkyo*. Ele era alto e magro, bem arrumado, vestido de maneira simples e formal, com calça social preta e blazer. Parecia mais um funcionário de escritório do que um produtor e dono de uma loja descolada de vinil.

Jon nos levou para jantar tarde, e conhecemos o sócio dele, Koki, um japonês doce com um sorriso meio bobo que falava coreano e inglês fluentes. Koki era direto e sincero, o complemento perfeito a Jon, que tivemos dificuldade de decifrar enquanto saboreávamos *kimchijeon* e tomávamos vários canecos de Kloud, fazendo brindes em comemoração a minha volta ao país natal.

No dia seguinte, carregamos o equipamento para o show no V Hall, um clube com capacidade para um pouco mais de quatrocentas pessoas. Nosso camarim estava cheio de petiscos coreanos de minha infância: salgadinhos de camarão e bolachas de mel Chang Gu, palitinhos de batata-doce e banana frita, fatias de melão amarelo e até uma caixinha de frango frito coreano. Jon se assegurou de que Nami e Emo Boo tivessem lugar reservado no mezanino, bem acima do palco. Os dois chegaram cedo com flores. Nos abraçamos e tiramos fotos juntos. Nami nos ensinou a última moda de posar com o polegar e o indicador cruzados na diagonal, em forma de coração.

Quando subimos ao palco, parei um momento para absorver o salão. Até no auge de minhas ambições, nunca tinha imaginado que seria capaz de fazer um show no país natal de minha mãe, na cidade em que nasci. Queria que minha mãe pudesse me ver, que pudesse ter orgulho da mulher que eu tinha me tornado e da carreira que tinha construído, a realização de algo que durante tanto tempo ela teve receio de que jamais aconteceria. Ciente de que o sucesso que vivenciávamos girava em torno da morte dela, de que as músicas que eu cantava eram a memória dela, eu desejava mais do que tudo, e apesar de toda aquela contradição, que ela pudesse estar ali.

Respirei fundo. "*Annyeonghaseyo!*", gritei ao microfone, e entramos de cabeça em nosso set.

Não acreditava na existência de um deus desde que tinha uns dez anos e ainda imaginava Mr. Rogers* quando rezava, mas os anos que se seguiram à morte de minha mãe pareceram estranhamente encantados. Tocava em bandas desde os dezesseis anos e praticamente a vida toda sonhei em fazer sucesso como artista — e, sendo norte-americana, me achava merece-

* Famoso apresentador de TV norte-americano que manteve um programa infantojuvenil durante mais de trinta anos.

dora dele, apesar de todos os presságios agourentos de minha mãe. Tinha lutado por aquele sonho de forma ingrata durante oito longos anos, e foi só depois que ela morreu que as coisas, como que por mágica, começaram a acontecer.

Se existia um deus, parecia que minha mãe estava com o pé no pescoço dele, exigindo que coisas boas acontecessem comigo. Que se fosse para sermos destruídos bem em nossa volta por cima, bem quando as coisas estavam começando a ficar boas, o mínimo que deus poderia fazer era realizar alguns dos sonhos mais loucos da filha dela.

Teria ficado tão animada de ver os últimos anos, eu toda arrumada para uma sessão de fotos para uma revista de moda, o primeiro diretor de cinema sul-coreano vencendo um Oscar, canais do YouTube com milhões de visualizações dedicados a rituais de cuidados com a pele em quinze passos. E, apesar de aquilo parecer contrário às minhas crenças, tinha de acreditar que estava vendo. E que estava feliz por eu finalmente ter encontrado o meu lugar.

Antes de nossa última música, agradeci a minha tia e meu tio por terem comparecido, olhando para eles no mezanino. "Emo, bem-vindo ao meu *hoesa*", eu disse e estendi o braço para a plateia. Bem-vindo a meu escritório. A banda posou para uma foto com os dedos fazendo a forma do coração que Nami tinha ensinado, tendo ao fundo a casa de shows lotada. Montes de garotos saíram de lá com um disco de vinil embaixo do braço, espalhando-se pelas ruas da cidade, o rosto de minha mãe na capa, a mão dela esticada para a câmera como se tivesse acabado de largar a mão de alguém que estava embaixo.

Mais tarde, Jon e Koki nos convidaram para ir a um bar de discos de vinil chamado Gopchang Jeongol para comemorar. O nome se traduz como "ensopado de miúdos", mas o prato não estava no cardápio. Em vez disso, pedimos uma variedade de *anju*. *Golbaengi muchim* impecável — caracol do mar com pimentão vermelho e molho de vinagre servido sobre o macarrão *somen* frio, tofu com *kimchi* e carne de peixe-porco defumada com amendoim.

O bar tinha iluminação fraca, com luzinhas de Natal e LEDs azuis cintilando pelas paredes. Tinha tetos abobadados e tijolinhos à mostra que faziam o lugar parecer algum tipo de loft subterrâneo. À frente, havia um palco com duas picapes e um DJ tocando rock, pop e folk coreano dos anos 1960 diante de estantes de três metros de altura cheias de discos. Sentados em volta de mesas de madeira, os outros clientes começavam a cantar quando escutavam uma faixa conhecida.

Craig e Deven aprenderam os hábitos locais relativos a bebida — nunca sirva seu drinque, sirva os mais velhos com as duas mãos — e Jon nos ensinou jogos como Titanic, em que um copo vazio de uma dose é colocado dentro de uma caneca cheia de cerveja e a gente se reveza despejando pequenas quantidades de *soju* nele, até que o copo afunda, e o perdedor tem de virar tudo. A combinação mortífera de *soju* e *maekju*, a palavra coreana para cerveja, se chama *somaek*, um culpado comum para a ressaca coreana.

Bebemos cerveja Cass gelada em copos em miniatura e servimos garrafa após garrafa verde de *soju*, distribuindo doses, principalmente para Jon, tentando fazer com que saísse da concha. Bem tarde da noite, finalmente fizemos algum progresso, e ele começou a falar de música.

Quando Jon contou sobre a cena de rock da Coreia dos anos 1960, escutei com muita atenção. Minha mãe nunca falava muito das músicas que escutava quando era nova. Na verdade, sabia bem pouco a respeito de música coreana em geral, tirando um punhado de bandas de k-pop que estavam fazendo sucesso nos Estados Unidos e um grupo feminino chamado Fi.K.L, que Seong Young me mostrou no fim da década de 1990.

Quando o movimento no bar diminuiu, Jon colocou para tocar para a gente uma música de Shin Jung-hyeon, um tipo de Phil Spector coreano que produzia refrãos açucarados e riffs psicodélicos para os grupos femininos da época. A música se chamava "Haennim", composta para a cantora Kim Jung Mi. Era uma canção folk bem longa, de seis minutos, que começava com um violão dedilhado e ia crescendo com acordes melancólicos ao prosseguir. Escutamos em silêncio. Nenhum de nós era capaz de entender a letra, mas tinha um som cativante e atemporal, e estávamos bêbados, lúgubres e comovidos.

Com a cabeça latejando, Peter e eu acordamos no dia seguinte para nos despedir de nossos companheiros de banda e passar do hotel para o apartamento onde ficaríamos nas próximas semanas. Passaríamos algum tempo com meu tio e minha tia, e eu escreveria um pouco sobre a cultura coreana e as coisas que comíamos, como aquilo trazia à tona as lembranças de minha mãe que eu queria guardar bem próximas.

Nami nos mimou do jeito que só ela sabia fazer. Sabia onde conseguir o melhor de tudo: os frutos do mar mais frescos, a carne da mais alta qualidade, a entrega de frango mais rápida, o chope mais gelado, o ensopado de tofu mais apimentado, o melhor dentista, optometrista, acupunturista. Podia ser qualquer coisa, ela sempre conhecia alguém. Podia ser *dim sum* no andar mais alto de um arranha-céu ou *naengmyeon* em um beco atrás de um pátio úmido onde uma *ajumma* de cócoras enxaguava o macarrão em cima de um ralo no cimento; ela sempre era rápida em passar uma gorjeta logo no começo para garantir que recebêssemos o melhor produto e serviço.

Em Myeong-dong, nos levou ao restaurante de *kalguksu* preferido de minha mãe, que servia macarrão cortado na faca em caldo de carne, gordos bolinhos no vapor recheados de porco e legumes e *piquant*, *kimchi* cru famoso por pegar pesado no alho, deixando a pessoa com um bafo pungente que lançava o cheiro a um bom raio de um metro.

No Terminal de Gangnam, um shopping center subterrâneo conectado a uma das principais estações de metrô de Seul, examinamos as mercadorias. Lembrei de todas as vezes que a minha mãe e eu fizemos compras, o tipo de incentivo único que ela me dava e de que eu tanto sentia falta quando fazia compras sozinha. Fiquei imaginando se os vendedores achavam que Nami era minha mãe. Fiquei imaginando se ela estava pensando a mesma coisa. Cada uma de nós representava um papel, de certa maneira, substitutas leves para as mortas que queríamos reviver com tanta avidez. Qualquer coisa que eu parava para examinar, Nami insistia para que a deixasse comprar para mim. Um avental com estampa floral e alças vermelhas, um par de chinelos de usar em casa com uma carinha na frente. Chamou Peter para carregar as sacolas.

"Porter!", ela disse. Caímos na risada.* De vez em quando nos surpreendia assim, usando palavras que se escutam em minisséries de época que passam na BBC. Palavras antiquadas como "comboio" ou "bárbaro", que ela provavelmente tinha aprendido de alguma lista de vocabulário obrigatório décadas antes, bem guardadinhas em algum lugar nos cantos da mente dela.

"Nami, você conhece Shin Jung-hyeon?", Peter perguntou ao recolher sacolas de compras.

* A personagem fez uma confusão entre Peter e "porter", palavra em inglês para "carregador". (N.T.)

"Shin Jung-hyeon? Como você conhece Shin Jung-hyeon?", Nami perguntou, descrente. Peter explicou que Jon tinha nos falado dele no bar Gopchang Jeongol.

"Sua mamãe e eu, nós adoramos Pearl Sisters. Este aqui Shin Jung-hyeon! 'Coffee Hanjan'!"

Nami achou um vídeo do YouTube dessa música e colocou para tocar no telefone dela. A capa do álbum era de um amarelo intenso, com as duas irmãs posando, usando minivestidos verdes de bolinha. Shin Jung-hyeon a gravara no fim dos anos 1960 com a dupla de irmãs que se apresentava como Pearl Sisters. Era a música preferida delas quando eram jovens, Nami explicou. Quando eram pequenas, ela e minha mãe costumavam se apresentar nas festas de meu avô. Usavam roupa combinando e, como não tinham bota tipo go-go, improvisavam com as galochas de borracha delas.

No nosso último dia em Seul, Emo Boo nos levou para Incheon, para um jantar à beira-mar. Nami deu à *ajumma* dez mil won e pediu macarrão cortado à faca com frutos do mar em um molho salgado cheio de vieiras, mariscos e mexilhões. Um prato de *hwe* fresco, rosa-claro e branco, em fatias uniformes para ser saboreado com *ssamjang* caseiro, alho em conserva, alface roxa e folhas de gergelim. Abalone firme e salgado que parecia pequenos cogumelos fatiados, servido em lindas conchas holográficas. Echiuros vivos, que pareciam pênis murchos que se agitavam.

"Esta é a comida do vigor!", Emo Boo disse. "Faz bem para o poder... do homem!"

"O que é isto?", Peter perguntou, disposto a experimentar tudo. Equilibrava um pouco de *banchan* entre os hashis, um pedaço de batata cozida misturado com milho e maionese.

"É salada de batata", eu dei risada.

Depois que terminamos de comer aquela fartura, Peter e Emo Boo entraram em uma loja de conveniência ao lado do restaurante e saíram com fogos de artifício, que prontamente acenderam na praia. Nami e eu ficamos observando do lado de dentro, enquanto o vento agitava seus casacos. Tinha feito um frio brutal nas duas últimas semanas, e eu estava enfiada no casaco acolchoado comprido que tinha comprado, que poderia ser facilmente confundido com um saco de dormir.

Emo Boo e Peter acenderam o resto dos fogos de artifício e voltaram com as faces úmidas e vermelhas para um último copo de cerveja antes de voltar para casa. O sol se pôs sob o mar Amarelo. O céu cinzento exibia uma faixa amarelo-alaranjada forte, que foi afinando e depois desapareceu.

"Acho que *halmoni* e Eunmi e a sua mãe está muito feliz", Nami disse. Torceu o pendente de coração do colar que eu tinha dado a ela para que ficasse para a frente. "Estão todas no céu juntas, jogando *hwatu* e tomando *soju*, felizes por estarmos aqui juntos."

Pegamos a saída para Mapo-gu, para voltar ao nosso apartamento. Emo Boo começou a se lembrar do tempo em que estudava na universidade Hongik, a faculdade que ficava ali perto. Queria ser arquiteto, mas, como filho mais velho, era obrigação dele assumir o consultório do pai. A vizinhança tinha mudado muito desde então, as ruas agora estavam cheias de lojas de produtos de beleza e butiques de roupas, carrinhos de comida servindo peixe frito e *tteokbokki*, salsicha empanada em massa de milho doce e camarão frito. Músicos de rua se reuniam com amplificadores portáteis, cantando no meio de calçadas movimentadas, cheias de jovens artistas, estudantes e turistas.

Em uma ideia de último minuto, Emo Boo sugeriu que terminássemos a noite com karaokê. Virou com o carro em um beco que tinha por cima um luminoso que dizia *noraebang*. Do lado de dentro, um globo espelhado girava, espalhando quadradinhos de luz dançantes pelo salão todo roxo com iluminação fraca.

Nami examinou as opções na tela sensível ao toque e encontrou "Coffee Hanjan". A música abria com um címbalo lento e arrastado, a corda de uma guitarra lânguida embutida no arranjo. Quando a melodia principal finalmente começou, podia jurar que já tinha ouvido aquilo. Talvez cantassem juntas durante os *noraebangs* a que íamos quando era pequena. A letra foi aparecendo devagar na tela enquanto a longa introdução instrumental chegava ao fim. Nami entregou o segundo microfone sem fio para mim. Pegou minha mão e me puxou para perto da tela, ficou de frente para mim quando começou a cantar. Balançava de um lado para o outro com ela, apertando os olhos para tentar desvendar o som das vogais e acompanhar a melodia, uma melodia que busquei no fundo de uma lembrança que podia ou não ter existido, ou uma lembrança que pertencia a minha mãe e que eu, de algum modo, tinha acessado. Senti que Nami buscava em mim algo que eu tinha passado a última semana procurando nela. Não exatamente minha mãe e não exatamente a irmã dela, existíamos naquele momento como a melhor opção disponível uma para a outra.

Peter e Emo Boo acompanhavam o ritmo com pandeiros que acendiam luzinhas de LED toda vez que se batia neles. Dei o melhor de mim para cantar junto. Queria fazer todo o possível para ajudá-la a ressuscitar a lembrança. Corria atrás dos caracteres coreanos que pareciam se acender na velocidade estonteante de um fliperama. Deixei as palavras saírem de minha boca sempre um pouquinho atrasadas, na esperança de que a língua de minha mãe fosse me guiar.

Agradecimentos

Em primeiro lugar, preciso agradecer a Daniel Torday, um mentor fundamental que teve de ler inúmeras coisas muito, muito mal escritas enquanto eu estava na faculdade e, não sei como, ainda conseguiu acreditar em mim no fim das contas. Tudo que eu aparentemente sei a respeito de escrever devo ao que você me ensinou.

Agradeço a Brettne Bloom, a mais maravilhosa agente, defensora e amiga. Você realmente mudou tudo em minha vida e fez com que o caminho fosse mais divertido.

Agradeço a minha editora, Jordan Pavlin, cujos conselhos brilhantes e apoio tão atencioso ajudaram a fazer com que este livro fosse concluído.

Agradeço a Robin Desser por dar um lar a esta história na editora Knopf. A sua enorme sabedoria e visão a transformaram em um livro muito melhor do que poderia ter criado.

Agradeço a todos na Knopf que fizeram com que me sentisse tão acolhida em um lar que abriga tanta gente de prestígio. Sinto-me honrada com a paixão e o incentivo de vocês.

Agradeço a Michael Agger e à revista *The New Yorker* pela tremenda oportunidade que deu início a *Aos prantos no mercado*.

Agradeço a Ryan Matteson pela sua crença incansável no meu valor.

Agradeço a Maangchi por compartilhar seu enorme conhecimento com o mundo. Você é a luz que guiou tanta gente em busca de conexão e significado. Sou grata pelo seu carinho e generosidade.

Agradeço a Adam Schatz e a Noah Yoo por seu tempo valioso e por sua perspicácia.

Agradeço a Nami Emo por abrir os braços para mim, mesmo quando poderia ter sido mais fácil para o seu coração me dar as costas. É uma bênção termos nos aproximado tanto nestes últimos anos, apesar dessa proximidade estar enraizada em nosso luto em comum. Sei muito bem o quanto você foi generosa e vou guardar para sempre e com carinho as lembranças que você dividiu comigo. Laços de sangue são assim.

Agradeço a Emo Boo, Esther e Seong Young, o que sobrou de minha família coreana. Agradeço a Fran e Joe Bradley, minha nova família.

E, acima de tudo, agradeço a Peter Bradley, que sofreu com tantas variações de humor ao longo deste livro e aturou e tolerou os vários arroubos de megalomania e desespero completo que acompanharam o processo de escrita. É um privilégio absoluto ter você como primeiro leitor e editor e como o companheiro mais perfeito. Como eu pude ter tanta sorte em convencê-lo a se casar comigo? Amo absolutamente tudo em você. E é a você que sou mais grata.

A marca FSC® é a garantia de que a madeira utilizada na fabricação do papel deste livro provém de florestas gerenciadas de maneira ambientalmente correta, socialmente justa e economicamente viável e de outras fontes de origem controlada.

Título original: *Crying in H Mart: A Memoir*

DIRETORAS EDITORIAIS Fernanda Diamant e Rita Mattar
EDITORA Juliana de A. Rodrigues
ASSISTENTE EDITORIAL Cristiane Alves Avelar
PREPARAÇÃO Tatiana Vieira Allegro
REVISÃO Luicy Caetano e Andrea Souzedo
DIREÇÃO DE ARTE Julia Monteiro
CAPA Ing Lee
PROJETO GRÁFICO Alles Blau
EDITORAÇÃO ELETRÔNICA Página Viva

Dados Internacionais de Catalogação na Publicação (CIP)
(Câmara Brasileira do Livro, SP, Brasil)

Zauner, Michelle
Aos prantos no mercado / Michelle Zauner ; tradução Ana Ban. — São Paulo : Fósforo, 2022.

Título original: Crying in H Mart: A Memoir.
ISBN: 978-65-89733-68-3

1. Americanos de origem coreana — Autobiografia 2. Cantoras - Estados Unidos - Autobiografia 3. Músicos de rock — Estado Unidos — Autobiografia 4. Zauner, Michelle I. Título.

22-112053 CDD — 782.42166092

Índice para catálogo sistemático:
1. Ficção : Cantoras de rock : Autobiografia 782.42166092

Cibele Maria Dias — Bibliotecária — CRB-8/9427

1ª edição
4ª reimpressão, 2024

Editora Fósforo
Rua 24 de Maio, 270/276, 10º andar, salas 1 e 2 — República
01041-001 — São Paulo, SP, Brasil — Tel: (11) 3224.2055
contato@fosforoeditora.com.br / www.fosforoeditora.com.br

Este livro foi composto em GT Alpina e
GT Flexa e impresso pela Ipsis em papel
Pólen Natural 80 g/m² da Suzano para a
Editora Fósforo em abril de 2024.